Les Enfants au Moyen Age

Des mêmes auteurs

Danièle Alexandre-Bidon

L'Enfant à l'ombre des cathédrales, avec M. Closson, Lyon, Presses Universitaires de Lyon/CNRS, 1985.
Le Pressoir mystique (dir.), Paris, Cerf, 1990.
A Réveiller les morts. La mort au quotidien dans l'Occident médiéval (dir. avec C. Treffort), Lyon, Presses Universitaires de Lyon, 1993.
L'Enfance au Moyen Age, avec P. Riché, Paris, Seuil/Bibliothèque nationale de France, 1994.
Comprendre le XIIIe siècle (dir. avec P. Guichard), Lyon, Presses Universitaires de Lyon, 1995.
Guide de la France médiévale, avec Ph. Boitel et Ph. Bon, Le Livre de Poche, Paris, Hachette, (à paraître).

Ouvrages pour la jeunesse :

La France des châteaux-forts, avec F. Piponnier, Ouest-France, 1987, rééd. 1994.
La Vie des enfants au Moyen Age, avec P. Riché, Sorbier, 1994.

Didier Lett

Enfances et familles sous le regard de l'Eglise, XIIe-XIVe siècles, à paraître aux éditions Aubier en 1997).

Danièle Alexandre-Bidon
Didier Lett

Les Enfants au Moyen Age

Ve-XVe siècles

Préface de Pierre Riché

HACHETTE

Maquette et conception graphique : Atalante.
En couverture : Testard Robinet, *L'annonciation aux bergers,* (détail), Livre d'heures. France (Poitiers), c. 1480, ms. 1001, f° 48.

Préface

Qui aurait pu penser, il y a quelques années, que l'on puisse écrire une « Vie Quotidienne » des enfants au Moyen Age ? En effet, il était courant de dire que l'enfant intéressait si peu les adultes à cette époque que la documentation les concernant était très rare et qu'alors son histoire était presque impossible à faire. Heureusement nous savons à présent que ces idées étaient peu fondées, ce livre en est la preuve. Les textes qui mentionnent les enfants sont très nombreux et très variés. Récemment, l'auteur d'un ouvrage sur l'enfance dans l'Allemagne médiévale en a dénombré pour ce sujet près de deux cents... Sans doute faut-il distinguer les sources indirectes (romans, encyclopédies, textes juridiques, vies des saints, etc.) des témoignages directs tels les textes pédagogiques qui se comptent par dizaines et dont certains sont encore inédits : traité ou lettre d'un abbé à un novice, d'un père ou d'une mère à son fils, d'un maître à son élève, d'un clerc à un jeune aristocrate ou à un fils de prince.

Cette documentation est encore enrichie par l'image et les trouvailles archéologiques. L'exposition, L'Enfance au Moyen Age, organisée pendant l'hiver 1994-1995 par la Bibliothèque nationale de France et visitée par plus de cinquante mille personnes, a montré que l'enfant était représenté dans de nombreuses miniatures – et pas seulement l'Enfant Jésus – et qu'il était rendu présent grâce aux objets qui lui avaient appartenu : berceaux, jouets, vaisselles, tablettes à écrire, etc.

Les auteurs de ce livre, s'appuyant sur tous ces témoignages et exploitant une bibliographie de plus en plus riche, nous donnent un ouvrage très savant mais en même temps très vivant. Nous découvrons les enfants, garçons et filles, dans leur milieu aristocratique mais aussi populaire, de la naissance – et même avant la naissance – à l'adolescence, au sein de leur famille, à l'école, aux champs, en apprentissage. Nous découvrons, également hélas, l'enfance malheureuse, problème toujours d'actualité, avec les jeunes maltraités, abandonnés, prostitués, vagabonds et mendiants. L'Eglise s'est très tôt intéressée au sort de l'enfance et à l'éducation car, comme le disait Gerson au début du XVe siècle, « la réforme de l'Eglise passe par l'enfance ». Dans le haut Moyen Age, les moines ont reçu les oblats dans leurs monastères, par la suite les clercs ont dirigé les écoles et les manécanteries et ont veillé à la formation religieuse des jeunes.

Sans doute, puisque je parle du haut Moyen Age, il faut reconnaître que notre documentation n'est pas la même tout au long du millénaire médiéval. Le lecteur se rendra compte que la documentation littéraire et iconographique, dans l'état actuel de nos recherches, augmente à partir du XIIe siècle. D'autre part, il constatera que certains secteurs géographiques sont privilégiés, la France, l'Italie, l'Angleterre, alors que les enfants en Espagne, en Allemagne et dans les milieux juifs sont moins présents. Tout ceci est inévitable car nous sommes, en fait, au début de notre enquête. Il faudrait l'étendre même aux pays musulmans et à l'Orient. Ce livre peut servir d'incitation à poursuivre les recherches. Elles en valent la peine.

Pierre RICHÉ

Introduction

Etudier l'histoire de l'enfance peut paraître anodin et sans danger. Pourtant, depuis plusieurs décennies, les historiens sont loin d'être d'accord sur ce sujet qui prête à controverse.

En 1960, Philippe Ariès publie *L'Enfant et la vie familiale sous l'Ancien Régime* [1]. Pour la première fois, une synthèse de l'histoire de l'enfant dans les « sociétés traditionnelles » est tentée. L'enfant devient véritablement un objet d'histoire. L'ouvrage, réédité en 1973, a connu un formidable succès auprès du grand public et garde encore un large auditoire aujourd'hui. Résumons brièvement les thèses de l'auteur : l'enfant n'existe pas dans l'esprit des hommes et des femmes du Moyen Age. Le « sentiment de l'enfance » et le souci éducatif sont des phénomènes récents, nés au cours du XVIIIe siècle. Selon Philippe Ariès, à l'époque médiévale, « on ne pouvait s'attacher trop à ce qu'on considérait comme un éventuel déchet [2]. » « Si l'enfant venait à mourir, on ne s'en émouvait pas outre mesure [3] ».

La position radicale adoptée par l'auteur a déclenché l'intérêt passionné des lecteurs et de ses collègues. Une polémique s'est alors élevée, après les travaux de Pierre Riché [4], de Jean-Louis Flandrin [5] et d'Emmanuel Le Roy Ladurie [6]. Philippe Ariès, tenant compte de l'ensemble de ces critiques, dès 1973, nuance ses positions dans une longue préface à la réédition de son ouvrage. Sept ans plus tard, il confesse : « Je regrette de ne m'être pas mieux informé sur le Moyen Age, dont mon livre parle si peu [7]. » Hélas, alors que le fondateur nuance ses affirmations, ses émules vont encore plus loin que leur inspirateur dans la négation du sentiment de l'enfance. Edward Shorter, par exemple, voit, dans les sociétés anciennes, des mères totalement indifférentes aux enfants de moins de deux ans et affirme que le berceau est un « appareil à abrutir » entre les mains des parents de catégorie sociale « inférieure » [8]. Quant à Elisabeth Badinter, qui n'est pas historienne et dont le livre, *L'Amour en plus*, a connu, lui aussi un succès notoire, elle n'hésite pas à affirmer qu'avant le début du XIXe siècle, l'Occident est une « société sans amour », que l'affection maternelle n'existe pas et que l'enfant, méprisé « comme un jouet ou une machine [...] fait peur [9] ». Le besoin enfoui en nous de croire que l'amour pour les enfants est une conquête récente, manière d'ennoblir notre histoire contemporaine par ailleurs bien tragique, est peut-être à l'origine de la méprise qui a laissé croire à l'absence d'amour et de tendresse à l'égard des enfants des temps anciens.

Trente-sept ans se sont écoulés depuis la parution du livre de Philippe Ariès. La plupart de ses idées sont aujourd'hui battues en brèche [10]. Mais, récuser ses thèses a été l'occasion de donner vie à ses problématiques. Incontestablement, celles-ci ont orienté les principales recherches et les historiens se sont d'abord attachés à montrer une image positive de l'enfance et à mettre en valeur l'affection et le souci éducatif des parents [11].

Le présent ouvrage a assurément pour but de synthétiser l'ensemble de ces apports mais, il cherche aussi à indiquer qu'il existe d'autres pistes de recherche que celles ouvertes par Philippe Ariès. L'idée de dater « la découverte de l'enfance » a-t-elle vraiment un sens ?

Mettre à jour des traces d'amour parental est certes important car cela permet de récuser les thèses ariésiennes encore trop largement diffusées mais il s'agit d'une entreprise possible pour toutes les époques de l'histoire. Ayant pris désormais du recul, grâce au temps qui nous sépare de l'ouvrage fondateur, on peut aujourd'hui sortir de la controverse et, non seulement évoquer des enfants reconnus et choyés au sein de leur famille, mais montrer également que la société médiévale, comme la nôtre actuellement, a pu faillir dans un certain nombre de domaines concernant les premiers âges de la vie.

Dans les pages qui suivent, nous avons souhaité évoquer les enfants dans de très nombreux pays de l'Europe actuelle. Nous avons également voulu couvrir l'ensemble de la période médiévale, c'est-à-dire les dix siècles qui séparent la fin de l'Empire romain des « Grandes Découvertes » et, par conséquent, montrer une évolution de la perception de l'enfance en ne perdant jamais de vue que ce que l'on sait de l'enfant n'est que le résultat du regard que l'adulte porte sur lui. Nous nous sommes intéressés à tous les enfants, non seulement aux tout-petits, longtemps privilégiés par l'historiographie récente, mais également aux plus grands et aux adolescents. Il convient certes de les observer dans « la vie familiale » mais aussi dans tous leurs autres lieux de vie : l'école, le champ, l'entreprise, etc. comme il est nécessaire de les réinscrire dans le contexte des guerres, épidémies et famines du début et de la fin du Moyen Age. Il convient aussi, pour porter un regard pluriel sur l'enfance et enrichir notre perception du sujet, de distinguer plus nettement les écarts entre les filles et les garçons et de montrer l'enfant dans les différents milieux sociaux.

Faire l'histoire de l'enfance, c'est exploiter toutes les sources qui sont à notre disposition. Nous avons beaucoup utilisé les documents écrits : chroniques, codes de lois civiles et canoniques, pénitentiels, procès, vies de saints, récits de miracles, romans. L'ensemble de cette documentation est à décrypter dans la mesure où les enfants qui y apparaissent sont perçus à travers le filtre déformant du regard des clercs qui sont, au moins jusqu'au XIIIe siècle, presque les seuls à avoir laissé des traces écrites. Mais, nous avons également intégré les apports récents et décisifs de l'archéologie. Cette science a permis d'apporter de précieuses informations démographiques, d'éclairer les rites funéraires et a positivement modifié l'image que l'on se fait de l'enfant médiéval et de l'attention que les adultes lui ont portée. De très nombreux jouets – des petits soldats, des chevaux ou bateaux miniatures, des dînettes, des poupées, des hochets, des épées de bois – sont désormais découverts un peu partout en Europe. Des biberons, du mobilier, de la vaisselle, des vêtements et des bijoux ayant appartenu à des enfants, sont exhumés et donnent, paradoxalement, une image extrêmement vivante de l'enfance.

Nous avons aussi beaucoup fait appel à l'iconographie. La polémique sur l'existence ou non d'un sentiment de l'enfance s'est dès l'origine fondée sur le recours à l'image, que Philippe Ariès – et c'est là un autre de ses mérites – a été un des premiers à considérer en tant que source historique à part entière. Mais les résultats obtenus par lui sur un échantillonnage réduit ne correspondent en rien à ceux que l'on obtient sur un corpus, encore ouvert, de plusieurs milliers d'images. Là encore l'étude iconographique systématique infirme les positions de Philippe Ariès [12].

Parler de l'enfant médiéval, c'est autant évoquer sa représentation par les adultes et sa place symbolique dans l'idéologie chrétienne que sa vie matérielle et sa place réelle dans la société. Aussi, nous a-t-il semblé nécessaire d'évoquer d'abord les spécificités de la perception de l'enfance dans la société du haut Moyen Age, perception qui détermine et explique toute l'histoire de l'enfance médiévale, puis, de montrer, en suivant à la fois un plan chronologique et thématique, comment vivent et meurent les enfants entre le Ve et le XIe siècles, époque marquée par des conditions difficiles, avant d'aborder l'environnement affectif et éducatif de l'enfant dans sa famille au cours du Moyen Age central. Enfin, nous nous sommes intéressés aux différents enfants qui peuplent les textes et les images des XIVe et XVe siècles, dans les champs, dans les rues, en apprentissage, au château et à l'école. La documentation de la fin de l'époque médiévale, bien plus abondante que celle qui nous reste des siècles antérieurs, permet d'élaborer beaucoup plus sûrement une histoire de la vie matérielle des enfants.

L'enfant dans la chrétienté
Ve-XIIIe siècles

Didier Lett

Famille et parenté chrétiennes

La limitation progressive de la puissance paternelle

A Rome, le père détient un pouvoir absolu sur l'ensemble des membres de sa famille (*patria potestas*). Il a le droit de vie et de mort sur son enfant. En « soulevant » le nouveau-né si c'est un garçon ou en ordonnant que l'on mette au sein la petite fille, le père signifie à la famille et à la société qu'il accepte de nourrir sa progéniture. Dans le cas contraire, il indique qu'il la refuse [1]. Tant que le fils ou la fille n'a pas quitté la *domus* paternelle, il ou elle ne peut échapper à son emprise juridique. Cependant, sous le Bas-Empire, l'intervention de plus en plus nette de l'Etat dans le domaine de la vie privée et l'influence grandissante des idées stoïciennes (maîtrise de soi et souci d'autrui) provoquent un relâchement juridique de l'emprise paternelle sur l'enfant. Depuis le début du IIe siècle ap. J.-C., en cas d'abus de correction, le fils de famille a la possibilité de faire appel contre son père au magistrat qui, le cas échéant, prononcera une émancipation. La vente d'enfants est interdite et la possibilité d'abandonner restreinte. La législation des premiers empereurs chrétiens, à partir de Constantin, au début du IVe siècle, va dans le même sens : des déchéances d'autorité paternelle peuvent être prononcées dans les cas où, par exemple, le père expose l'enfant, livre sa fille à la prostitution ou contracte lui-même une union incestueuse.

Limitée, cette puissance paternelle n'en demeure pas moins importante au haut Moyen Age, comme nous l'indiquent certaines décisions conciliaires. En mai 541, le canon 22 du concile d'Orléans interdit, sous peine d'excommunication, les mariages des filles sans l'autorisation des parents. Le canon 2 d'un autre concile tenu dans la même ville, quelques années auparavant (en 511) oblige le ravisseur à rendre la fille à son père et à devenir l'esclave de celui-ci ou à racheter son esclavage tandis que la fille consentante doit obtenir le pardon paternel.

Mais, malgré tout, dans le droit comme dans la pratique, la puissance paternelle s'affaiblit. Avec la christianisation de la société, la *pietas* limite de plus en plus la *potestas* du père. Mais surtout, si le pouvoir paternel est réduit c'est parce qu'il est concurrencé, débordé et surpassé par celui de Dieu le Père.

Une nouvelle parenté

Dès les origines, il existe, dans la tradition judéo-chrétienne, une remarquable contradiction concernant l'amour entre parents et enfants. Les textes scripturaires ne cessent d'affirmer, à la suite du quatrième commandement (*Exode*, 20, 12) qu'il faut honorer et aimer son père et sa mère, mais que l'on doit en même temps préférer la parenté spirituelle à la parenté charnelle, voire sacrifier son fils si Dieu le demande, à l'image d'Abraham. Le Christ le proclame à plusieurs reprises : « Qui aime son père ou sa mère plus que moi n'est pas digne de moi. Qui aime son fils ou sa fille plus que moi n'est pas digne de moi » (*Matthieu*, 10, 37). « Si quelqu'un vient à moi sans haïr son père, sa mère, sa femme, ses enfants, ses frères, ses sœurs, et jusqu'à sa propre vie, il ne peut être mon disciple » (*Luc*, 14, 26). Les Pères de l'Eglise et les premiers théologiens reprennent et commentent cette conception. Pour saint Augustin, par exemple, le Christ nous enseigne « à faire passer notre parenté spirituelle avant notre parenté selon la chair [2] ». Il semble d'ailleurs avoir appliqué lui-même, avec l'aide de sa mère, les préceptes qu'il défend : parlant de son père, il s'adresse à Dieu dans ces termes : « Ma mère mettait tout en œuvre pour que tu fusses mon père, toi mon Dieu, plutôt que lui [3]. »

Se crée alors une conception de la parenté tout à fait nouvelle et originale, reposant sur une hiérarchie. Les saints et les saintes, présentés comme des modèles, rejettent toujours la parenté terrestre; rejet d'autant plus indispensable au tout début du christianisme, époque où la grande majorité des parents des futurs saints sont païens. Lorsque l'enfant-saint bénéficie d'un soutien parental pour réaliser sa vocation, il n'est pas étonnant qu'il le trouve presque toujours auprès de sa mère qui a déjà parfois épousé la religion chrétienne. La rupture avec le père symbolise alors la négation de l'ordre ancien marqué par l'autorité paternelle et le paganisme.

Nombreux sont les exemples de petits saints qui prennent parfois très tôt leur distance vis-à-vis de leurs parents. Dès sa naissance, le futur saint Nicolas décide de ne téter que deux fois par semaine (le mercredi et le jeudi) [4]. Ce jeûne précoce illustre l'infériorité de la nourriture maternelle par rapport à la nourriture céleste. Lorsque le saint grandit, il reste toujours à l'écart des joies familiales, refusant de participer aux jeux de ses frères et sœurs, préférant se rendre à l'église pour écouter les offices, prier ou apprendre par cœur son psautier. S'il reste aux côtés des autres enfants de son âge, il détourne le jeu à des fins édifiantes. Voilà comment, à la fin du XIIe siècle, l'hagiographe * de Frédéric de Hallum parle du petit saint :

> La mère de Frédéric possédait quelques brebis, dont il devint le pasteur, à la manière de David. Mais tandis que ses compagnons folâtraient et se conduisaient avec la légèreté des enfants, il ne se mêla jamais à leurs jeux ; mais il répétait avec application l'oraison dominicale que sa mère lui avait apprise ou bien il élevait en terre de petites églises, construisait des autels, fabriquait des livres en entrelaçant des feuilles, bref autant qu'il le pouvait, à sa mesure, il imitait en tout la façon d'agir des clercs [5]...

Le refus de la famille biologique éclate de manière particulièrement virulente au moment du mariage, sacrement qui est la base d'une vie dans le siècle et donc inacceptable pour le futur saint. L'adolescent des sources hagiographiques entre presque toujours en conflit avec ses parents au moment où ceux-ci, faisant passer les intérêts de l'alliance avant la vocation de leur enfant, tentent sans succès de lui imposer une union matrimoniale. Le refus auquel les parents se heurtent sert doublement le modèle ecclésiastique qui se met en place. D'une part, il montre que la réalisation de la vocation religieuse doit passer avant l'obéissance aux parents. D'autre part, il rappelle que le mariage ne peut être réalisé sans le libre consentement des conjoints.

A partir de l'époque carolingienne surtout, l'Eglise précise les contours de cette nouvelle parenté. Elle lutte contre la pratique fréquente du rapt et combat l'inceste. Reprenant le comput * romain, elle fixe l'interdit de mariage au septième degré de parenté et ce, jusqu'au concile de Latran IV (1215) qui, pour mieux s'adapter à la réalité, ramène cet interdit au qua-

* A leur première occurence, les mots traités dans le glossaire sont marqués d'un astérisque.

trième degré de la computation romaine. Cette législation est fondamentale car le mariage constitue, pour l'Eglise, le seul cadre licite pour engendrer. Dans la société romaine et dans la société germanique, la polygamie ou le concubinage semblent des pratiques relativement répandues, du moins dans les hautes couches de la société, celles que la documentation éclaire le mieux. Même si, à partir du IIe-IIIe siècles, les aristocrates romains païens participent à une « promotion de la conjugalité » qui crée une nouvelle morale à l'intérieur du couple [6], la notion d'enfant légitime reste floue et les répudiations d'épouses sont fréquentes. Le haut Moyen Age hérite largement de ces pratiques, malgré les très nombreuses interdictions des conciles. Souvent, dans son *Historia Francorum*, Grégoire de Tours est obligé, pour désigner les différents enfants des rois mérovingiens, d'établir une distinction entre les fils de l'épouse légitime et ceux des concubines. Il écrit d'ailleurs clairement : « On appelle maintenant fils de roi, tous ceux que les rois ont engendrés [7]. » A l'époque carolingienne, une législation importante vise à promouvoir la monogamie et l'indissolubilité du mariage (par exemple dans la célèbre *Admonitio generalis* de 789).

Mais, malgré les condamnations de l'Eglise, le bâtard est encore relativement bien considéré. Thierry, fils aîné de Clovis, est né d'une concubine, ce qui ne l'empêche nullement de recevoir une part d'héritage égale à celle de ses frères. Il en va de même pour Sigebert, fils naturel de Dagobert. Au haut Moyen Age, dans les familles royales et aristocratiques, les enfants naturels ont les mêmes droits successoraux que les enfants légitimes. La progéniture issue de la semence du père géniteur, quelle que soit la matrice, est intégrée à la famille et au lignage. Il faut attendre la mise en place du mariage grégorien et une plus grande « moralisation » de la société pour voir, à partir de la fin du XIe siècle, l'exclusion progressive des bâtards.

La valorisation de la procréation et de la grossesse

L'union matrimoniale doit déboucher sur la procréation pour prendre un sens chrétien. Aux yeux de l'Eglise, l'engendrement est l'unique justification de l'acte de chair, comme le rappelle, par exemple, le pape Grégoire le Grand (590-604), dans ses réponses adressées à l'archevêque de Cantorbéry, Augustin : « ... il faut absolument un lien charnel, mais ordonné à la procréation, non pas à la volupté [8]. » Les parents respectent ainsi la parole que Dieu adresse à Noé et à ses fils : « Soyez féconds, multipliez-vous, emplissez la terre » (*Genèse* 9, 1).

De nombreux récits de miracles mettent en scène des couples stériles qui, par l'intercession divine, obtiennent l'enfant tant attendu ou décrivent des accouchements périlleux sauvés par l'intervention d'un saint ou de la Vierge. Au haut Moyen Age, ce thème est parfois utilisé pour montrer la supériorité du Dieu des chrétiens sur les dieux païens et pour pousser les rois à se convertir. Au début du VIIe siècle, le roi Edwin de Northumbrie se réjouit de la naissance de sa fille Eanfled et remercie ses dieux. Mais l'évêque Paulinus, présent lors de cet événement, commence à glorifier le Dieu des chrétiens. Il dit au roi que si la reine a été délivrée d'un enfant sans trop de peine, c'est grâce aux prières qu'il a adressées à Dieu pendant la parturition. A ses mots, le roi se réjouit et promet de se convertir si le Dieu des chrétiens lui prête vie et lui assure la victoire sur ses ennemis. Pour sceller son engagement, il accepte de faire baptiser sa fille dans la religion chrétienne [9].

Dès le début du VIe siècle, les codes de lois barbares montrent également à quel point la femme enceinte est protégée. Les amendes de réparation à verser à la victime ou à sa famille en cas de blessure ou de meurtre (*wergeld* *) augmentent en grande partie en fonction du préjudice souffert par la partie lésée. Or, le tarif à payer pour un crime perpétré à l'encontre d'une femme enceinte est toujours extrêmement élevé. Dans la Loi salique, par exemple, celui qui tue une jeune femme libre en âge de procréer doit payer 600 sous et 700 si elle est enceinte, ce qui représente le tarif maximal. En revanche, celui qui assassine une femme ménopausée ne doit verser que 200 sous. Dans la Loi des Wisigoths, l'individu qui tue une femme en âge de procréer est puni d'une amende de 250 sous, presque autant que pour le meurtre d'un homme libre adulte (300 sous) qui, en âge de porter les armes, représente, dans cette société guerrière, une valeur inestimable. On pourra s'étonner, en lisant la Loi des Wisigoths, du peu de cas que l'on fait des nouveau-nés, puisque celui qui tue un bébé mâle ne doit payer que 60 sous (30 sous si c'est une fille). En fait, même si tuer un nourrisson est un crime puisque redevable d'une amende, il s'agit d'un acte jugé quatre fois moins grave que le meurtre d'une matrice qui aurait été capable, si elle avait vécue, de produire beaucoup d'enfants, d'assurer la continuation de la vie. Dans le code de valeurs des lois barbares, il s'agit d'abord de réprimander plus sévèrement ceux qui ont occasionné des dommages aux biens économiques et familiaux et, dans une société qui se christianise (et les codes de lois barbares rendent largement compte de l'essor de la nouvelle religion), ceux qui ont porté atteinte au sacré.

La grossesse est une des conditions du rachat de la femme chrétienne comme l'exprime clairement saint Paul : « Néanmoins elle sera sauvée en devenant mère, à condition de persévérer avec modestie dans la foi, la charité et la sainteté » (*Première Epître à Timothée*, 2, 15). Le christianisme reconsidère donc la grossesse et exalte la femme enceinte comme il valorise aussi le fœtus. Dans l'Antiquité, la voix ou les gestes de l'enfant dans le ventre de sa mère annoncent souvent un malheur. Pour les chrétiens, au contraire, ce sont des présages heureux, tel Jean-Baptiste « qui tressaillit d'allégresse » dans le ventre de sa mère Elisabeth, lors de la visite de Marie enceinte (*Luc* I, 39-45). De très nombreux futurs saints font des signes qui annoncent leur sainteté *in utero.* Cette réinterprétation d'un thème antique pré-chrétien dans un sens positif indique bien que, dès les origines scripturaires, le christianisme a valorisé le temps de la grossesse et reconnu une personnalité au fœtus.

La peur de la stérilité

Une famille prolifique est donc perçue comme une famille chrétienne qui s'accomplit, qui suit les préceptes évangéliques. *A contrario,* la stérilité est une marque du péché. Les ménages sans enfant sont montrés du doigt. Au Moyen Age, il existe de nombreux breuvages ou aliments réputés pour améliorer la fertilité d'un homme (poireaux, carottes, asperges) ou d'une femme (mandragore), comme sont attestés également de nombreux lieux de cultes qui ne sont pas toujours christianisés : fontaines ou sources sacrées, pierres autour desquelles on accomplit un certain nombre de rites pour dénouer les aiguillettes, sanctuaires spécialisés dans la lutte contre l'infertilité.

Les années de stérilité d'un couple sont particulièrement angoissantes : quel péché terrible ai-je pu commettre pour ne pas pouvoir procréer ? se demandent l'homme et la femme. Mais, cette longue attente est aussi une source d'espoir : celle de concevoir un être d'exception offert par Dieu comme une récompense, « comme si une attente durable n'était que le long mûrissement d'un fruit parfait [10] ». Ceux qui ne peuvent avoir d'enfant ont en mémoire tous les couples stériles de l'Evangile qui, par la grâce divine, ont finalement obtenu Ismaël (*Genèse*, 16), Isaac attendu pendant quatre-vingt-dix ans (*Genèse*, 21), Samuel (*Premier Livre de Samuel*, I, 4-20), Samson (*Livre des Juges*, 12, 13) ou Jean-Baptiste (*Luc*, 1-7). A l'imitation de ces personnages scripturaires, beaucoup de saints sont nés après une période de stérilité des parents qui ont parfois promis, pour obtenir l'intervention divine, que l'enfant serait destiné à la vie spirituelle.

Même si l'on sait aujourd'hui que la stérilité d'un couple peut être autant imputée au mari qu'à l'épouse, au haut Moyen Age, c'est presque toujours la femme qui en est rendue responsable. Les cas sont nombreux d'hommes répudiant leur compagne pour raison d'infécondité. Certes, les pénitentiels répriment cette fâcheuse habitude mais les canonistes et les théologiens se montrent très embarrassés pour justifier la validité d'un mariage stérile. Nous sommes sans doute là au cœur d'une contradiction interne au système de croyances chrétien, au carrefour de deux dogmes : l'indissolubilité du mariage et la nécessité de la procréation pour justifier l'acte de chair.

Naissances anormales

Un enfant né difforme ou taré est perçu comme la conséquence d'une intervention du diable ou d'une punition divine. On connaît la croyance médiévale dans les « enfants changelins » : il arrive que le diable substitue à un enfant un être démoniaque qui se reconnaît par ses pleurs incessants et son extrême maigreur alors qu'il mange beaucoup [11]. Voici comment, au début du XIIIe siècle, Guillaume d'Auvergne les décrit :

> Je ne saurais omettre d'évoquer ces petits enfants que l'on nomme dans le peuple les changelins, et dont ne cessent de parler les vieilles femmes qui racontent qu'ils sont fils de démons incubes ; ceux-ci substituent aux enfants des femmes leurs propres enfants, afin que ces femmes les nourrissent comme les leurs. C'est pourquoi on les appelle « changelins » (*cambiones*), c'est-à-dire changés, comme échangés, ou substitués aux enfants accouchés par les femmes. On dit qu'ils sont maigres, qu'ils pleurent sans arrêt, et qu'ils sont avides de lait, au point que quatre nourrices ne pourraient en contenter un seul. Ils semblent demeurer avec leurs nourrices durant de longues années pour ensuite s'envoler ou plutôt s'évanouir [12].

Les premiers vagissements du nourrisson inquiètent, embarrassent voire insupportent. Ils sont souvent interprétés par les clercs comme la marque de l'état de pécheur de l'homme ou comme une manifestation diabolique. C'est pourquoi, il existe des recettes pour faire taire ces cris. Les femmes médecins de l'Ecole de Salerne proposent de leur donner du pavot. Le *Decretum* de Burchard de Worms au début du XIe siècle, évoque la pratique qui consiste à faire passer l'enfant dans un tunnel de terre pour arrêter ses pleurs [13]. Usage qui rend compte du pouvoir prophylactique attribué à la terre dans une société essentiellement rurale et de l'intérêt et inquiétude que portent les parents aux pleurs de leur enfant.

L'anormalité d'un enfant peut être aussi perçue comme une punition divine : Grégoire de Tours rapporte le cas d'une femme berrichonne qui a mis au monde un monstre :

> Comme c'était pour beaucoup un sujet de moquerie de l'apercevoir, et qu'on demandait à la mère comment un tel enfant pouvait être né d'elle, elle confessait en pleurant qu'il avait été procréé pendant une nuit de dimanche. Et n'osant le tuer, comme les mères ont coutume de le faire, elle l'élevait de même que s'il eût été conforme [14].

Cet enfant monstrueux est, pour la mère comme pour l'entourage (même si la précision extrême du jour de la conception paraît peu crédible), le signe évident du péché de ses parents qui doivent faire pénitence en l'élevant... comme on porte sa croix. Cet *exemplum* * sert le discours efficace de l'Eglise ; Grégoire de Tours rappelle à la suite de cette histoire qu'il y a bien assez de jours dans la semaine pour se livrer à la volupté et qu'il est nécessaire de respecter le repos dominical. Il précise : « Si des époux unissent leurs embrassements en ce jour, les fils qui en naîtront seront ou perclus, ou épileptiques, ou lépreux. »

Les naissances multiples sont aussi perçues comme le signe du péché : si une femme accouche de plusieurs enfants, c'est qu'elle a eu des relations sexuelles avec plusieurs hommes. Paul Diacre évoque, par exemple, l'histoire extraordinaire d'une prostituée qui accouche de sept enfants le même jour [15]. Marie de France, vers 1170, raconte qu'une femme met au monde des jumeaux. Sa voisine se moque alors du mari et remet en cause la fidélité de la jeune mère :

Si sa femme a eu deux fils,
Ils sont déshonorés tous les deux
Car nous savons bien ce qu'il en est :
On n'a jamais vu
Et on ne verra jamais
Une femme accoucher
De deux enfants à la fois,
A moins que deux hommes ne les lui aient faits

Heureusement, aux yeux de Dieu, l'honneur de la dame est sauf car :

La même année, la médisante
Devient enceinte
Enceinte de deux enfants :
Voilà sa voisine bien vengée ! [16]

L'ensemble de ces croyances traduit l'angoisse et l'impuissance d'une société face à l'anormalité.

Le sens chrétien de la maternité : accouchement, relevailles et allaitement

Le rachat nécessaire de la femme par la maternité, commencé avec sa grossesse, se poursuit par l'accouchement dans la douleur, la mise en quarantaine *post-partum* et la réintégration dans l'Eglise lors de la cérémonie des relevailles.

Toutes les sources s'accordent pour nous laisser l'image d'accouchements difficiles, douloureux et parfois mortels. « Mal de dent et mal d'enfant sont les plus grands qui soient », affirme un proverbe médiéval. Les parturientes souffrent souvent plusieurs jours avant d'être délivrées ; lorsqu'elles n'en meurent pas, elles en gardent parfois des séquelles graves : cécité, tumeur ou paralysie. A n'en pas douter ces accouchements périlleux sont une réalité. Cependant, dans des récits rédigés à des fins édifiantes, donner à voir autant de souffrances, procède aussi d'une intention didactique. Ces scènes obligent le chrétien à se remettre en mémoire une parole scripturaire. Comme le rappelle Grégoire le Grand :

> ... la volupté est dans la procréation, la douleur dans l'enfantement. C'est pourquoi il est dit à la première mère de tous les hommes : « Tu enfanteras dans la douleur [17]. »

Au XIIe siècle, l'hagiographe des *Miracles de Notre-Dame de Rocamadour* l'exprime remarquablement bien, lorsqu'il relate le cas extraordinaire d'une femme enceinte depuis trente mois qui, tous les jours, sans jamais pouvoir accoucher, est prise par les douleurs de l'enfantement :

> En cette misérable, écrit-il, s'accomplissait trop bien cette parole qui fut dite à la femme aux premiers jours : « Tu enfanteras dans la douleur [18]. »

Cette souffrance a donc aussi une fonction idéologique : elle rappelle la Chute (*Genèse*, 3) et oblige implicitement le chrétien à se remémorer son état de pécheur ; elle permet aussi à la femme de participer à son rachat. Si le thème de la souffrance expiatoire de la femme en couches est antérieur au christianisme, il a été abondamment utilisé par l'Eglise pour rappeler le message biblique.

Au sortir des affres de la parturition, la jeune mère, considérée comme impure, est, en théorie, mise en marge de la société chrétienne pendant une période au cours de laquelle un ensemble d'interdits pèsent sur elle. Au début du VIIe siècle, le pape Grégoire le Grand, écrit en ces termes à Augustin :

> Quand une femme a accouché, le nombre de jours après lesquels elle peut rentrer dans l'église, tu l'apprends de l'Ancien Testament, à savoir trente-trois jours pour un enfant de sexe masculin, et soixante-six pour un enfant de sexe féminin [19]...

Cette période de mise à l'écart de la jeune mère n'a jamais été officiellement prescrite par l'Eglise. Cependant, dans la pratique, elle se stabilise autour d'un mois et demi environ, après quoi la femme, à l'image de Marie qui a attendu quarante jours avant de présenter Jésus au Temple, est réintégrée dans l'Eglise par une cérémonie de purification.

Depuis le haut Moyen Age, contrairement à une idée reçue qui octroie à Jean-Jacques Rousseau cette idée novatrice, l'allaitement maternel est toujours valorisé et préféré à l'allaitement mercenaire. Il est encore un moyen, pour la mère, de se racheter, en imitant Marie, en montrant la Vierge allaitant l'Enfant (*Virgo lactans*).

L'Eglise a donc proposé une relecture et une réinterprétation de la maternité, en valorisant à l'extrême les rites qui entourent la naissance. Elle a ainsi assuré la promotion de la mère et de l'enfant.

La lutte contre la contraception

La nature, divine par essence, est nécessairement bonne. L'Eglise s'oppose donc à tous les procédés qui tentent de la contrarier. La société du haut Moyen Age a-t-elle suivi à la lettre, ces préceptes ? S'il est vrai que les méthodes contraceptives antiques sont moins attestées, elles n'en disparaissent pas pour autant. Césaire d'Arles, au début du VIe siècle, dénonce ces pratiques [20]. Les pénitentiels nous renseignent sur des potions magiques que certaines femmes absorbent pour éviter d'être enceinte. Au début du XIe siècle, Burchard de Worms questionne : « As-tu fait comme beaucoup de femmes, elles prennent leurs précautions pour ne pas concevoir [...] avec les maléfices (*maleficia*) et les herbes ? » ; le châtiment est particulièrement sévère puisqu'il préconise, comme pour un homicide, sept ans de pénitence [21]. Herman, abbé de Saint-Martin de Tournai évoque la comtesse Clémence, épouse du comte de Flandre Robert II (1087-1111), qui :

> après avoir eu de son mari, le comte Robert, trois fils en l'espace de trois années, craignit que si elle en avait encore d'autres ils n'entrassent en lutte au sujet de la Flandre. Aussi agit-elle par des procédés féminins (*arte mulierbri)* pour ne plus enfanter, encourant ainsi la vengeance divine, car tous ses fils moururent longtemps avant elle [22].

Sous la plume de l'abbé, cette histoire a pour but évident de condamner ces usages et d'avertir celles qui voudraient s'y livrer qu'elles risquent la punition de Dieu. Mais elle nous apprend également que, dans les milieux aristocratiques, les femmes, sans doute vivement encouragées par leurs époux, tentent de limiter leurs descendances pour éviter que l'héritage ne s'émiette.

Il convient cependant de nuancer l'idée d'une contraception répandue au haut Moyen Age : ces pratiques reposant sur des connaissances imprécises sont peu efficaces. Il faut attendre le XIIe siècle pour que les techniques contraceptives gréco-romaines et arabes se répandent en Occident grâce aux traductions réalisées à Tolède. Mais, même avec cet apport, gageons que la grande majorité des hommes et des femmes du Moyen Age n'ont guère pu contrôler les naissances de manière efficace. Restent alors à la disposition des couples d'autres moyens de limiter le nombre d'enfants. D'une part, des usages condamnés : coït interrompu, pratiques jugées contre nature, etc. D'autre part, une hygiène sexuelle encouragée par l'Eglise : le respect des interdits et de la continence. Jean-Louis Flandrin a montré qu'au haut Moyen Age, un couple qui aurait respecté scrupuleusement tous les temps de prescriptions imposés par l'Eglise n'aurait eu de relations sexuelles qu'environ trois jours par mois [23].

La lutte contre l'avortement

La religion judéo-chrétienne introduit de surcroît une notion fondamentale. S'appuyant sur le cinquième commandement, elle prône le respect de la vie sous toutes ses formes, d'où les condamnations répétées dans tous les capitulaires, les canons des conciles et les pénitentiels du haut Moyen Age, des pratiques abortives. Ces dernières sont considérées comme des *maleficia*, des produits de la magie : graine de fougère ou de gingembre, feuilles de saule, d'épidème, de rue, mélanges d'aloès, persil, fenouil, coloquinte ou bains de camomille.

Les textes normatifs du haut Moyen Age se montrent toujours sévères vis-à-vis de l'avortement. Cependant, deux critères modifient les peines qu'encourent ceux et celles qui se livrent à une interruption volontaire de grossesse : le contexte de la conception et l'âge du fœtus. Le législateur distingue toujours nettement, en effet, la femme qui a agi dans le plus grand dénuement, pour laquelle la condamnation est plus légère, de la fornicatrice cherchant à celer son crime, jugée plus sévèrement. En 524, le concile de Lerida excommunie pendant sept ans celui ou celle qui a tenté de faire mourir *in utero* ou à la naissance un enfant né d'un adultère.

Le législateur tient également compte du temps présumé de la grossesse. On peut lire, par exemple, dans le pénitentiel attribué à Bède (VIIe siècle) :

> La mère qui tue l'enfant qu'elle porte dans son sein avant le quarantième jour après la conception jeûnera pendant un an, et après le quarantième jour, pendant trois ans [24].

C'est-à-dire une durée presque aussi longue que pour l'homicide d'un laïc (quatre ans). Ces mesures sont reprises dans les pénitentiels des siècles suivants où il semble que les peines s'alourdissent (jusqu'à douze ans de jeûne). La sévérité augmente donc nettement lorsque l'enfant est doté d'une âme (*animatum)* : 40 à 45 jours pour les garçons et 80 à 90 jours pour les filles. Mais cette distinction reste théorique. Dans la pratique, il est clair que personne n'est capable à l'époque de déceler une grossesse si précocement, limitant du même coup l'efficacité des méthodes abortives.

La répression de l'infanticide

On peut lire dans le canon 17 du concile de Tolède (589) :

> Les clercs et les juges civils doivent réunir leurs efforts pour détruire cette abominable coutume très répandue, que les parents tuent des enfants pour ne pas les nourrir [25].

« Très répandue » ? Comme pour celle de l'avortement, ces condamnations récurrentes ne traduisent pas nécessairement des pratiques très fréquentes. Le canon du concile, la phrase du pénitentiel, le passage d'une chronique ont toujours un rapport lointain avec la réalité. Il s'agit souvent d'un stéréotype. L'infanticide est, par excellence, la marque qui désigne les mauvais parents. De la même manière, lorsque les clercs décrivent les peuples païens, ils en font des massacreurs d'enfants allant jusqu'à arracher les tout-petits des bras de leur mère. Le but est moins de rendre compte d'une réalité que de rappeler au lecteur un message chrétien. Le Barbare est assimilé au bourreau envoyé par Hérode pour tuer les nouveau-nés. La cruauté qui va jusqu'au meurtre des enfants s'apparente alors à un véritable génocide, puisque les bourreaux exterminent même les êtres les plus innocents qui composent la génération qui aurait dû engendrer. Tuer uniquement les hommes adultes, c'est « de bonne guerre ». Massacrer aussi les femmes et les enfants, c'est s'attaquer à la race tout entière. Si, dans les premiers siècles médiévaux, l'infanticide est souvent un crime imputé aux païens, au bas Moyen Age, ce sont fréquemment les juifs qui sont accusés de tuer les petits enfants et de se nourrir de leur sang.

Cependant, dans cette période particulièrement troublée, des parents démunis, pouvant à peine se nourrir, ont porté atteinte à la vie du fœtus ou du nouveau-né, même s'il est souvent impossible de distinguer l'acte volontaire de l'imprudence. De nombreux conciles condamnent les parents qui étouffent leur enfant en le faisant coucher avec eux ou ceux dont la mauvaise surveillance a causé un fatal accident.

Ce qui est important surtout, et qui rend compte de la valeur accordée à l'enfant, c'est la lourdeur des condamnations infligées aux parents infanticides. Au début du IXe siècle, le deuxième statut diocésain de Théodulphe d'Orléans condamne la mère qui a tué son enfant volontairement à être exclue de l'église pendant quarante jours (comme si elle venait de lui donner la vie). Elle doit attendre quatre ans pour être admise à la communion des prières et dix pour recevoir la communion sacramentelle. Mais les législateurs, là encore, opèrent souvent des distinctions : ils ne jugent pas avec la même sévérité le crime d'un enfant qui a reçu le sacrement du baptême et celui d'un enfant non-baptisé car ce dernier est non seulement assassiné dans le siècle mais mort pour l'éternité; ils font également la différence entre les femmes démunies pour lesquelles la peine est beaucoup moins lourde et les autres. Un texte de la fin du VIIIe siècle met en scène une de ces pauvres femmes : vers 780, dans le village de Bischofheim, près du monastère dirigé par sainte Lioba, une pauvre femme enceinte, inscrite à la matricule des aumônes du couvent, décide de cacher sa grossesse en prétextant une maladie. Elle accouche clandestinement, enveloppe l'enfant dans des chiffons et le jette dans la retenue d'eau que les paysans ont réalisée pour installer un moulin. Une femme ayant découvert le nouveau-né accuse aussitôt les religieuses du monastère. Elle s'écrie :

> Quelle chaste congrégation, quelle glorieuse virginité pour ces filles qui sous le voile ont des enfants et qui font à la fois la mère et le prêtre en baptisant les petits qu'elles ont mis au monde!

Elle alerte l'ensemble des villageois qui « voient le sacrilège, frémissent d'horreur devant le crime, prennent en abomination les religieuses ». L'abbesse Lioba apprend le tumulte, rassemble les nonnes et s'aperçoit qu'il en manque une, Agathe, qui est aussitôt accusée du crime. Dans l'église, en la présence de l'ensemble de la communauté villageoise, Lioba invoque le jugement de Dieu et aussitôt, la pauvre femme avoue sa faute et les assistants louent le miracle réalisé par Dieu à la demande de l'abbesse [26].

Ce texte a le mérite de nous montrer les doutes qui pèsent sur le respect de la clôture mais il nous informe surtout sur les causes évidentes de l'infanticide, presque toujours motivé par le plus profond dénuement [27].

Parfois, reprenant une pratique bien attestée dans l'Antiquité, l'infanticide est occasionné par la difformité d'un enfant. On sait par exemple que le père de sainte Odile, à la fin IXe siècle, tente de tuer sa fille née aveugle, obligeant sa mère à la cacher pendant un an pour lui éviter la mort.

Ainsi, au haut Moyen Age, si l'infanticide est une réalité, en aucun cas il n'est un phénomène massif. Il est clair que dans la majorité des cas, les pauvres femmes préfèrent tenter d'abandonner leur enfant en espérant qu'il sera adopté par d'autres. Par conséquent, la politique répressive de l'Eglise, si elle a eu quelque effet, favorise l'abandon.

L'abandon

L'abandon au Moyen Age a-t-il été aussi massif qu'on a bien voulu le dire ou l'écrire [28] ? Sans prétendre répondre à cette question, on peut dire qu'il s'agit, dans les périodes difficiles du Moyen Age (surtout jusqu'au Xe siècle et au bas Moyen Age) de la solution la plus chrétienne de se séparer d'un enfant que l'on ne peut élever. Motivé par le puissant respect de la vie, en cas de grande paupérisation, certains couples ont sans doute été contraints d'abandonner leur progéniture.

En 529, le concile de Vaison stipule que :

> Quiconque trouvera un de ces enfants doit se munir d'une attestation de l'Eglise et ensuite le recueillir. Néanmoins le dimanche suivant le prêtre annoncera de l'autel qu'un enfant a été recueilli par quelqu'un de l'église, afin que ses parents le

reprennent, s'ils prouvent dans les dix jours de l'exposition qu'ils l'ont reconnu. Ils pourront donner ce qu'ils voudront pour la charité faite pendant ces dix jours, ou en laisser la récompense à la grâce de Dieu. Si quelqu'un inquiète par ses revendications ou par ses calomnies ceux qui auront recueilli dans ces formes un enfant trouvé, il sera assimilé à l'homicide.

Les Pères de l'Eglise et les législateurs postérieurs légitiment l'abandon pratiqué par les plus démunis et encouragent vivement les parents qui ne peuvent faire autrement à se dessaisir d'un de leurs enfants en venant le déposer dans des lieux publics afin qu'il soit trouvés plus sûrement. Le concile de Mâcon, en 581, exhorte les femmes à déposer l'enfant « plutôt à la porte de l'église, afin qu'ayant été porté au prêtre dès le lendemain, il (l'enfant) soit recueilli et élevé par quelque fidèle ».

Dans les décrets conciliaires compilés par Réginon, abbé de Prüm vers 906, qui ont pour but de faciliter le fonctionnement de la juridiction synodale, on peut lire :

Nous conseillons à tous les prêtres d'annoncer publiquement à leurs paroissiens que si une femme devait concevoir et enfanter à la suite d'une union clandestine, elle ne doit point tuer son fils ou sa fille [...] mais plutôt apporter le bébé aux portes de l'église et l'y déposer, en sorte que l'on puisse l'amener au prêtre dans la matinée et que l'un des fidèles puisse le recueillir et l'élever [29].

Selon John Boswell, si une élite chrétienne commence à critiquer l'abandon, c'est moins en mettant en avant le devoir d'amour et d'éducation des parents vis-à-vis de leur enfant qu'en recourant des considérations éthiques : les risques mortels auxquels on expose le bébé et surtout la hantise de relations incestueuses involontaires de l'enfant et du parent « adoptant » [30].

L'adoption

Dans l'Antiquité, les hommes peuvent manipuler leur parenté grâce au divorce et à l'adoption. Au haut Moyen Age, ces derniers n'ont pas disparu même si, déjà, l'Eglise s'y oppose. De nombreux cas d'adoption sont attestés chez les Mérovingiens. Le roi Gontran, en 577, lorsqu'il adopte Childebert II, son neveu âgé de sept ans, proclame solennellement : « Il est arrivé qu'à cause de mes péchés je suis resté sans enfants, et c'est pourquoi je demande que ce neveu soit pour moi un fils... [31] » Cette formule est intéressante, car elle montre la christianisation de la pratique antique de l'adoption au haut Moyen Age. Puis en 585, Childebert, le neveu, devenu majeur, confirme complètement cette adoption et devient l'héritier. Il reproduit ensuite ce mode de filiation puisque, quelques années plus tard, il adopte à son tour son neveu Gondovald, délaissé par son père. Lorsque sa mère le lui présente, elle lui dit : « Voici ton neveu, fils du roi Clotaire, et comme il est détesté par son père, accueille-le, car c'est ta chair ; » Grégoire de Tours ajoute : « Celui-ci (Childebert) le prenant parce qu'il n'avait pas de fils, le retint chez lui [32]. »

Dans les deux cas, l'adoption est doublée d'un lien de sang, comme si ce mode de filiation était un compromis entre l'agrégation d'un complet étranger et une filiation naturelle. Il s'agit de la légitimation d'un membre de sa famille qui est déjà lié par le sang au père adoptif. Il arrive cependant que l'adoption se fasse à l'extérieur de la parenté. Sigebert III, par exemple, roi mérovingien de 633 à 656 n'a pas d'enfant, et, pressé par son maire du palais Grimoald, il en adopte le fils qui, pour se rattacher à la dynastie mérovingienne, prend le nom de Childebert, anthroponyme traditionnel des Mérovingiens. « Childebert l'Adopté » règne de 656 à 662. Dans ce cas, l'adoption est un instrument qui permet aux maires du palais de s'imposer progressivement face aux descendants de Clovis. Elle annonce, un siècle avant, le « coup d'état » de Pépin le Bref qui provoque un changement de dynastie à la tête de la Gaule.

Au VIIe siècle, en Espagne, on rencontre des cas d'adoptions légales qui prévoient une rémunération à donner à la famille d'accueil :

> Si quelqu'un accepte un enfant de ses parents pour l'élever, il peut en exiger le prix d'un *solidus* par an, chaque année jusqu'à ce que l'enfant ait dix ans. Après quoi, il n'y a plus rien à payer puisque l'enfant est à même de travailler pour subvenir à ses propres besoins [33].

Les Wisigoths, dans le cadre des terribles mesures antijudaïques prises par les conciles de Tolède, ordonnent même d'enlever les enfants juifs à leurs parents pour les placer dans des familles chrétiennes [34]. Outre Manche, l'adoption existe également : le terme de « fostermoder » (*fostermother*), très fréquent dans la littérature anglo-saxonne du haut Moyen Age, désigne sans doute moins une nourrice qu'une mère de substitution [35].

C'est surtout à partir du début de l'époque carolingienne que le divorce et l'adoption deviennent difficiles pour les grands, que l'Eglise occidentale réussit, progressivement à interdire et contrôler les manipulations de parenté. On sait, par exemple, toutes les difficultés rencontrées par Lothaire II de Lotharingie au milieu du IXe siècle, pour divorcer de sa femme stérile et se remarier avec une concubine de laquelle il a déjà des enfants. Ce blocage juridico-canonique n'empêche pas, dans les siècles suivants, l'existence d'une « adoption informelle », provoquée par la mort des parents, l'abandon, la séparation des couples, la mise en nourrice, le *fosterage** ou le travail des enfants.

L'enfant chrétien

L'âge de l'innocence

L'innocence de l'enfant n'est pas une idée nouvelle. Mais les intellectuels chrétiens, s'appuyant sur le Nouveau Testament, n'ont pas cessé, au cours du Moyen Age, d'insister sur ce thème : « Gardez-vous de mépriser aucun de ces petits, car, je vous le dis, aux cieux leurs anges se tiennent sans cesse en présence de mon Père qui est aux cieux » (*Matthieu*, 18, 10). Le texte biblique insiste également sur la nécessité d'être comme un petit enfant pour entrer au paradis : « En vérité je vous le dis, quiconque n'accueille pas le Royaume de Dieu en petit enfant, n'y entrera pas » (*Marc*, 10, 15 et *Luc*, 18, 17).

Saint Jérôme, s'interrogeant sur l'enfant symbole d'humilité dans le Nouveau Testament (*Matthieu*. 18, 3-4), présente l'enfant comme un être exemplaire que Dieu a envoyé sur terre. Il félicite le tout-petit de n'éprouver aucun plaisir à regarder une femme, de ne pas dissimuler sa pensée, de ne pas mentir, de ne pas persévérer dans la colère et de ne pas se souvenir des offenses qu'on a pu lui faire [1]. Et Léon le Grand, pape de 440 à 461, de renchérir : « Le Christ aime l'enfance, maîtresse d'humilité, règle d'innocence, modèle de douceur [...]. Il la donne en exemple à tous ceux qu'Il élève au royaume éternel [2]. »

Dans les écrits monastiques, trois qualités sont toujours louées chez l'enfant, que le moine se doit de recouvrer : innocence, humilité et pureté. Isidore de Séville explique d'ailleurs dans les *Etymologies* que le mot *puer* vient de *puritas* : « Ils sont appelés *pueri* à cause de leur pureté [3] ». Dès le IXe siècle, les enlumineurs représentent de tout petits enfants nus pour vanter leur innocence et leur pureté. Une miniature du psautier d'Utrecht (820 environ) représente un nouveau-né que sa mère tient à bout de bras en l'air et qui illustre le psaume 85, 12 : « La Vérité surgira de la terre [4] ». Ces références incessantes à l'innocence enfantine comme vertu chrétienne exemplaire ne se limitent pas au milieu monastique. Les deux enfants de la reine Ethelberga de Northumbrie, envoyés en Gaule à la cour du roi Dagobert par souci de protection « moururent tous deux dans leur prime enfance et furent enterrés dans l'église, avec tous les honneurs que l'on rend aux enfants des souverains et aux enfants innocents du Christ [5]. »

Dès les premiers siècles du Moyen Age se développe, dans l'art et dans la littérature, le thème du Massacre des Innocents qui ne cessera, tout au cours de la période médiévale, de connaître un immense succès. Quelques jours après Noël (28 décembre), on fête les Innocents. A partir du XIe siècle, on leur édifie des chapelles et on découvre même certaines de leur reliques, comme à l'abbaye de Brogne en 1116. Les artistes décrivent avec beaucoup d'émotion les réactions poignantes des mères à qui les bourreaux, mandatés par Hérode, arrachent leur bébé. Ces images abondamment diffusées traduisent le fort attachement des parents à leur enfant, l'innocence des tout-petits et leur sympathie avec le Christ puisque non seulement ces enfants de Bethléem, âgés de moins de deux ans – les premiers martyrs de la religion chrétienne – sont massacrés injustement *pour le Christ*, mais ils sont morts *à la place du Christ*. C'est pourquoi les théologiens admettent progressivement l'idée selon laquelle ces enfants-là, pourtant non-baptisés, sont sauvés par leur souffrance et le sang versé.

La sacralisation de l' infans*

Le christianisme se greffe sur un monde en profonde mutation religieuse – c'est aussi ce qui explique son succès rapide – où le sacré est de plus en plus présent. La nouvelle religion accentue cette recherche obsessionnelle de la pureté, définie d'abord comme l'éloignement des choses charnelles. Dans ce contexte, l'*infans* apparaît très vite comme un être profondément sacré qui, par beaucoup d'aspects, rappelle le fils de Dieu : le baptême ne peut être reçu qu'une seule fois car il est donné dans la mort du Christ. Rebaptiser c'est crucifier Jésus une nouvelle fois. Au IXe siècle, par exemple, Amalaire de Metz demande que le baptême ait lieu à la neuvième heure car c'est l'heure à laquelle le Christ a rendu l'âme [6]. Des parents amènent leur enfant sourd-muet à la basilique Saint-Martin de Tours où il est déposé sur un petit lit. Martin apparaît à l'évêque Grégoire de Tours et lui dit : « Fais sortir l'agneau de la basilique, parce qu'il est guéri [7]. » L'agneau, on le sait, est l'image par excellence du Christ qui vient sauver les hommes. Il est fréquent que des moines voient apparaître, au moment de l'élévation, un tout petit enfant dans l'hostie, comme il est aussi courant, dans l'art, que l'âme soit représentée sous la forme d'un *infans*, par exemple lorsqu'elle se retire du corps de la Vierge au moment de la Dormition ou encore dans le sein d'Abraham.

Dieu fait du nourrisson un intercesseur de tout premier plan. Les hagiographes racontent quelques miracles au cours desquels un *infans*, par son rire ou sa parole, vient révéler aux hommes un message. L'évêque de Trêves, par exemple, au IXe siècle, veut mettre saint Goar à l'épreuve. Il lui demande de faire parler un enfant abandonné de trois jours afin de savoir qui sont ses parents. Alors, l'enfant déclame que l'évêque est son géniteur [8]. L'enfant en bas âge apparaît dans les rêves pour transmettre, à la manière d'un ange, des directives divines. A la fin du XIIe siècle, en Angleterre, Richard, un adolescent, est très malade depuis neuf ans et personne ne sait que faire pour le guérir. C'est son frère nouveau-né qui vient lui dire d'aller au tombeau de Thomas Becket pour recouvrer la santé [9].

On demande aussi parfois à un très jeune enfant d'ouvrir, au hasard une Bible. Le verset ainsi mis à jour passe pour prémonitoire. Au milieu du Ve siècle, lors du très difficile choix de l'évêque d'Orléans, le nom du futur saint Aignan est choisi par un nourrisson, encore incapable de parler (*necdum loquens*) mais soudain doté, pour la circonstance, de la capacité oratoire [10]. A la fin du XIIe siècle, Jean de Salisbury raconte comment, alors qu'il était enfant, son maître se servait de lui et de ses petits camarades d'école pour faire de la divination : il leur enduisait les ongles d'huiles saintes et les faisait lire dans une marmite [11].

Implicitement ou explicitement, les clercs qui mettent en scène ces histoires font référence à la Bible : « Dieu, notre Seigneur, qu'il est grand ton nom par toute la terre ! Au-dessus des cieux ta majesté, que chantent des lèvres d'enfants, de tout-petits » (*Psaumes*, 8, 2-3) ; repris par Matthieu, lorsque Jésus chasse les vendeurs du Temple : « De la bouche des tout-petits et des nourrissons, tu t'es ménagé une louange » (*Matthieu*, 21, 16).

Les petits enfants sont également les bénéficiaires privilégiés des visions divines. On sait, par exemple, qu'en 1178, le Christ apparaît à Benoît (Benezet) encore tout petit enfant pendant une éclipse du soleil et lui ordonne de construire un pont sur le Rhône : le fameux pont d'Avignon [12].

Les adolescents

L'enfant en très bas âge occupe une place de choix dans les mentalités chrétiennes ; il n'en est pas de même de l'adolescent. Les intellectuels chrétiens manifestent une grande inquiétude face à cette période de la vie. Julien de Vézelay écrit :

> A l'enfance succède l'adolescence, âge sensuel et indiscipliné qui croit que la vertu est pénible et difficile, et qui est féru de plaisir. La volupté aux attraits pervers chatouille l'âme encore naïve, et si elle réussit à l'investir, elle la souille par des vices honteux. [L'adolescence est] instable, elle ne se laisse guider ni par sa raison ni par les conseils d'autrui, mais, soumise au souffle de tentations variées, elle se laisse entraîner de-ci, de-là, mobile et vagabonde. Un jour elle veut, le lendemain elle ne veut plus. Aujourd'hui elle aime, demain elle déteste [13].

Voilà résumées les principales qualités attribuées à l'adolescent : il est d'humeur instable, indiscipliné, imprudent, sensuel, n'a pas le goût de l'effort et se complaît dans les plaisirs. Dans les textes narratifs, il est souvent présenté comme un personnage enclin à l'excès, sujet aux réactions démesurées, aux paroles blasphématoires. Au début du XIIe siècle, dans son autobiographie, Guibert de Nogent évoque cet âge où il manquait de retenue et était soumis à ses impulsions : « Ainsi, tandis que peu à peu croissait mon jeune corps, mon âme aussi était chatouillée par la vie du siècle, démangée, à sa mesure, par les concupiscences et les cupidités [14]. »

Pour ce qui concerne l'adolescente, les témoignages sont plus rares et plus ambigus. En effet l'éveil de la sexualité féminine inquiète d'autant plus qu'il rappelle aux clercs la raison de la Chute. Cependant, en particulier dans les récits de miracles, les jeunes filles sont des personnages très positifs à cause de leur chasteté et de leur virginité [15]. On connaît, dans les tout premiers siècles de notre ère, l'exemple d'Agnès, martyre romaine de douze ans, qui devient vite un modèle pour les hagiographes des siècles postérieurs. Prudence raconte qu'elle accède au ciel et reçoit de Dieu deux couronnes : celle du martyre et celle de la virginité. Ce sont ces qualités qui permettent aux jeunes adolescentes de bénéficier souvent, elles aussi, de visions qui révèlent un message divin. Comme les petits enfants, elles jouent un rôle de « décodeur de l'au-delà ». Lorsque le « revenant de Beaucaire », Guillaume, de juillet à septembre 1211, se manifeste aux vivants, c'est à sa cousine, jeune vierge de onze ans, qu'il apparaît. Il lui dit : « C'est à toi seule qu'il m'est permis de parler, et c'est par toi seule qu'il m'est permis de faire passer mes réponses aux autres. » Durant deux mois les voisins viennent voir la jeune fille et posent des questions au mort « par la bouche de la fillette ». Le revenant explique à sa cousine que si elle perd sa virginité, il cessera à jamais de lui apparaître [16].

La grande valorisation de ces jeunes filles est une manière de rappeler la virginité mariale, comme la grande valorisation des petits enfants donne à voir et à revoir l'Enfant Jésus. Mais, il faut nuancer ce regard très positif porté sur l'enfance au haut Moyen Age.

Quelques jugements sévères sur l'enfant

Une vision négative de l'enfant existe sans conteste, qui puise son origine dans la tradition antique et dans l'Ancien Testament (*Proverbes* 22, 15 et *Livre de la Sagesse*, 12, 24). On connaît les fameuses paroles de saint Augustin, dans ses *Confessions*, au début du Ve siècle : « ... ce qu'il y a d'innocent chez l'enfant, c'est la faiblesse des organes, mais son âme non pas [17] » ; son absence d'autonomie est l'image parfaite de la dépendance de l'homme vis-à-vis de Dieu. Cependant, les jugements négatifs émanent toujours de ceux qui n'ont pas d'enfants et qui les connaissent mal : les clercs. Ils les rejettent comme ils condamnent tout ce qui appartient à ce monde et perturbe la vie intellectuelle ou la méditation. Pensons, par exemple, aux arguments qu'emploie Héloïse pour tenter de dissuader Abélard de l'épouser :

> Est-il un homme qui, livré aux méditations de l'Ecriture et de la philosophie, puisse supporter les vagissements du nouveau-né, les chansons d'une nourrice qui le console, la malpropreté continuelle des enfants en bas âge [18] ?

Chaque naissance rappelle à l'homme la faute originelle. Pour saint Augustin, « ... personne n'est pur de péché devant Vous (Dieu) pas même le petit enfant qui n'a vécu sur la terre qu'un jour [19] ». Bède le Vénérable, au début du VIIIe siècle, pour contrecarrer les opinions hérétiques des pélagiens, écrit :

> ... pour ce qui est des hommes, ils sont tous nés marqués du péché originel, et on sait qu'ils portent la marque de la chute d'Adam, même quand ils vivent sans péché actuel, selon ce que dit le prophète : « Voici que je suis né dans l'iniquité ; j'étais pécheur dans le ventre de ma mère [20]. »

Alors, pour effacer cette souillure transmise à l'enfant par ses parents, à titre héréditaire, et pour obtenir une chance de salut, une seule solution : le baptême. Comme l'affirme le Nouveau Testament : « A moins de naître d'eau et d'Esprit nul ne peut entrer dans le royaume de Dieu » (*Jean*, 3, 5).

*Le pédobaptême**

Le baptême est à la fois le rite sacramentel qui lave la faute originelle et la cérémonie d'intégration sociale dans la communauté chrétienne. Les textes canoniques et les pénitentiels du haut Moyen Age recommandent déjà de baptiser l'enfant rapidement après sa naissance. Ils fixent en général à trois ans l'âge maximum pour recevoir ce sacrement. Pour mieux marquer le lien étroit qui existe entre le rite baptismal, véritable seconde naissance, et la Résurrection du Christ, ils préconisent que la cérémonie se déroule lors des temps forts du calendrier chrétien, les samedis de Pâques ou de Pentecôte qui sont prévus, au départ, pour les catéchumènes*. En 585, le canon 2 du concile de Mâcon recommande vivement que le baptême soit désormais conféré dans toute la Gaule mérovingienne uniquement le samedi de Pâques. Le roi mérovingien Chilpéric fait baptiser son fils à Pâques par l'évêque Ragnemod [21]. Paul Diacre, lui aussi, nous informe que le très jeune fils du roi des Lombards, Agilulf, nommé Adaloald est baptisé à Saint-Jean de Monza le samedi pascal [22]. Le même auteur relate la destruction de la ville de Forlimpopoli (en Tuscie) par le roi des Lombards, Grimoald :

> Il attaqua la ville à l'improviste en plein samedi de Pâques, jour très sacré, à l'heure des baptêmes, et fit une telle moisson

> de cadavres qu'il tua jusqu'aux diacres qui baptisaient les petits enfants, directement sur la fontaine sacrée [23].

Charlemagne accorde une grande importance au baptême qui devient non seulement un instrument de conversion des païens, mais aussi le véritable ciment de l'empire carolingien composé de peuples très divers. Vers 811-812, l'empereur envoie à tous les métropolitains de son empire un questionnaire très précis pour connaître les rituels baptismaux de chaque province. Nous avons conservé quelques réponses. Nous y apprenons que les enfants sont baptisés très rapidement après leur naissance car l'angoisse parentale de voir leur bébé mourir sans baptême est de plus en plus forte. A la même époque, en Angleterre, les lois civiles et religieuses imposent le baptême avant le premier mois des enfants.

Mais le pédobaptisme immédiat – c'est-à-dire tout de suite après la naissance – est loin d'être général avant les XIIe-XIIIe siècles, même dans les milieux de la haute aristocratie, les plus christianisés. A la fin du IXe siècle, sainte Odile est baptisée plus d'un an après sa naissance et saint Vincent de Saint-Viance a deux ans [24]. La pratique de baptiser à Pâques ne disparaît pas. On sait, par exemple, que le Samedi saint 853, lorsque les Normands font irruption dans la cathédrale de Nantes, ils tuent l'évêque qui était en train de baptiser des enfants. Les canons 7 du concile de Paris en 829 et 3 du concile de Mayence en 847 indiquent qu'on ne baptisera qu'à Pâques ou à la Pentecôte sauf en cas de nécessité.

La généralisation du pédobaptisme va nécessairement modifier le rite baptismal. Les scrutins, qui consistaient à demander au futur baptisé, pour s'assurer de ses connaissances religieuses, de réciter le *Pater* et le *Credo* ou de répondre à certaines questions du prêtre, disparaissent. Ils sont progressivement remplacés par des exorcismes accompagnés de signes de croix et d'oraisons. Par ailleurs, il est désormais nécessaire que des adultes s'engagent au nom de l'enfant : « ... s'il s'agit de petits enfants, la rémission s'opère au nom de la foi de ceux qui répondent pour eux [25] ». Le parrainage est sans doute antérieur au développement du pédobaptisme mais ce dernier ne fait que renforcer cette institution. Désormais, la parenté spirituelle devient essentielle puisqu'elle rappelle aux fidèles la supériorité de la filiation divine sur la filiation biologique et qu'elle participe activement à laver le péché de chair. Le parrain et la marraine doivent, selon l'Eglise, s'occuper de l'instruction religieuse de l'enfant, exercer sur leur filleul une tutelle morale pour l'aider à assurer son salut. Enfin, l'essor du pédobaptisme entraîne le remplacement progressif de l'immersion dans la cuve baptismale par l'aspersion ou l'effusion. Mais ce changement se fait très lentement et des statuts synodaux du XIIIe siècle évoquent encore la triple immersion.

La cérémonie du baptême

Le baptême, administré par le prêtre, ne se donne que dans les églises baptismales et non dans n'importe quelle église paroissiale. Il doit être gratuit même si le desservant peut accepter des cadeaux. A l'entrée de l'église, d'abord, le curé interroge parrains et marraines qui disent le prénom choisi. L'enfant doit souvent attendre ce moment solennel pour être officiellement prénommé. On sait par exemple que le deuxième fils de l'aristocrate Dhuoda, au IXe siècle, ne porte pas de nom car il n'est pas encore baptisé [26]. Dans les milieux aristocratiques francs du haut Moyen Age, le fils reçoit presque toujours un des noms en usage dans sa famille paternelle ou maternelle, souvent celui de son grand-père. Dans les autres milieux, est attestée la pratique onomastique qui consiste à modeler le nom des enfants sur celui du père ou/et de la mère. Par exemple, dans le polyptyque de Saint-Germain-des-Prés (813), les enfants d'Aldaldus s'appellent Aldoardus et Aldoildis.

Après la réception du nom, le prêtre prononce plusieurs formules d'exorcisme, procède à l'imposition des mains, à l'ouverture symbolique des sièges des sens (l'*epheta*) et à une onction sur la poitrine et les épaules. Ces formules ont pour but de préparer l'enfant à recevoir le baptême et à chasser le démon :

> « Renonces-tu à Satan, à ses pompes et à ses œuvres ? »
> Les parents spirituels répondent pour l'enfant :
> « Je renonce à Satan, à ses pompes, à ses œuvres... à tous les esprits connus. »
> Puis l'interrogation porte sur le symbole :
> « Crois-tu en Dieu le Père tout-puissant ?
> – Je crois en Dieu le Père tout-puissant.
> – Crois-tu au Christ fils de Dieu ?
> – Je crois...
> – Crois-tu au Saint-Esprit ?
> – Je crois [27]... »

Ensuite, l'ensemble des participants pénètre dans l'église où l'enfant est tenu sur les fonts baptismaux par ses parents spirituels. Il est alors immergé ou aspergé par trois fois, gestes accompagnés de la formule : « Je te baptise au nom du Père, du Fils et du Saint-Esprit. » A partir de cet instant, l'enfant est chrétien. S'il meurt, son état reconnu de grande innocence et de pureté lui permet d'accéder au paradis. En revanche, s'il décède avant d'avoir reçu le baptême, au haut Moyen Age, il va en enfer.

L'enfant mort sans baptême

A la suite de la querelle avec les pélagiens, au début du ve siècle, saint Augustin condamne les enfants morts sans baptême à l'enfer. Cette position théologique reste inchangée au moins jusqu'au XIIe siècle. Elle est abondamment diffusée. Jonas d'Orléans écrit, par exemple, vers 830 :

> Puisque maintenant le nom du Christ s'affirme avec force partout et que les enfants naissent de parents chrétiens, il faut les présenter sans tarder pour recevoir la grâce du baptême, même s'ils ne parlent pas encore. Nous le faisons à juste titre pour que ces enfants coupables de la faute d'autrui soient absous de leur participation au péché originel par la démarche et la réponse d'autrui et ainsi soient arrachés à la puissance des ténèbres, pour entrer dans le royaume de leur Seigneur [28].

Loup de Ferrières, dans une lettre adressée à Hincmar de Reims, vers 850, écrit à propos des nouveau-nés :

> ... s'ils meurent après avoir reçu la grâce du baptême, ils sont sauvés par la volonté de Dieu ; au contraire, privés par un jugement de Dieu de cette même grâce du baptême, ils sont damnés par la faute du péché héréditaire commis par la volonté du père [29].

Mort sans baptême, l'enfant est dit *paganus.* Son sort dans l'au-delà est assimilé à celui d'un païen. Il n'a pas droit à une sépulture chrétienne. Les parents qui, par négligence, tardent à faire baptiser l'enfant et concourent ainsi à lui fermer les portes du ciel, sont condamnés de plus en plus sévèrement, entre un et sept ans de pénitence selon les conciles et les pénitentiels. Le prêtre qui aurait tardé à venir est démis de ses fonctions. On encourage même parfois vivement les parents à donner ce sacrement, surtout dans le cas de danger de mort du nourrisson.

On comprend alors la terrible angoisse parentale lors de la mort brutale d'un bébé non encore baptisé, comme le montre cet exemple évoqué par Grégoire de Tours d'une femme qui vient de perdre son fils : « La mère pleurait non pas tant la mort de son enfant que parce qu'il n'avait pas encore reçu le divin sacrement du baptême [30]. » Mais, sans doute, dès le haut Moyen Age, les parents ne se satisfont pas de cette position doctrinale jugée injuste. En Provence, on a retrouvé une épitaphe parentale datant du VIe siècle, sur la tombe d'un enfant nommé Theodose de la Gayole. Cette inscription indique que l'enfant a été : « muni du rempart de la croix, innocent, épargné des ordures du péché... ses parents, dans la pureté de leur intention, souhaitaient (le) voir plongé dans le baptême sacré de l'eau ». Dans cette épitaphe, les parents tentent en tout cas de se persuader que leur enfant est sauvé grâce à leur intention de le baptiser.

La croyance dans le miracle « à répit » est une illustration du refus parental de penser la damnation de leur progéniture. Dans ce type de miracle, le saint ou la Vierge intervient pour ressusciter un enfant mort sans baptême, le temps nécessaire pour qu'il reçoive le sacrement, afin d'éviter sa damnation éternelle. Au haut Moyen Age, les exemples ne manquent pas. Dans un sermon, saint Augustin rapporte un des premiers cas de répit connu, attribué à saint Etienne : une femme d'Uzale en Afrique accourt vers le bienheureux martyr Etienne, avec son petit enfant mort sans baptême et, en larmes, implore le saint pour qu'il lui redonne la vie. L'enfant ressuscite. Aussitôt, il est porté aux prêtres et baptisé, à la suite de quoi, il décède [31]. Cet exemple est fondateur, créant un modèle hagiographique.

Au début du VIIIe siècle, un enfant encore au sein meurt. Sa mère, apprenant que l'évêque Wilfrid d'York est en tournée dans son diocèse pour confirmer des enfants, apporte son fils mort, cherchant à faire croire qu'il est encore vivant, pour qu'il « échappe à la gueule du lion ». Mais saint Wilfrid s'en aperçoit. A la demande expresse de la mère, il ressuscite pour un temps l'enfant et lui donne le baptême pour assurer son salut éternel [32]. En 1160, à Arras, sur les bords du Grinchon, un promeneur entend quelque chose tomber dans l'eau. Il s'aperçoit que c'est une petite fille et alerte le voisinage. On repêche l'enfant. La mère reconnait sa fille « déjà raide et froide, sans parole et sans sentiment ». Elle court à l'église voisine, Sainte-Marie-au-Jardinet, et place l'enfant sur l'autel en réclamant en larmes et en prières sa résurrection ; et le miracle s'opère [33]. Le répit peut avoir lieu dans un sanctuaire, sans pour cela que celui-ci soit spécialisé comme ce sera le cas après le XIVe siècle.

Progressivement, à partir de la fin du XIIe siècle, les enfants morts sans baptême se voient reconnaître un nouvel état et un nouveau lieu dans l'au-delà : le limbe pour enfants (*limbus puerorum*). Là, ils sont à jamais privés de la vision béatifique (à laquelle aspire tout chrétien), mais échappent aux peines infernales [34].

Le droit aux sacrements

Après le baptême, le petit chrétien du Moyen Age doit encore passer par un certain nombre de rites et de cérémonies. Il doit d'abord confirmer l'engagement que ses parents spirituels ont pris pour lui lors du baptême. Au début du christianisme, la cérémonie de la confirmation est associée à celle du baptême puis, en grande partie parce que les baptisés sont de plus en plus jeunes, s'en dissocie progressivement au cours des VIe-VIIIe siècles et, aux XIIe-XIIIe siècles, on demande que l'enfant ait atteint l'âge de raison, c'est-à-dire celui de sept ans. Dans le même temps, la confirmation devient le monopole de l'évêque. Même si, comme le précise Ruotger de Trêves au début du Xe siècle, il est « très dangereux » pour un enfant baptisé mais non confirmé de mourir parce qu'il n'a pas reçu la plénitude de la foi chrétienne [35], la confirmation n'est pas jugée indispensable au salut. Elle se réalise par deux gestes essentiels qui ont pour but de communiquer à l'enfant l'Esprit Saint : une imposition des mains et un signe sur le front fait avec le Saint-Chrême. Mais ce rite est sans doute peu donné. La majorité des chrétiens, par négligence ou manque d'intérêt, n'emmène pas leur enfant à la confirmation.

L'enfant est encore un peu plus intégré dans la communauté des fidèles grâce à la confession et à la communion. Au IVe-Ve siècles, de très jeunes enfants sont admis à la communion. On prend alors l'habitude, au moment de leur baptême de les faire communier au moins sous l'espèce du vin souvent non consacré. Sous les Carolingiens, cette pratique tend à disparaître. Le concile de Tours en 813 interdit de donner aux enfants la communion « indiscrète ». Il faut attendre le canon 21 (*omnis utriusque sexus*) du concile de Latran IV, en 1215, pour que l'Eglise impose à tout enfant ayant dépassé « l'âge de discrétion » (sans doute sept ans dans ce canon), la confession de ses péchés au moins une fois par an et reçoive « pour le moins à Pâques, le sacrement de l'Eucharistie [36] ».

L'enfant au cimetière

Dans de nombreuses nécropoles de l'époque mérovingienne, on constate une très nette sous-représentation des effectifs des moins de 18-20 ans (entre 3 et 30 % de l'ensemble des individus exhumés) et l'absence presque totale de squelettes de nouveau-nés et de nourrissons. En Basse-Normandie, par exemple, dans les cimetières de Verson, Sannerville, Frénouville et Giberville-le-Martray, pour le VIe siècle, aucun enfant de moins de quatre ans n'a pu être identifié. La rareté des restes de nourrissons dans les cimetières ne reflète donc pas du tout la réalité démographique. A l'époque carolingienne, en revanche, en milieu urbain comme en milieu rural, il existe une « conquête du cimetière communautaire par les petits enfants [37] ». Ces derniers sont, en effet, plus nombreux, approchant la réalité démographique.

L'interprétation de ces données est délicate. Où sont enterrés les enfants qui ont vécu avant le VIIIe siècle ? L'émergence de l'enfant mort dans les nécropoles à partir du début de l'époque carolingienne est-elle à mettre en relation avec l'évangélisation du monde rural et la plus profonde christianisation de la société qui se caractérise par la multiplication des paroisses et l'abandon des cimetières rustiques situés loin de l'habitat au profit des nouveaux cimetières installés au cœur du village, près de l'église ? Les enfants absents sont-ils ceux qui n'ont pas été baptisés ? Il faut répondre avec beaucoup de prudence. A l'époque mérovingienne le cimetière n'a pas le statut qu'il aura à partir du Xe siècle où il devient un lieu saint, béni et sacré ; l'idée d'exclure de ce lieu les non-chrétiens n'a pas encore de sens bien précis [38]. Par ailleurs, comme nous l'avons vu, le pédobaptisme est suffisamment développé pour que l'on puisse s'attendre à découvrir beaucoup d'enfants dans les cimetières.

Peut-être, avec ou sans baptême, en raison de la reconnaissance de leur caractère impeccable, sont-ils enterrés ailleurs, plus près de l'habitat. On a effectivement retrouvé, pour le très haut Moyen Age (et jusqu'au XIe siècle) des sépultures d'enfants, fréquemment des bébés, isolées du cimetière, à l'intérieur ou très près des habitations. Il semble en tout cas évident qu'avant la période carolingienne, le droit à la sépulture dans le cimetière communautaire ne s'étend pas ou peu aux enfants.

Dans le cimetière, les tombes des enfants ont-elles une localisation particulière ? Il est difficile de répondre à cette question dans la mesure où souvent les archéologues ne peuvent pas reconnaître la totalité d'un site cimetérial et, où, par conséquent, de nombreux inhumés échappent à l'étude. Dès l'époque mérovingienne, sans que cela soit systématique, on perçoit dans les nécropoles des zones de très forte concentration d'enfants en bas âge (souvent des nourrissons et des périnataux) soit à la périphérie du cimetière, soit accolées à l'édifice religieux, sous la gouttière (*sub stillicidio*) pour bénéficier du bienfait des eaux lustrales qui ont coulé sur le toit de l'édifice. Dans le village de Saint-Martin de Trainecourt, à Mondeville dans le Calvados, on a retrouvé quatre cent treize sépultures dont cent six destinées à des enfants, souvent très jeunes, situées dans la zone nord et nord-est du cimetière, en particulier le long de la clôture à la limite de l'espace funéraire [39]. A La Courneuve, les fouilles de l'église Saint-Lucien montrent que 85 % des tombes découvertes le long du bas-côté sud de l'édifice sont celles d'enfants [40]. Autour de l'église Saint-Barthélemy, à côté de la basilique de

Saint-Denis, une majorité d'enfants en bas âge, à partir du IXe siècle, sont inhumés près du mur sud du chœur de l'église. Dans la nécropole de la Cour d'Albane, groupe épiscopal de Rouen (Xe-XIe siècles), 30 % des inhumations des non-adultes sont placées le long du mur sud de l'église Saint-Etienne toujours sous les gouttières. Dans ce secteur, presque 30 % des immatures sont des enfants de moins d'un an. On trouve aussi des enfants en grand nombre dans la nef de l'église Saint-Etienne (68 % des effectifs de cette zone) et notamment dans l'entrée. Parmi eux, plus d'un quart sont des périnataux et les deux tiers ont moins de dix ans. Cette localisation à l'entrée peut être mise en relation avec la présence des fonts baptismaux, très souvent situés dans la partie nord-ouest des églises et avec saint Etienne, spécialisé dans la protection et la résurrection des enfants morts-nés [41].

A Dassargues, entre Nîmes et Montpellier, pour la période carolingienne, les enfants de un à six ans sont inhumés dans une zone en périphérie de la nécropole. Les périnataux, quant à eux, ne sont jamais dans ce secteur mais se trouvent soit au chevet de l'église, sous l'eau lustrale qui goutte du toit, soit dans un lieu non religieux, éloigné de l'église et des habitations (un groupe de tombes dans une zone d'ensilage et un autre groupe dans un mur de la ferme). Peut-on alors supposer que ceux du chevet ont reçu le baptême et non les autres [42] ?

Des tombes soignées

Les sépultures des enfants sont réalisées avec autant de soin que celles des adultes. Les fosses sont creusées à leurs dimensions, entourées parfois d'un coffrage de pierres ou recouvertes de dalles. Le corps puéril est souvent positionné la tête vers l'ouest, et allongé sur le dos, les avant-bras pliés et les mains posées sur le pubis. On constate également que les enfants, comme les adultes, au moins jusqu'au début du VIIIe siècle, peuvent être enterrés habillés et avec du mobilier. Les objets et les vêtements trouvés dans leurs tombes témoignent d'une réelle volonté parentale ou sociale de rendre hommage au petit mort et traduisent sans doute des gestes d'affection. On a retrouvé, dans les tombes de quelques enfants barbares, des figurines, des oiseaux en terre cuite, des poupées en ivoire, des toupies et des balles. Sous la cathédrale de Cologne, une tombe d'enfant datant du VIe siècle, a livré une petite chaise. Dans d'autres sépultures allemandes, on a retrouvé un siège bas destiné à l'usage des enfants et des coupelles emplies de noisettes posées sur leur poitrine. A Saint-Martin-de-Fontenay, la tombe d'un nouveau-né, qui date d'environ 765, comporte deux fibules de bronze et une chaîne en fer. Dans le cimetière de Mondeville dans le Calvados (VIIe-VIIIe siècles) on a exhumé un enfant portant sur son vêtement deux agrafes à double crochet en bronze [43]. Près de Lunel (entre Nîmes et Montpellier) un enfant d'environ cinq ans a été inhumé avec un collier de perles d'ambre et de verre et des clés déposés à ses côtés [44]. A Lisieux, deux petits enfants, l'un âgé de trois ans et l'autre de six mois, ont été enterrés au IVe siècle dans des cercueils de plomb. L'emploi de ce coûteux métal, importé en Normandie, indique sans doute qu'il s'agit d'enfants de couches sociales favorisées. Il témoigne aussi d'une réelle volonté de donner à ces enfants une sépulture digne de l'amour qu'ils ont sans doute reçu de leur vivant et à la hauteur du deuil ressenti par les parents.

Malgré la rudesse du temps et la fréquence de la

mort des enfants, les hommes et les femmes du Moyen Age ont donc pris le soin et le temps de s'occuper aussi des enfants morts, de leur assurer, pour l'éternité, un confort et de s'assurer, pour leur vie terrestre, un réconfort. Dans la vie, comme dans la mort, l'enfant du haut Moyen Age est entouré d'affection par ses parents, à l'image de ce bébé carolingien de la nécropole de Villiers-le-Sec, décédé à l'âge de six mois environ, inhumé sur le bassin d'un homme mort âgé d'une quarantaine d'années [45].

Des conditions de vie difficiles

Une démographie « d'ancien régime »

Parce que c'est la finalité du mariage et qu'il existe peu de moyens contraceptifs efficaces, le nombre de naissances est très élevé. Devant la faiblesse des sources, il est impossible de procéder à une estimation précise de la fécondité et de la natalité du haut Moyen Age. Les seules mentions du nombre d'enfants émanent presque toujours des milieux aristocratiques : on sait, par exemple, que le roi mérovingien Clotaire « a eu sept enfants de diverses femmes » et Chilpéric « avait en ce temps quatre fils nés de diverses femmes sans parler des filles [1] ». Au début du VIIe siècle, Romilda, la femme du duc du Frioul Gisulf se retrouve veuve avec huit enfants (quatre garçons et quatre filles) [2]. Charlemagne, lui aussi, en douze années de mariage avec Hildegarde, a engendré huit enfants.

Mais parallèlement à toutes ces naissances, beaucoup d'enfants meurent. En nous appuyant sur des données démographiques plus tardives mais qui peuvent s'appliquer à la période médiévale, on considère que le taux de mortalité infantile (avant l'âge d'un an) est de l'ordre de 200 à 400 pour 1000. C'est-à-dire, qu'en moyenne, trois enfants sur dix nés vivants décèdent avant la fin de leur première année. Presque autant meurent avant l'âge de la puberté. Ainsi, c'est à peine un enfant sur deux qui pourra procréer. Les milieux pour lesquels on peut légitimement penser que les conditions de vie sont plus favorables que dans les autres groupes de la société n'échappent pas à ce marasme : 36 % des enfants engendrés par les rois carolingiens des IXe-Xe siècles n'atteignent pas l'âge de 20 ans [3]. L'attitude des testateurs catalans vers l'an mil est tout à fait révélatrice de la prise en compte de cette donnée démographique : en 1020, par exemple, au moment de fixer les modalités de sa succession, le comte Bernard Taillefer envisage la mort de trois de ses fils. Son contemporain Ermengol d'Olo, prévoit l'éventualité du décès de ses cinq enfants [4].

Au haut Moyen Age, le renouvellement des générations est donc toujours difficile à assurer. Rappelons qu'on assiste du IIIe siècle à la fin du VIe siècle à un déclin du nombre des hommes et que les VIIe-VIIIe siècles, en Occident, correspondent aux points démographiques les plus bas. Ce n'est pas l'installation des Barbares (pas plus de 3 à 4 % de la population vivant dans l'Empire au VIe siècle) qui a pu enrayer cette baisse.

L'étude des polyptyques* carolingiens de l'Ile-de-France, de la Provence, de la Picardie ou de la Champagne du IXe siècle montre que la population se caractérise par un réel dynamisme qui reste cependant inégal et chaotique. Il faut attendre le XIe siècle pour que, les conditions démographiques et économiques étant meilleures, la population de l'Occident s'accroisse sensiblement. L'étude de quelques lignages nobles du Namurois, entre 1000 et 1250, nous informe qu'en moyenne un couple engendre entre 4,30 et 5,75 enfants qui parviennent à l'âge adulte [5].

La mortalité des enfants est particulièrement forte à la naissance ou dans les heures ou jours qui suivent celle-ci. On sait que la reine Faileube, femme du roi

Childebert, « avait accouché d'un enfant mort-né et qu'elle restait souffrante ». Le roi Charibert eut de Theudogilde « un fils qui sitôt sorti du sein fut porté au tombeau ». Ingomer, le fils de Clotilde et de Clovis, juste après la réception du baptême, est « rappelé de ce monde alors qu'il était dans ses vêtements blancs pour être nourri sous les regards de Dieu [6] ». Le roi de Northumbrie, Edwin, perd lui aussi un fils et une fille « alors qu'ils portaient encore leurs vêtements blancs [7] ». Le roi Chilpéric a déjà perdu de nombreux fils, avant que naisse Thierry, enfant qui ne survit qu'un an [8]. Les fouilles archéologiques corroborent cette très forte mortalité. Les immatures (moins de dix-huit ou vingt ans) représentent 40 à 50 % du total des sépultures fouillées des nécropoles carolingiennes. Dans le cimetière de Notre-Dame de Cherbourg, par exemple, dont la majorité des sépultures datent du Xe-XIe siècles, 45 % de la population exhumée est âgée de moins de dix-huit ans tandis que les moins de quatre ans représentent 58 % de l'effectif des immatures et 25 % sont des enfants de moins d'un an. Dans le cimetière de Villiers-le-Sec, onze squelettes sur quarante-huit(23 %) ont moins de cinq ans. A Saint-Victor de Marseille, 22 % d'enfants ont moins de douze ans. Dans le cimetière de Mondeville Delle-Saint-Martin (VIIe-XIIe siècles), les immatures représentent au moins 32 % des inhumations et parmi eux, nouveau-nés et périnataux sont un quart de l'effectif immature et les enfants âgés de un à cinq ans, 41 %. Lorsque les fouilles archéologiques permettent d'être plus précis, on s'aperçoit que les individus les plus touchés par la mortalité semblent les bébés de moins de trois mois et secondairement les enfants âgés de trois ans environ, peut-être plus vulnérables car venant d'être sevrés. L'archéologie indique aussi que l'accalmie mortuaire se produit surtout après la dixième année, ce qui confirme la réflexion de Philippe de Novare au XIIIe siècle : « Vous savez que, depuis leur naissance jusqu'à ce qu'ils aient dix ans passés, les enfants sont en trop grand péril de mort et de maladie [9]. »

Les maladies

La forte mortalité infantile s'explique d'abord par le manque d'hygiène, la malnutrition et l'absence de médecine efficace. La dysenterie et la fièvre sont les deux principaux fléaux qui touchent les nourrissons. Sanson, le fils cadet du roi mérovingien Chilpéric (577-584), âgé d'à peine cinq ans « ayant été pris de dysenterie et de fièvre quitte le monde des humains [10] », comme trois autres de ses frères dans les mêmes conditions. Grégoire de Tours évoque, avec beaucoup d'émotion, cette terrible épidémie de dysenterie qui fait des ravages à la fin du VIe siècle :

> Cette maladie [...] attaqua d'abord les enfants et les fit périr : nous perdîmes nos doux et chers petits enfants que nous avions caressés dans notre sein, portés dans nos bras, nourris avec le soin le plus attentif, leur donnant leurs aliments de notre propre main [11].

Les récits de miracles décrivent parfois les violentes douleurs qui assaillent les nourrissons qui ne peuvent plus manger et rejettent la nourriture. L'archéologie corrobore cette impression laissée par les textes : en observant les squelettes des nécropoles, on se rend compte de profondes lésions, de blessures, de décalcification, de dentitions déficientes, bref, d'un état sanitaire relativement mauvais.

Face à cette hécatombe et à l'impuissance de la

médecine, les clercs aiment à montrer la puissance du christianisme qui peut être un recours efficace pour sauver un enfant de la mort. On connaît les événements qui précèdent le baptême de Clovis, à la fin du Ve siècle, et qui vont précipiter, selon Grégoire de Tours, la conversion du petit-fils de Mérovée. Certes, il y a la fameuse bataille de Tolbiac, mais aussi, immédiatement avant cette victoire décisive sur les Alamans, un événement moins connu : Clotilde, la femme de Clovis

> enfanta un autre fils, qui fut baptisé et qu'elle appela Clodomir. Or comme il commençait à être malade, le roi [Clovis] disait : « Il ne peut pas lui arriver autre chose que ce qui est survenu à son frère [12] ; baptisé au nom de votre Christ, il mourra aussitôt. »

Mais grâce aux prières de la mère, « il guérit sur l'ordre de Dieu [13] ». Toujours selon Grégoire de Tours, qui cherche dans son œuvre à montrer à une population encore partiellement christianisée la toute puissance de Dieu, la réception même du baptême est un remède efficace contre la maladie. Lors de la terrible épidémie de dysenterie de la fin du VIe siècle, un fils de Chilpéric, « ... qui n'était pas encore né à nouveau par l'eau et l'Esprit Saint, tomba malade. Quant on le vit à l'extrémité on le lava dans l'eau du baptême [14] ». Et l'enfant se sent tout de suite mieux.

Pestes, famines, violence

A ces causes endogènes de mortalité, s'ajoutent, au début du Moyen Age, des causes exogènes qui tiennent surtout aux épidémies, aux famines et à l'insécurité. La seconde moitié du VIe siècle et le début du VIIe siècle sont, en effet, marquées par une épidémie de peste impossible à chiffrer mais terriblement dévastatrice, surtout dans le sud de l'Europe, entraînant de graves crises frumentaires. Voilà ce qu'aurait dit le pape Grégoire le Grand à propos de cette épidémie, dans une harangue rapportée par Grégoire de Tours :

> Voici, en effet, que toute la population est frappée par le glaive de la colère céleste et que chacun en particulier est la victime de ce massacre imprévu [...] les parents contemplent les funérailles des fils et leurs héritiers les précèdent dans la mort [15].

Comme lors des grandes épidémies et famines des derniers siècles médiévaux, les hommes se montrent très sensibles à ce renversement de l'ordre naturel des choses que représente la mort prématurée d'un enfant.

Au haut Moyen Age, l'absence d'outillage performant maintient la production à un niveau très bas. On produit d'abord pour subsister. Les aléas climatiques ont des incidences catastrophiques sur les récoltes et entraînent très rapidement la disette. En 1033, le chroniqueur Raoul Glaber décrit la terrible famine qui ravage la Bourgogne au cours de laquelle les enfants sont doublement victimes :

> A l'époque suivante, la famine commença à étendre ses ravages sur toute la terre et l'on pu craindre la disparition du genre humain presque entier. Les conditions atmosphériques se firent si défavorables qu'on ne trouvait de temps propice pour aucune semailles, et que, surtout à cause des inondations, il n'y eut pas moyen de faire les récoltes [...]. Comme le manque de vivre frappait la population toute entière, les grands et ceux de la classe moyenne devenaient hâves comme les pauvres ; les pillages des puissants durent s'arrêter devant le dénuement universel [...]. Certains eurent recours pour échapper à la mort aux racines des forêts et aux herbes des fleuves [...]. Hélas ! chose rarement entendue au cours des âges, une faim enragée poussa

les hommes à dévorer de la chair humaine. Des voyageurs étaient enlevés par de plus robustes qu'eux, leurs membres découpés, cuits au feu et dévorés. Bien des gens qui se rendaient d'un lieu à un autre pour fuir la famine, et avaient trouvé en chemin l'hospitalité, furent pendant la nuit égorgés, et servirent de nourriture à ceux qui les avaient accueillis. Beaucoup, en montrant un fruit ou un œuf à des enfants, les attiraient dans des lieux écartés, les massacraient et les dévoraient. Les corps des morts furent en bien des endroits arrachés à la terre et servirent également à apaiser la faim [16].

Les premiers siècles de notre ère sont également profondément marqués par la violence due autant aux peuples barbares migrants qu'à la population romanisée en place. Dans cet « âge noir », de très nombreux témoignages attestent d'agressions à l'encontre des plus jeunes. Même si, comme nous l'avons fait remarquer, les crimes perpétrés sur des enfants sont, pour les clercs, un moyen de « barbariser » un peu plus le peuple païen, la période du haut Moyen Age est marquée par deux vagues d'invasions qui ont fait des victimes parmi les enfants. On apprend par exemple, que les Thuringiens « ont pendu à des arbres de jeunes garçons attachés par les nerfs des cuisses; ils ont tué sauvagement plus de deux cents jeunes filles [17] ». Bède le Vénérable évoque le terrible personnage de Cadwallon, roi des Bretons, qui, en octobre 633, soutenu par Penda, roi de Mercie, élimine le chrétien Edwin :

Mais Cadwallon, quoiqu'il portât le nom de chrétien et s'affichât comme tel, était si barbare d'esprit et de mœurs qu'il n'épargna ni le sexe féminin ni l'innocence des petits enfants sans défense, mais, avec une cruauté sauvage, il les mit à mort en leur infligeant d'atroces tortures [18]...

L'unité du *regnum Francorum*, réalisé sous l'égide de Clovis et de ses fils, a également entrainé des massacres d'enfants. En 523, Sigismond, roi des Burgondes, est fait prisonnier par Clodomir. Il est emmené en captivité et assassiné avec sa femme et ses enfants par le roi mérovingien Clodomir qui les jette ensuite dans un puits [19]. Les exemples ne manquent pas d'enfants aristocrates qui, dans les guerres fratricides mérovingiennes du VIe siècle, subissent le même sort que leur père : Childebert, fils de Clovis et Clotilde, voyant sa mère manifester trop d'affection pour ses petits-enfants (âgés de dix et sept ans), fils de son frère Clodomir, lui fait croire qu'il veut les élever sur le trône et, avec l'aide de Clotaire, les massacrent [20]. Dans ces cas, les enfants sont tués car ils sont des héritiers gênants.

Lors de la deuxième vague d'invasion que connaît l'Occident, aux IXe-Xe siècles, on retrouve ces massacres d'enfants. Abbon de Saint-Germain décrit les ravages orchestrés par les Normands à la fin du IXe siècle :

> Enfants de tout âge, jeunes gens, vieillards chenus, et les pères et les fils et aussi les mères, ils tuent tout le monde. Ils massacrent le mari sous les yeux de son épouse, la femme est la proie du carnage ; les enfants périssent en présence de leurs pères et mères [21].

Lorsque les enfants ne sont pas tués dans ces batailles, ils sont faits parfois prisonniers et peuvent tomber en servitude.

Les enfants esclaves

Durant tout le haut Moyen Age, une économie esclavagiste persiste, comme en témoigne, par exemple, la législation de l'Espagne wisigothique. Sur 498 textes de lois promulgués dans la péninsule ibérique entre le début du Ve siècle et le début du VIIIe siècle, 229 évoquent l'esclavage. Les grands propriétaires wisigoths possèdent des centaines d'assujettis, souvent des enfants ou des adolescents qui semblent particulièrement mal traités, victimes de sévices, de mutilations, voire de castration, sorte de bétail humain livré au bon plaisir du maître. Soit ces enfants sont de condition servile par leur naissance puisque comme l'affirme Isidore de Séville : « La règle veut que le nouveau-né assume la condition du plus vil de ses parents. » Soit ils proviennent des razzias et des guerres : Thuringiens, Alamans, Bavarois ou Slaves capturés par les Francs ; Suèves asservis par les Wisigoths ; Angles et Saxons vendus en Italie par les Bretons ; Irlandais, Flamands ou Polonais pris en otages lors des raids vikings ; ou captifs musulmans alimentant l'Europe chrétienne méditerranéenne à la suite de la *Reconquista**. Soit, enfin, ils sont vendus par leurs propres parents démunis ou contraints par une décision juridique. Certains de ces enfants esclaves peuvent connaître une destinée célèbre : Bathilde (future épouse de Clovis II), d'origine anglaise, a été achetée très jeune, comme esclave par Erchinoald, maire du palais de Neustrie peu avant 650.

Il serait faux de croire que l'esclavage prend fin avec la christianisation. L'Église s'est parfaitement adaptée à l'utilisation d'une main-d'œuvre servile. Il est vrai que certains hauts dignitaires ecclésiastiques ont pu s'indigner de cette pratique et encourager l'affranchissement ou recommander que l'on traite les captifs en êtres humains. A la fin du VIe siècle, c'est après avoir vu des enfants anglais vendus comme esclaves à Rome par des négociants païens, que le pape Grégoire le Grand décide d'envoyer Augustin convertir le peuple des Angles [22]. Mais, s'appuyant sur des textes scripturaires rédigés à une époque où l'esclavage est une réalité massive, les clercs légitiment celui-ci en en faisant une institution d'origine divine : les hommes réduits en servitude témoignent du péché originel et de la bassesse humaine. Surtout, la fin de l'esclavagisme aurait représenté l'ébranlement du système économique tout entier dominé par l'aristocratie ecclésiastique. L'éthique chrétienne passe parfois après les intérêts économiques et politiques.

Paul Diacre, dans son *Histoire des Lombards* rédigée à l'extrême fin du VIIIe siècle, raconte une anecdote qui nous informe sur la mise en esclavage des enfants à la suite des batailles mais aussi sur la nécessaire débrouillardise des petits garçons. Les Avars, en 610, après la prise de la ville de Cividale, retournent chez eux et « décidèrent de passer au fil de l'épée tous les Lombards déjà parvenus à l'âge mûr et de tirer au sort les femmes et les enfants captifs ». Parmi eux, se trouve Grimoald, le plus jeune fils de Romilda, femme du duc du Frioul Gisulf, qui, après avoir tenté de prendre la fuite à cheval avec ses frères, est capturé par l'un des Avars dont la course avait été plus rapide. Vu le jeune âge de sa prise, le guerrier « jugea cependant qu'il ne valait pas la peine de l'exécuter d'un coup d'épée, et préféra l'épargner pour s'en faire un esclave ». Mais l'enfant,

> d'une grande finesse, les yeux pétillants et doté d'une éclatante crinière blonde [...], plein de douleur à l'idée d'être ainsi traîné en captivité, *en son âme petite roulant d'immenses desseins*, tira du fourreau sa petite épée (celle qu'il était capable de porter à son âge) et frappa l'Avar qui l'emmenait, de toutes ses forces, au sommet du crâne. Le coup porta immédiatement au cerveau et l'ennemi fut jeté à bas de son cheval. Alors le petit Grimoald fit tourner bride à sa monture, prit la fuite tout heureux et finit par rejoindre ses frères, leur causant une joie inestimable et par sa délivrance et par le récit qu'il leur fit de la mort de l'ennemi [23].

Réduits à une pauvreté extrême, les parents se voient parfois contraints de vendre leurs propres enfants. Cassiodore, au début du VIe siècle, raconte, comment des paysans de l'Italie du Sud, à l'occasion d'une grande foire, se défont de leurs enfants sur le marché :

> Il est des garçons et des filles que l'on expose et que l'on distingue par l'âge et le sexe ; et s'ils sont mis en vente, ce n'est pas du fait de la captivité mais de leur liberté : leurs parents les vendent naturellement parce qu'ils tirent profit de leur servitude. Et, en vérité, ils [les enfants] sont sans nul doute mieux lotis en tant qu'esclaves, s'ils sont ainsi transférés du travail aux champs au travail ménager dans la cité [24].

Les chroniqueurs notent parfois que cette vente consentie des enfants peut représenter une amélioration de leur sort. Dans ce type de société, comme dans la nôtre, il faut éviter de porter trop rapidement des jugements de valeur. La vente d'enfants, comme l'abandon, ne signifie pas toujours un manque d'affection. Jordanès raconte qu'au début de leur installation, les Wisigoths ont connus une terrible famine. Alors ils n'hésitent pas à vendre leurs enfants car ils sont « désireux d'assurer le salut de leurs descendants : ils se résolvent plus aisément à les voir perdre la liberté que la vie, puisque l'enfant qu'on vend sera nourri misérablement, celui qu'on garde est un mort en sursis [25] ».

De la même manière, les « acheteurs » ne sont pas nécessairement des maîtres sans cœur. Une riche alleutière catalane, au début du XIe siècle, achète près d'une des portes de Barcelone, un jeune enfant qu'elle entoure de toute son affection. On sait qu'elle se montre particulièrement généreuse à son égard dans son testament, lui léguant, comme à un fils, vêtements et nourriture en abondance [26].

Il est difficile de savoir si la vente d'enfants est très-fréquente et si elle se poursuit à la fin du haut Moyen Age. On sait que l'édit de Pistres (864) interdit aux pères de monnayer la servitude de leur enfant sauf en cas de dénuement absolu et que, en 1179 encore, le canon 26 du concile de Latran III condamne la pratique de vendre des enfants aux sarrasins et aux juifs.

L'éducation des enfants

Le sens de l'éducation

Contrairement à ce qu'avait affirmé Philippe Ariès [1], les hommes du haut Moyen Age n'ont pas perdu le sens de l'éducation. Ils ont toujours eu à cœur de réfléchir aux différentes manières de transmettre leur culture à la jeune génération. Une cinquantaine de termes sont fréquemment utilisés pour exprimer qu'on enseigne, dirige ou instruit [2]. Cette éducation doit se faire dès le plus jeune âge car les hommes du Moyen Age sont fermement persuadés que le tout petit enfant possède une sorte de « mémoire inconsciente » et pensent que tout ce que l'enfant voit ou entend dès son plus jeune âge le marque à jamais. Ils comparent souvent l'âme du petit enfant à de la glaise ou de la cire molle où tout s'imprime de manière indélébile. D'où la nécessité pour parents et éducateurs de soigner les mots et les gestes qu'ils adressent aux tout-petits.

L'enseignement doit surtout se faire par la parole et l'exemple (*verbo et exemplo*). Certes, les punitions corporelles sont attestées (beaucoup plus rarement à la maison que dans les écoles monastiques). Nous avons conservé des témoignages d'élèves qui se plaignent du fouet. En 937, par exemple, pour échapper à un châtiment physique, les élèves de Saint-Gall décident de mettre le feu au grenier où se trouvent les fouets. Mais les pédagogues et les rédacteurs de règles monastiques qui recommandent l'emploi de la punition corporelle insistent toujours sur la nécessité d'une grande modération. Dès 540, saint Benoît conseille :

> L'abbé ne doit pas permettre que les enfants soient punis, ou excommuniés ou fouettés, parce que, si on le fait pour les moines sots et négligents, par contre, la méthode forte peut rendre les enfants plus mauvais qu'avant et non pas les amender [3].

Au milieu du VIIIe siècle, Paul Diacre écrit que « le maître doit agir modérément envers les enfants et ne pas trop les fouetter, car après le fouet et la punition, ils reviennent bien vite à leurs sottises [4] ». Vers 1025, Egbert de Liège aussi s'insurge lorsque :

> Des maîtres stupides veulent que les élèves sachent ce qu'ils n'ont pas appris ; l'esprit se nourrit de l'intérieur et le fouet n'est d'aucun secours pour lui... Ce malheureux petit que vous accablez de coups, il s'en va aussi peu formé que lorsqu'il est venu [5].

A la fin du XIe siècle, un abbé particulièrement sévère et brutal se plaint à saint Anselme des enfants élevés dans le cloître. Il leur reproche d'être « pervertis et incorrigibles » alors qu'ils sont fouettés jour et nuit. Saint Anselme essaie de lui prouver que ses méthodes n'ont aucune efficacité :

> C'est parce qu'ils ne sentent en vous aucun amour, aucune pitié, aucune bienveillance ou douceur, parce qu'ils n'espèrent pas voir venir de vous quelque chose de bon mais qu'ils croient que tout ce que vous faites est provoqué par la haine et la colère. Et il arrive malheureusement que lorsqu'ils grandissent, la haine et la défiance grandissent en eux et qu'ils soient à jamais tournés vers les vices [6].

Toutes ces réflexions sur l'éducation émanent, bien entendu, des clercs et de quelques aristocrates qui sont les seuls à nous avoir laissé des écrits. Mais, pour la très grande majorité des enfants du haut Moyen Age, la transmission de la culture ou d'un savoir-faire se déroule essentiellement dans le milieu familial et, pour une minorité seulement dans les écoles ou les monastères.

L'enfant du peuple

Nous savons très peu de choses sur le niveau d'instruction des enfants du peuple au haut Moyen Age. Ils assistent sans doute aux sermons ou aux chants liturgiques et sont peut-être instruits par l'image (statues, fresques) dont la vocation pédagogique est déjà forte. Charlemagne, dans bon nombre de capitulaires, insiste pour que les prêches incorporent la connaissance du *Credo*, du *Pater Noster* et du dogme trinitaire, résumés des principaux préceptes chrétiens. On sait, par exemple, que les *Capitula de presbyteris admonendis* de 809 demandent à ce que tous les laïcs, y compris les enfants, puissent les réciter. Cette connaissance minimum de la religion progresse sans doute à l'époque carolingienne où se répandent des traductions de textes sacrés en langue vulgaire (plus précoces dans le domaine germanique que dans l'aire romane) et des homéliaires* destinés aux desservants.

L'enfant de paysan doit se contenter, dans la très grande majorité des cas, de cet enseignement oral transmis par le prêtre et par ses parents car l'instruction dans les lettres coûte cher. Le psautier, le livre où l'on apprend à lire, ne peut être acheté par tout le monde comme le montre cette charmante histoire racontée par Thomas de Cantimpré au milieu du XIIIe siècle :

> Une jeune paysanne conjurait son père de lui acheter un psautier pour apprendre à lire. « Mais comment, répondait-il,

> pourrais-je t'acheter un psautier, puisque je peux à peine gagner chaque jour de quoi t'acheter du pain ? ». L'enfant se désolait, lorsqu'elle vit la sainte Vierge lui apparaître en songe, tenant dans ses mains deux psautiers. Encouragée par cette vision, elle insista de nouveau. « Mon enfant, lui dit alors son père, va trouver chaque dimanche la maîtresse d'école de la paroisse ; prie-la de te donner quelques leçons, et efforce-toi par ton zèle de mériter l'un des psautiers que tu as vus entre les mains de la Vierge. » La petite fille obéit, et les compagnes qu'elle trouva à l'école, voyant son zèle, se cotisèrent pour lui procurer le livre qu'elle avait tant convoité [7].

Mais solidarité et charité chrétiennes ont leurs limites et le cas de cette petite fille est exemplaire par son exception. On sait qu'au moins jusqu'aux XIIe-XIIIe siècles, dans les campagnes de l'Occident, la très grande majorité des hommes et des femmes sont analphabètes. Les enfants du peuple sont en fait rapidement mis au travail, les uns sur le manse* familial, les autres sur la réserve seigneuriale ou dans l'atelier manorial.

La pauvreté des informations disponibles sur l'éducation des enfants du peuple au haut Moyen Age contraste avec la relative abondance de renseignements concernant l'enfant dans le milieu aristocratique. Les ambitions que Charlemagne nourrit pour ses enfants résument bien l'éducation idéale des princes carolingiens :

> Il voulut que ses enfants, les garçons comme les filles, fussent d'abord initiés aux arts libéraux, à l'étude desquels il s'appliquait lui-même ; puis à ses fils, l'âge venu, il fit apprendre à monter à cheval, suivant la coutume franque, à manier les armes et à chasser ; quant à ses filles, pour leur éviter de s'engourdir dans leur oisiveté, il les fit exercer au travail de la laine ainsi qu'au maniement de la quenouille et du fuseau et leur fit enseigner tout ce qui peut former une honnête femme [8].

L'apprentissage de la foi

Dans la société du haut Moyen Age, comme dans la nôtre, les inégalités sociales sont criantes. L'accès à l'instruction est beaucoup plus aisé pour l'enfant d'aristocrate et, par conséquent, son degré d'adhésion au christianisme est plus fort. Il possède des livres de prières (souvent des abrégés d'office monastique) et des psautiers. Lorsque, enfant ou adolescent, il quitte le foyer parental pour commencer à vivre, souvent très jeune, sa vie « d'adulte », sa mère inquiète et toujours soucieuse de sa foi, lui rappelle les vertus essentielles. On a conservé trois lettres du début du VIIe siècle adressées par sa mère Herchenfreda, à Didier, futur évêque de Cahors. Il vient tout juste de quitter la maison parentale à l'âge de la puberté, pour aller à la cour du roi Clotaire II. Herchenfreda (issue d'une famille aristocratique gallo-romaine de l'Albigeois) s'inquiète des dangers que son fils pourrait rencontrer dans une cour barbare. Elle l'exhorte à penser continuellement à Dieu, à être chaste, charitable et fidèle au roi, à faire attention à sa santé et s'inquiète de savoir s'il ne manque de rien à la cour [9].

Mais, le document le plus riche d'informations sur la culture religieuse aristocratique du haut Moyen Age est sans doute le fameux *Manuel (Liber Manualis)* de Dhuoda [10] rédigé à Uzès entre le 30 novembre 841 et le 2 février 843, par l'épouse de Bernard (dont le père est le cousin germain de Charlemagne) duc de Septimanie qui défend l'empire carolingien face aux attaques musulmanes. Après la bataille de Fontenay-en-Puisaye (22 juin 841), Bernard se réconcilie avec Charles le Chauve et décide de lui envoyer son fils Guillaume en lui demandant de prêter l'hommage.

Puis, peu de temps après la naissance de son second fils, Bernard demande que Dhuoda le lui envoie pour qu'il s'occupe de son éducation. Voici donc une mère privée, la même année, de ses deux fils ; c'est en grande partie pour cette raison qu'elle décide d'écrire ce manuel pour Guillaume, âgé de quinze ans, en lui recommandant de le faire lire plus tard à son frère. Un *Liber manualis* est un petit livre (*liber*) que l'on peut tenir dans la main (*manus*), qui est donc destiné à un usage quotidien : « Tu trouveras (en mon livre) un miroir où tu pourras contempler le salut de ton âme [11]. »

L'originalité du *Manuel* de Dhuoda tient dans le fait qu'il n'est pas un traité théorique écrit par un clerc mais un ouvrage rédigé par une mère qui cherche avant tout à s'adresser à son propre enfant. Il permet de dresser un bilan de la culture profane et religieuse d'une laïque au milieu du IXe siècle. L'ouvrage s'ouvre sur cette déclaration très émouvante :

> Constatant que la plupart des femmes ont en ce monde la joie de vivre avec leurs enfants et me voyant, moi Dhuoda, ô mon fils Guillaume, séparée et éloignée de toi – et par là comme angoissée et tout animée du désir de te rendre service – je t'envoie cet opuscule, transcrit en mon nom, à lire comme modèle pour ta formation. Je serais heureuse si, en mon absence, ce livre par sa présence pouvait te remettre en esprit, lorsque tu liras, ce que tu dois faire par amour pour moi [12].

Elle lui demande d'obéir d'abord à Dieu, ensuite à son père, puis au roi Charles. Elle insiste particulièrement sur le respect que Guillaume doit à son père puisque trois chapitres sont consacrés à ce thème. N'oublions pas, qu'au moment où elle écrit, les fils de Louis le Pieux se sont révoltés contre leur père : « ... aime, crains, chéris ton père, conseille-t-elle, et dis-toi bien que c'est de lui qu'est venue ta situation dans le siècle [13] ».

Pour que Guillaume ait toujours en mémoire la conscience d'appartenir à une grande famille aristocratique, Dhuoda aime à rappeler à son fils ses origines nobles et le prestige de ses ancêtres, pour lesquels elle lui demande aussi de prier. La foi en Dieu que Dhuoda a transmise à son fils et qu'elle lui rappelle dans ce « miroir », repose surtout sur la crainte de Dieu. Le Saint Esprit y tient une plus grande place que le Christ, Marie est quasiment absente, l'Eucharistie presque jamais évoquée. La nourriture spirituelle est surtout pour Dhuoda la prière et la lecture des textes sacrés. Elle invite donc son fils à prier souvent dans la journée, à réciter, comme les moines, les heures canoniques et à lire et méditer la Bible et les Pères de l'Eglise.

Si la transmission de la foi se fait essentiellement par les mères [14], celle des valeurs guerrières et militaires est dispensée par les hommes.

L'apprentissage des armes

L'entraînement physique est également fondamental pour le jeune noble. C'est une manière de le préparer à assumer les charges que sa naissance implique. Au milieu du IXe siècle, le futur comte Géraud d'Aurillac « avait été formé dans son enfance aux exercices séculiers, comme il était de règle pour les enfants nobles [15] ».

Les trois piliers de l'éducation militaire sont l'équitation, la chasse et le maniement des armes. Le jeune aristocrate est donc très tôt initié à monter à cheval et doit savoir manier l'arc, lancer éperviers et faucons pour la chasse mais aussi se servir de la longue épée, du javelot, de la hache et du bouclier pour les batailles futures. Un jeune prince, âgé d'environ six ans, inhumé au VIe siècle sous la cathédrale de Cologne, possède dans sa tombe une longue épée, un casque, un bouclier, une francisque, un angon, une lance et des pointes de flèches [16].

Ces apprentissages commencent sans doute très tôt. Lorsqu'à l'âge de quatre ans, Louis le Pieux devient roi d'Aquitaine, on le met, en armes, sur un cheval et on le promène dans son nouveau royaume. A huit ans, il est un excellent cavalier [17]. Charles le Chauve n'a pas encore quatre ans lorsque, accompagnant les adultes pour une partie de chasse et apercevant un jeune daim :

> [Il] brûle de se mettre à sa poursuite, comme fait d'ordinaire son père, et il supplie qu'on lui donne un cheval. Il réclame ardemment des armes, un carquois, des flèches rapides, et veut courir sur la trace, comme son père. Il fait prières sur prières. Mais sa mère, aux traits beaux, lui défend de s'éloigner et refuse ce qu'il demande. Si son précepteur et sa mère ne le retenaient, obstiné comme sont les enfants, il s'élancerait à pied. Mais d'autres, partis à la poursuite du jeune animal, le capturent et le ramènent à l'enfant. Alors il saisit des armes à sa taille et frappe la bête tremblante. Tout le charme de l'enfance flotte autour de lui [18].

Non seulement cet exemple nous montre l'aspect relatif de la perception du « charme de l'enfance », la forte volonté de l'enfant d'imiter très tôt les prouesses de son père et l'importance de l'autorité maternelle qui tempère la fougue du petit, mais il nous apprend également qu'avec un équipement guerrier adapté à sa taille, Charles le Chauve, à peine âgé de quatre ans, a déjà été initié à se servir des armes.

Cette formation purement physique est complétée par un enseignement moral. Dans le domaine guerrier comme dans les autres activités de sa vie, le jeune aristocrate doit apprendre les vertus qui permettent de manier les armes avec prudence et sagesse. Arnoul (né en 1161), fils de Baudoin II de Guines, seigneur d'Ardres, à peine entré dans l'adolescence est très vite considéré pour son mérite comme le premier des jeunes gens de la noblesse flamande. Voici ses qualités :

> Il était cependant actif aux armes, enclin à la vertu et à la probité, célèbre par son engouement à la cour, prompt à rendre service, large presque jusqu'à la prodigalité. Il avait le visage gai et d'une beauté telle qu'il surpassait tous ceux de son âge à la cour ; avec cela, doux envers tous, affable, gracieux en toutes choses et pour tous, et tous en convenaient [19].

Dans ce portrait parfait, il faut, bien sûr, faire la part de l'exagération car l'auteur (Lambert d'Ardres) rédige une œuvre de complaisance. Il convient surtout de lire ce texte comme une énumération des principales qualités que doit posséder le jeune aristocrate.

L'apprentissage des armes et des vertus nobles qui doivent lui permettre de garder son rang, est souvent pris en charge par un proche. Dans les familles mérovingiennes, des *nutritores*, personnes apparentées (issues le plus souvent de la branche maternelle), sont chargées de « nourrir » les héritiers royaux ou nobles. A l'époque carolingienne et féodale la pratique de la *commendatio*, qui consiste à placer son enfant dans une autre famille pour l'éduquer, est largement attestée. On voit fréquemment des groupes de jeunes accompagner les princes et les rois pour parfaire leur éducation militaire. On sait, par exemple, qu'Arnoul de Guines passe son enfance près de son père et, lorsqu'il acquit « la mâle vigueur de l'adolescence », fréquente souvent les tournois et se voit confié « au vénéré et mémorable prince de Flandres, le comte Philippe, pour s'instruire diligemment et s'imprégner des coutumes et des devoirs chevaleresques[20] ». Dans la littérature épique, nombreux sont les neveux nourris chez leur oncle. C'est le cas de Vivien élevé par Guillaume ou de Tristan par Marc. Ce placement, surtout s'il se déroule alors que l'enfant est encore jeune, crée des liens extrêmement forts entre le « nourri » et son « père adoptif ».

Le transfert d'enfants d'une famille à une autre peut aussi être précipité par les événements. A la mort du roi Edwin de Northumbrie, en 633, sa veuve Ethelbergha, « craignant les rois Eadbald et Oswald, envoya ses deux enfants en Gaule, pour y être élevés à la cour du roi Dagobert, qui était son ami[21] ». Parfois, ce sont les circonstances dramatiques des batailles qui imposent cette éducation loin du domicile paternel. Le duc du Frioul, Pemmo, « rassembla les enfants de tous les nobles morts à la bataille [...] et les éleva avec les siens, comme s'ils étaient sa propre progéniture[22] ». Lorsqu'il est aussi brutal et involontaire, le transfert s'effectue hors du champ de la parenté et la circulation des enfants se déroule dans un rayon beaucoup plus large.

Quand le jeune aristocrate est jugé apte au combat, se déroule la cérémonie de remise des armes, rite d'intégration au sein du groupe des dominants[23] : Charlemagne attend que son fils Louis ait atteint l'âge de treize ans pour lui remettre l'épée, et Louis le Pieux que son fils Charles ait quinze ans. Il s'agit d'un rituel tout à fait essentiel, sorte de rite de passage de l'enfance à l'adolescence. Lorsque ce n'est pas le père qui remet les armes, c'est un autre adulte, parfois celui qui s'est occupé de l'éducation chevaleresque du jeune, créant ou renforçant l'alliance avec le père de l'enfant par le biais de cette « adoption par les armes ».

Le passage de l'enfance à l'adolescence est aussi marqué par la coupe de la barbe et des cheveux. A l'époque mérovingienne, les enfants princiers portent les cheveux longs, symbole de leur puissance : Gundovald a été « élevé avec un soin diligent, avec les boucles des cheveux répandues dans le dos comme c'est la coutume de leurs rois [24] ». Cette chevelure est particulièrement protégée. La Loi salique, par exemple, punit quiconque aura coupé les cheveux d'un jeune garçon sans le consentement de ses parents à verser 45 sous d'or. C'est souvent lorsque l'enfant atteint l'âge de la majorité (douze ans) qu'on lui coupe les cheveux (rite de la *capillaturia* romaine) ou la première barbe (*barbatoria*).

La fille aristocrate

Les informations concernant la vie des petites filles dans les milieux aristocratiques du haut Moyen Age sont bien moins nombreuses que celles relatives aux garçons. Cependant, on sait qu'elles reçoivent en général, elles aussi, une éducation très soignée, apprennent à lire, voire à écrire. Même aux VIe-VIIe siècles, période marquée sans doute par un recul de l'instruction, beaucoup d'entre elles sont lettrées. A la fin du VIIe siècle, Fortunat écrit à propos des jeunes filles de l'Aquitaine qu'elles sont aussi habiles à tenir la plume qu'à tisser la toile [25]. Cette éducation féminine se déroule au sein de la famille ou du palais mais peut s'effectuer également, comme pour les garçons, par un passage provisoire à l'école du monastère.

On sait surtout que les filles de l'aristocratie du haut Moyen Age se marient très jeunes. A la fin du VIe siècle, Vilithute est mariée à l'âge de treize ans et meurt en couches trois ans après [26]. Segolène, qui devient abbesse du Troclar dans les environs d'Albi au milieu du VIIe siècle, est mariée à l'âge de douze ans. Judith devient l'épouse du roi du Wessex, Edilvulf, le 1er octobre 856 alors qu'elle a treize ans. Bathilde a environ quinze ans lorsque le maire du palais de Neustrie Erchinoald la marie à Clovis II vers 650-651 et n'a pas dix-sept ans lorsqu'elle donne naissance au futur Clotaire III (né en 652). Hildegarde devient la troisième épouse de Charlemagne, à peine âgée de quinze ans. Theophano, princesse byzantine, est mariée avec l'empereur Othon II à l'âge de onze ans (972). La mère de Guibert de Nogent n'a pas douze ans lors de son mariage. Ces unions sont homogamiques : on se marie à l'intérieur de l'aristocratie. Grégoire de Tours explique que son grand-oncle paternel Georges, de classe sénatoriale, cherche pour son fils Gall (futur évêque de Clermont) une fille de sénateur.

Dans les milieux paysans, les données sont trop maigres pour effectuer des comparaisons mais le déséquilibre du *sex ratio* dans les polyptyques du début du IXe siècle, qui traduit un relatif sous-enregistrement des filles, pourrait s'expliquer par le fait que certaines d'entre elles ont déjà quitté le manse familial pour travailler au manoir ou pour contracter un lien matrimonial. L'Eglise s'accommode bien de ce mariage précoce. Elle le recommande même parfois en expliquant (canon 9 du concile de Pavie en 850) qu'en retardant l'âge du mariage de leur fille, les parents prennent le risque de voir celle-ci « se corrompre chez eux », c'est-à-dire de ne pas pouvoir résister à la tentation et perdre sa virginité.

Ecoles paroissiales et écoles épiscopales

Pour dispenser l'éducation, en dehors du milieu familial et monastique il existe, depuis le VIe siècle, deux types d'école : paroissiales et épiscopales.

Dans les cités romaines, les écoles municipales antiques fonctionnent encore jusqu'au dernier tiers du Ve siècle. Puis, avec la christianisation, apparaissent des écoles paroissiales chargées de former des clercs (Arles ou Bourges par exemple). Le canon 1 du concile de Vaison en 529, demande aux prêtres de prendre en charge, chez eux, de jeunes lecteurs pour les former et les préparer à assurer leur succession, en leur apprenant le psautier et les textes saints. Ce décret est important car il constitue l'acte de naissance des écoles presbytérales. Ces dernières sont ouvertes à de jeunes laïcs puisque ceux qui veulent quitter l'école avant leur passage dans les ordres majeurs le peuvent. Le corps enseignant est uniquement composé de clercs, originalité de l'école médiévale. Le jeune laïc dépend donc du clergé pour toute instruction en dehors du cadre familial.

Le célèbre capitulaire de Charlemagne daté de 789, intitulé *Admonitio generalis* (Conseil général) comporte un chapitre entier consacré à l'école : les prêtres sont conviés à enseigner aux enfants, serfs et libres, la lecture, l'écriture, le calcul et le chant :

> Que les prêtres attirent vers eux non seulement les enfants de condition servile, mais aussi les fils d'hommes libres. Nous voulons que les écoles soient créées pour apprendre à lire aux enfants. Dans tous les monastères et les évêchés, enseignez les Psaumes, les notes, le chant, le comput, la grammaire [c'est-à-dire le latin] [27]...

A partir du XIe siècle, ces écoles se multiplient, surtout sous l'impulsion des marchands qui cherchent une formation élémentaire (lire, écrire et calculer) pour leurs fils afin qu'ils prennent la succession de la société familiale.

Partout, l'enseignement se fait en latin. Très vite, l'enfant devient donc bilingue. Il apprend les vingt-quatre lettres de l'alphabet puis commence à construire des mots. L'apprentissage de la lecture se fait essentiellement à partir du psautier, mais, parfois aussi en utilisant des proverbes, dictons ou fables directement hérités de l'Antiquité. Parallèlement à l'apprentissage de la lecture, les écoliers ou les novices commencent à écrire avec un stylet en os ou en argent sur des tablettes d'ivoire ou de bois recouvertes de cuir ou de cire, sur des écorces ou des parchemins (rares et chers). Puis l'écolier apprend à compter à l'aide de jetons ou du comput digital. L'enseignement garde un caractère ludique comme en témoigne ce petit problème de « maths » proposé sous forme de devinette attribuée à Alcuin :

> Trois jeunes hommes ont chacun une sœur, les six voyageurs arrivent à une rivière, mais un seul bateau ne peut contenir que deux personnes. Or la morale demande que chaque sœur passe avec son frère. Comment vont-ils faire [28] ?

A partir du Xe siècle, est adoptée une nouvelle méthode de calcul d'origine arabe, transmise aux écoles catalanes : l'abaque, table de calcul qui permet de faire les opérations très rapidement.

L'école épiscopale, quant à elle, installée dans les bâtiments de l'évêché ou dans le cloître, est dirigée par un chanoine spécialisé, le *scholasticus*. L'enfant y entre vers neuf ou dix ans, il est tonsuré, et reste jusqu'à quinze ans environ, âge auquel il doit faire un choix entre la vie laïque et les vœux mineurs. La mixité doit sans doute exister dans les écoles épiscopales puisque certains statuts l'interdisent. L'habitude est prise de réserver une part des biens du chapitre aux maîtres en guise de rémunération. Maîtres qui savent aussi se montrer parfois très sévères, tel Odon à Tournai, au début du XIIe siècle :

> ... il conduisait à l'église sa cohorte de près de deux cents clercs en ayant l'habitude de se mettre à la file, [...] pas un qui n'osât parler avec son voisin, rire ou marmonner ; pas un qui n'ait l'audace de détourner même légèrement les yeux à droite ou à gauche [29]...

Au cours du XIIe siècle, les chanoines réguliers cherchent à revenir à une plus stricte discipline. Par conséquent, les écoles épiscopales reçoivent de moins en moins d'enfants. On ne les trouve plus, par exemple, dans les statuts de Prémontré et de Saint-Victor.

Les canons des conciles mérovingiens et surtout les capitulaires carolingiens ne cessent de répéter qu'il faut ouvrir des écoles, preuve sans doute d'un manque d'encadrement et de la négligence de certains clercs. Théodulfe, évêque d'Orléans, par exemple, demande encore en 798 :

> Que les prêtres aient des écoles dans les domaines agricoles et les gros bourgs ruraux, et si les fidèles veulent leur confier leurs petits enfants pour apprendre les lettres, qu'ils ne refusent pas de les recevoir et de les enseigner, et qu'ils les enseignent avec beaucoup d'amour... Qu'ils n'exigent aucun prix [30].

A la lumière de cette dernière recommandation, on peut dire qu'à l'époque carolingienne, si les écoles épiscopales sont fréquentes et dynamiques, les écoles rurales paroissiales sont sans doute assez rares.

Les externes du monastère

Il arrive souvent que les familles aristocratiques (puis, plus tard, les familles de marchands) confient pour un temps leurs enfants aux moines pour qu'ils prennent en charge leur instruction. Pépin, fils de

Charles Martel, est placé très jeune au monastère de Saint-Denis. Parfois sont établis entre l'abbé et les parents, des contrats qui précisent les conditions d'admission, la remise des biens (vêtements, literie) ou la durée de l'éducation.

Dans les vies de saints irlandais, on rencontre des cas d'enfants âgés d'un ou deux ans, confiés à des moniales, réintégrés ensuite dans des monastères d'hommes. Mais ces exemples sont marginaux et, la grande majorité des documents nous montrent plutôt des enfants laissés vers cinq ou six ans, jusqu'à l'âge de dix ou douze ans. A partir du début de l'époque carolingienne, avec l'essor de la christianisation qui entraîne l'entrée parfois massive des fils ou des filles d'aristocrates dans les monastères, les moines inquiets devant tous ces enfants qui troublent la vie de méditation, tentent de prendre des mesures. Pour ne pas mélanger ces écoliers avec ceux qui se préparent aux vœux, le concile d'Aix de 817 prévoit une école intérieure destinée à accueillir les futurs moines et une école extérieure réservée aux laïcs. Cette mesure est souvent répétée par la suite, preuve sans doute de son peu d'efficacité. On sait toutefois que le monastère de Saint-Gall possède cette double école. Le plan de cet établissement religieux dessiné peu de temps après 817 laisse voir, au front nord de l'église, l'école des petits laïcs, séparée du reste du monastère par un mur. A côté, on trouve des latrines mais ni réfectoire ni dortoir. A l'est de l'église se situe l'école monastique, destinée aux novices, qui, au contraire, possède réfectoire, dortoir et bains. Au XIe siècle, dans l'élan de la réforme clunisienne, cette séparation entre *scolasticus exterior* et *scolasticus interior* se rencontre à Saint-Hubert et à Lobbes. Ailleurs, les deux publics sont sans doute mélangés.

Aux XIe-XIIe siècles, les canonistes continuent à s'insurger contre ces jeunes enfants qui perturbent la vie monastique. Ils rappellent aux moines qu'ils n'ont pas pour vocation d'enseigner et interdisent aux abbés d'accueillir des enfants destinés à la vie laïque. Pourtant, au XIIe siècle encore, des enfants peuplent les monastères. N'oublions pas que les parents désireux de confier leur fils ou leur fille aux moines apportent de l'argent et des biens qui enrichissent le couvent. Dans l'Empire germanique des IXe-XIe siècles, les monastères accueillent largement les jeunes filles de l'aristocratie, plus souvent celles qui sont disgraciées par la nature ou pour lesquelles la famille n'a pas prévu de dot. La formation y est à la fois manuelle et intellectuelle. Certaines restent moniales mais d'autres reviennent à la vie laïque. Le duc Liudolf, par exemple, place ses cinq filles dans l'abbaye de Gandersheim. Trois d'entre elles deviennent abbesses tandis que les deux autres se marient.

Ces abbayes (masculines ou féminines) ne sont pas complètement fermées. Parents et amis peuvent venir rendre visite à leur enfant. Les règlements demandent cependant que les rencontres se fassent dans un lieu public, parfois à travers une fenêtre grillagée.

L'attraction de la vie monastique est parfois si grande que certains enfants, placés provisoirement, souhaitent rester en dehors du siècle, contre les projets parentaux. Un marchand de Huy, au milieu du XIIe siècle, confie son fils aux moines cisterciens de Villiers-en-Brabant en précisant qu'il désire que son enfant sache lire, écrire et compter afin de pouvoir reprendre l'affaire paternelle. Mais l'enfant se plaît tellement dans ce milieu monastique qu'il manifeste le désir d'y rester [31]. Il ne faut certes pas prendre cet exemple « pour argent comptant ». Il s'agit, bien sûr, d'un *topos* hagiographique qui vise à vanter la supériorité de la vie monastique sur la vie dans le siècle. Mais, la situation n'en est pas moins plausible.

La très grande majorité des enfants confiés définitivement à un monastère le sont contre leur gré, à un âge souvent très jeune.

L'oblation

Hildemar nous a laissé un commentaire de la règle de saint Benoît (vers 845) [32], qui a sans doute servi de manuel dans les monastères du IXe siècle. Il nous informe sur le rituel de l'oblation (du latin *offero* : offrir) : lorsque l'enfant atteint l'âge de six ou sept ans, le père (ou, si ce dernier est décédé, la mère) vient le remettre à l'abbé, en joignant souvent une certaine somme d'argent ou un bien foncier. Il s'approche de l'autel central avec son fils qui tient du pain et de l'eau dans sa main. Là, devant témoins, il fait publiquement le vœu de le donner. L'enfant doit renoncer à sa part d'héritage qui, selon Hildemar (mais contrairement aux prescriptions de la règle de saint Benoît) doit être laissée au monastère. Il s'agit bien d'un abandon définitif de la vie laïque. A la fin du VIIIe siècle, les jeunes nobles qui sont offerts à l'abbaye de Saint-Martin de Tours doivent donner leurs cheveux et leurs armes pour qu'on les dépose sur le tombeau du saint, cérémonie de renoncement aux attributs symboliques de la laïcité aristocratique du haut Moyen Age.

Suger, Guibert de Nogent, Hugues de Lincoln, Orderic Vital et Bède le Vénérable ont été ainsi confiés comme oblats. Ce dernier raconte :

> A l'âge de sept ans, je fus confié par mes proches au révérendissime abbé Benoît (abbé de Wearmouth et Jarrow) pour mon

> éducation, et ensuite à Céolfrid. Depuis, j'ai passé ma vie entière dans les murs de ce monastère [33]...

Durant les premiers siècles médiévaux, l'oblation parentale est irrévocable et l'enfant, quelle que soit sa vocation, doit rester au monastère. Pour justifier l'aspect définitif du choix paternel, les législateurs s'appuient sur le canon 49 du concile de Tolède de 633 qui affirme qu'il existe deux manières de devenir moine : « soit par engagement paternel, soit par profession ». En 726, dans une lettre adressée à Boniface, le pape Grégoire II rappelle :

> Tu ajoutes encore une question à savoir s'il est permis à ceux que leurs parents ont placés dans leur enfance entre les murs d'un monastère pour y vivre sous la règle, d'en sortir à la puberté et de se marier. Nous l'interdisons formellement, car il est défendu par Dieu que ceux qui lui ont été offerts par leurs parents voient rompre pour eux cet obstacle au plaisir [34].

Mais, progressivement, se développe l'idée selon laquelle l'oblation doit être acceptée par l'enfant. Déjà, en 817, Benoît d'Aniane exige la ratification du choix paternel par l'enfant lui-même. On connaît, au début du IXe siècle, le cas célèbre de Gottschalk, fils d'un comte saxon, offert très jeune à l'abbaye de Fulda. A l'adolescence, affirmant qu'il ne s'est pas engagé personnellement mais sous l'effet de la contrainte, il demande à reprendre sa liberté. Le synode de Mayence (829) lui donne raison. Mais Raban Maur, le nouvel abbé de Fulda, refuse sa « libération » et compose son fameux *Sur l'oblation des enfants* [35] dans lequel il réaffirme que l'engagement des parents est irrévocable. Finalement, par décision impériale, Gottschalk est maintenu moine et envoyé au monastère d'Orbais près de Soissons.

Même si le concile de Worms en 868 défend encore

l'oblation irrévocable, l'affaire Gottschalk, cas sans doute non isolé, est révélateur d'une modification de comportement vis-à-vis de l'oblation. Les nouveaux ordres tels que Cluny, Cîteaux, les Chartreux ou les Templiers, n'admettent pas l'oblation d'enfants, moins par rejet de l'institution elle-même que parce que la présence d'enfants leur semble troubler le bon fonctionnement de la vie monastique. Le nombre d'oblats décroît donc très rapidement à partir du XIIe siècle. Célestin III en 1194 autorise officiellement un oblat à résilier l'acte d'engagement de ses parents lorsqu'il devient pubère, puis, au milieu du XVe siècle, Martin V interdit définitivement l'oblation.

La vie au monastère

Les règles et les coutumiers monastiques ainsi que les traités rédigés pour la formation des novices nous apportent de précieux renseignements sur la vie quotidienne des jeunes moines. On sait qu'ils sont élevés avec une grande attention. Udalrich, par exemple, écrit :

> Lorsque je vis avec quel zèle les enfants étaient surveillés jour et nuit, je me disais qu'il eût été bien difficile qu'un fils de roi fût élevé avec plus de soin dans le palais de son père que le dernier des enfants à Cluny[36].

L'encadrement (*custodia infantum*) paraît tout à fait satisfaisant et fait rêver tous les enseignants contemporains, puisque trois ou quatre maîtres (*magistri*) sont désignés pour s'occuper de dix enfants. La pédagogie repose avant tout sur un contrôle constant des enfants et surtout des adolescents qui s'éveillent à la sexualité. Selon Hildemar au milieu du IXe siècle, si les maîtres sont obligés d'avoir recours aux punitions physiques, c'est justement parce que la surveillance n'a pas été bien faite.

Dans l'abbaye, la vie est scandée par les offices monastiques de la journée, auxquels les enfants doivent assister. Ils se lèvent très tôt (sans doute vers deux ou trois heures) pour réciter l'office nocturne et matines* puis vont à l'école du monastère où, assis sur un tabouret autour de la chaire du maître, ils lisent et chantent des versets qu'ils apprennent. Lorsqu'ils savent leurs psaumes par cœur, ils doivent en réciter une partie devant l'abbé. La *Règle du Maître,* au début du VIe siècle, fixe à trois le nombre d'heures d'enseignement quotidien. Les coutumiers monastiques interdisent aux enfants de se parler ou de se faire des signes pendant les cours. Les méthodes d'apprentissage ne diffèrent guère de celles que nous avons décrites dans les écoles paroissiales ou épiscopales. Ensuite, après un autre office (sexte) ils se rendent en silence au réfectoire où ils sont étroitement surveillés. Ils doivent toujours être accompagnés par un moine lorsqu'ils sortent, même aux latrines. Après complies* (vers dix-huit heures) toujours dans le silence, les novices se rendent au dortoir, séparé de celui des moines.

Rudes journées certes, mais souvent tempérées par des moments de détente et de jeux. Le maître, en effet, amène parfois les enfants dans un pré ou dans quelque lieu pour qu'ils puissent se détendre. On leur ménage des heures de récréation, de course à cheval, de baignades, de jeux avec des bâtons ou des cerceaux ou encore des activités de jardinage. Lors des grandes fêtes liturgiques, quelques jours de vacances leur sont accordés. En outre, les enfants ne sont pas obligés de respecter tous les jeûnes, surtout si l'on juge que leur état est trop faible pour les supporter. Ils sont autorisés à manger plus souvent que les adultes (trois à quatre fois par jour) mais en plus petites quantités et encore parfois de la viande, contrairement à leurs aînés. Lorsqu'ils sont malades, une attention toute particulière leur est accordée dans l'infirmerie. On les autorise parfois à retourner se coucher si on voit qu'ils ont du mal à rester éveiller entre matines et laudes*.

Il leur arrive aussi de faire des farces aux moines comme le rapporte un *exemplum* d'Etienne de Bourbon au milieu du XIIIe siècle :

> Dans certain prieuré, dont je ne veux pas dire le nom, vivaient des moines fort peu édifiants, qui, ayant passé la soirée à boire, manger et bavarder, se trouvèrent très fatigués au moment où l'on sonna matines. Il se levèrent néanmoins, tout engourdis, et voulurent commencer l'office. Mais, comme ils ne pouvaient se tenir éveillés et que leur tête retombait sur leur livre à chaque verset, ils commandèrent aux enfants de chœur de psalmodier avec eux. Au bout de quelques minutes, tous les moines étaient rendormis. Alors un des enfants, qui guettait ce moment, fit signe à ses compagnons de se taire. Ils se turent d'abord ; puis, voyant que nul ne bougeait, ils se mirent à jouer tout à leur aise. Quand ils se furent longuement divertis, l'un deux fit tout à coup un grand bruit et s'écria d'une voix forte : *Benedicamus Domino.* Aussitôt les moines, réveillés en sursaut, de répondre tous en chœur : *Deo gratia*!
>
> Chacun d'eux demeura persuadé que les autres avaient dit matines avec les enfants de chœur et que l'office était terminé ; aussi regagnèrent-ils leurs lits en toute hâte. Et c'est ainsi que le diable, avec le secours de la somnolence, sa complice, détruit tout le fruit de l'oraison [37].

Les petites moniales

Il est toujours plus difficile de trouver des renseignements sur les jeunes filles entrées dans le clergé régulier. Parfois, les règlements monastiques précisent que les conseils donnés s'appliquent également aux moniales ou évoquent des aspects spécifiques à la vie de clôture des filles.

On sait que les familles de l'aristocratie franque comptent presque toutes une ou plusieurs filles entrées au monastère. Elles y sont aussi accueillies à partir de six ou sept ans. Qu'elles y demeurent quelque temps ou définitivement, l'éducation qu'elles reçoivent est sensiblement la même que celle dispensée dans les familles aristocratiques, à savoir couture, broderie et lecture, parfois écriture. Certaines moniales transforment même leur cellule en école, ce qui n'est pas bien vu de tous. On sait qu'elles doivent également apprendre par cœur le psautier comme l'indique la règle utilisée par la sœur de Césaire d'Arles, Césarie, au début du VIe siècle ou celle en vigueur au monastère féminin de Sainte-Croix de Poitiers, fondé vers 560 par Radegonde, épouse du roi mérovingien Clotaire Ier.

La règle de Waldebert de Luxeuil, au début du VIIe siècle, nous apporte de plus amples renseignements :

> ... elles doivent être élevées avec piété et affection, mais aussi avec discipline, afin qu'en cet âge si tendre elles ne soient pas souillées, ne serait-ce que légèrement, par le vice de la paresse et de la légèreté, et qu'elles puissent par la suite en être corrigées. Il faut donc surveiller avec tant de soin les enfants que jamais elles ne puissent aller ici et là sans des moniales plus âgées, mais que toujours, contrôlées par leur discipline, et instruites dans la crainte de Dieu et dans l'amour de la bonne doctrine, elles recherchent la vie religieuse. Qu'elles prennent l'habitude de lire afin d'apprendre dans leur jeune âge ce qu'elles devront faire plus tard. Au réfectoire, que leurs tables soient placées à côté de celles des plus anciennes moniales ; deux ou plus parmi les anciennes dont on connaît le zèle religieux doivent se tenir à côté des enfants, et veiller attentivement à leur éducation. C'est l'abbesse qui décide des heures de repas et de sommeil. Que l'on observe en tout la mesure qui est la gardienne des vertus [38].

Ainsi, malgré de sensibles différences qui tiennent au milieu social, les filles et les garçons du haut Moyen Age sont élevés, éduqués et instruits avec soin. A partir des XIe et XIIe siècles, les conditions économiques et sociales s'améliorent nettement et les sources qui sont à notre disposition pour élaborer une histoire de l'enfant se multiplient. Elles nous permettent, en particulier, mieux qu'aux siècles précédents, d'observer l'enfant dans sa famille.

L'enfant en famille

Famille large ou famille étroite ?

Les historiens ont longtemps opposé les « familles larges » de type patriarcal du haut Moyen Age (réunissant sous un même toit collatéraux, ascendants et descendants) aux « familles conjugales », (regroupant le père, la mère et les enfants non-mariés) des siècles suivants. Cette conception évolutionniste de l'histoire de la famille est aujourd'hui remise en cause : la famille nucléaire est également largement attestée dans les premiers siècles médiévaux. L'étude d'une liste d'esclaves du IXe siècle, émanant du cartulaire de Farfa en Italie centrale, par exemple, montre la très forte prédominance de la famille conjugale puisque 65 % des ménages sont constitués d'un couple avec ou sans enfants [1]. Vers l'an mil, en Catalogne, sur 600 contrats de vente étudiés, près de 90 % n'intéressent que des groupes conjugaux (père, mère, enfants), infra-conjugaux (veufs avec enfants) ou des personnes seules [2]. A l'époque mérovingienne et carolingienne, le manse est la trace concrète de l'existence de la famille nucléaire puisque sa superficie est censée être suffisante pour la faire vivre, que ce soit en France, en Italie ou en Angleterre.

Ce qui est certain, c'est qu'aux XIIe et XIIIe siècles, la famille étroite apparaît encore plus nettement qu'auparavant au sein de la parenté. L'archéologie le montre :

la taille des demeures se réduit, l'habitation se subdivise soit au sol, soit par la construction d'un étage. En Picardie, par exemple, après 1175, les actes contractés par des groupes familiaux larges diminuent au profit de ceux conclus par des couples [3]. Il faut certes être prudent car les différences régionales sont fortes en ce qui concerne cette réduction de la taille des familles, mais le mouvement semble assez général. Les sources narratives de plus en plus abondantes mettent souvent en scène la famille nucléaire et les relations parents-enfants.

Familles biologiques et recomposées

Les phénomènes de famille « en miettes » et de « familles recomposées », qui préoccupent tant les sociologues en cette fin du XXe siècle, ne sont pas nouveaux. Si aujourd'hui, l'éclatement de la cellule familiale se fait essentiellement pour cause de divorce, au Moyen Age, dans la très grande majorité des cas, elle est la conséquence de la mort de l'un des deux parents. On peut en effet estimer, à partir d'une situation démographique d'Ancien Régime assez voisine [4], que 30 à 40 % des enfants ne vivent pas toute leur enfance avec leurs deux parents géniteurs. En d'autres termes, plus du tiers des enfants vit dans une famille recomposée. Cette « circulation » de l'enfant médiéval est renforcée par le *fosterage*, la mise en nourrice ou en apprentissage, les séparations de couple ou l'abandon. Il est fréquent, dans les sources narratives, de rencontrer des enfants qui résident avec des parents qui ne sont pas leurs géniteurs : neveux ou nièces placés après le décès parental ou transférés d'une famille prolifique vers une autre en panne d'héritier, enfants nourris, etc. [5]. Les coutumiers du XIIIe siècle consacrent toujours de très nombreux chapitres au droit de bail ou de garde des enfants, préoccupation juridique qui atteste sans doute un phénomène massif.

L'amour maternel

Contrairement à ce qu'avait cru montrer Philippe Ariès [6], les sentiments que la mère médiévale éprouve pour son enfant sont très forts. De très nombreux documents laissent voir des traces d'affection et de tendresse. Un bel exemple est offert, au tout début du XIVe siècle, par cette femme cathare de Montaillou que les inquisiteurs ont condamnée pour hérésie. Elle doit quitter sa maison en sachant qu'elle ne reverra plus jamais son enfant au berceau (elle mourra sur le bûcher) ; voilà ce que nous dit le narrateur de la scène de séparation :

> Elle voulut le voir avant de s'en aller; le voyant, elle l'embrassa; alors l'enfant se mit à rire; comme elle avait commencé à sortir un petit peu de la pièce où était couché l'enfant, elle revint de nouveau vers lui; l'enfant recommença à rire; et ainsi de suite, à plusieurs reprises. De sorte qu'elle ne pouvait parvenir à se séparer de l'enfant [7].

Scène émouvante, mais terrible, qui en dit long sur les sentiments qu'éprouve la mère pour son enfant. Dans *L'Escoufle* de Jean Renart, roman écrit au début du XIIIe siècle, une mère doit, elle aussi, se séparer de son enfant de trois ans, que son père réclame; séparation provisoire, mais tout aussi difficile à vivre :

> Mais je l'aime plus que tout, dit-elle, il n'y a rien de plus beau que lui. Tant que je le vois, je ne puis avoir ni irritation, ni colère, ni ennui. Il est mon espérance, ma joie, mes joyaux et mes plaisirs [8].

Après quoi, elle lui tend les deux bras et l'enfant se précipite vers elle. Et, afin de pouvoir profiter encore une dernière fois des joies de l'amour maternel avant le cruel départ, elle le couche dans son propre lit. Au matin, elle doit, contre son gré, l'installer sur un cheval en prenant soin de le caler avec un gros coussin et éclate en sanglots au moment de la séparation. Au début du XIIe siècle, Guibert de Nogent rapporte la colère de sa mère lorsqu'elle découvre que son fils a été sévèrement battu par le maître à qui elle l'a confié pour en faire un clerc :

> Un jour, en classe, j'avais été battu : classe qui n'était autre chose qu'une certaine salle de notre demeure [...] j'étais venu aux pieds de ma mère, après avoir été gravement battu, plus assurément que je ne l'eusse mérité. Elle se mit à me demander, selon son habitude, si ce jour-là j'avais été frappé ; et moi, pour ne point paraître dénoncer mon précepteur, je niai catégoriquement. Alors, malgré moi, elle m'enleva mon vêtement de dessous (qu'on appelle tunique, ou bien encore chemise), et elle put contempler mes petits bras marqués de bleus, et la peau de mon pauvre dos enflée un peu partout à la suite des coups de verges. Gémissant profondément à la vue de ces sévices infligés à mon âge tendre, troublée, agitée, les yeux plein de larmes de tristesse, elle me dit : « Puisqu'il en est ainsi, tu ne deviendras jamais clerc : tu n'auras plus de châtiment à subir pour apprendre le latin [9] ! »

Mais la volonté de Guibert de Nogent de devenir clerc est si forte qu'il réussit à convaincre sa mère de le laisser continuer à se rendre auprès de ce maître cruel.

Dans les récits de miracles des XIIe et XIIIe siècles, la mère exerce sur son petit enfant une étroite surveillance, se montrant toujours très attentionnée à son égard. Lorsqu'elle sort pour aller à l'église ou aux champs, elle apporte son bébé avec elle ou le confie à un proche. Si, par malheur, un accident survient, sa réaction pathétique traduit sa détresse. Elle hurle à la vision du corps blessé ou du cadavre de son enfant, arrache ses cheveux, s'égratigne le visage. Au-delà de la figure de rhétorique, ces réactions de deuil traduisent un attachement maternel incontestable. Le choc émotionnel passé, elle cherche à capter, par des prières et des promesses, les faveurs du saint (ou de la Vierge) afin qu'il intercède auprès de Dieu. Elle reste ainsi au sanctuaire, des jours entiers en oraison. A l'instant du miracle, elle laisse éclater sa joie. Les sincères et poignants remerciements adressés au saint et à Dieu traduisent également la force des sentiments des mères médiévales pour leur enfant. Au milieu du XIIe siècle, en Angleterre, un enfant à peine âgé de trois ans :

> soudain frappé de maladie, poussa des cris sinistres et fut misérablement abattu comme ses parents. L'un dit à l'autre : « Prends l'enfant, réchauffe-le dans tes bras. » Elle obéit et le blottit en fredonnant dans son giron comme elle en avait l'habitude, mais ni les baisers ni les caresses de sa mère n'améliorèrent son état. Avec délicatesse, elle le mit à nouveau au berceau sur le côté mais même ainsi, la douleur ne put s'adoucir [10].

L'enfant meurt mais grâce aux prières et aux invocations parentales qui provoquent l'intervention du saint, il ressuscite.

Dans une règle monastique féminine anglaise du début du XIIIe siècle le sixième réconfort de Dieu est comparé aux joies procurées par le jeu de cache-cache entre une mère et son enfant :

> Elle se sépare de lui et se cache et le laisse seul. Il la cherche partout du regard, appelant « Mama ! Mama ! » en pleurant un peu. Alors, les bras tendus, elle se précipite sur lui, le prend et le serre contre elle pour l'embrasser et sécher ses larmes.

L'auteur explique que Dieu peut parfois, à l'instar de cette mère, abandonner la nonne qui est obligée alors de « crier et pleurer pour lui comme le petit bébé le fait pour sa mère », la consolant enfin dans sa détresse [11]. Cette métaphore qui associe Dieu ou l'Église à la mère et le croyant au petit enfant est récurrente dans la mythologie chrétienne. Au XIIIe siècle, Guillaume Durand énumère l'ensemble des noms que l'on donne à l'Église : « Quelquefois on l'appelle du nom de Mère, parce que chaque jour, elle enfante à Dieu, dans le baptême, des fils spirituels [12]. » Il n'est pas rare, dans l'iconographie de la fin du Moyen Age, de voir l'Église représentée par la figure allégorique d'une mère qui enseigne à ses enfants.

L'amour maternel est souvent présenté et jugé comme excessif, plus sauvage, plus instinctif, plus viscéral que celui du père. Lorsque l'enfant tombe malade, subit un accident ou décède, les auteurs montrent la mère mue par un « sollicitude maternelle » ou « poussée par ses entrailles maternelles », ou encore « se rappelant les douleurs de l'enfantement ». Or, au Moyen Age, l'excès, l'absence de mesure sont toujours condamnés. Philippe de Novare, par exemple, écrit : « On ne doit pas montrer à son enfant un trop grand amour car il s'enorgueillit et il prend l'habitude de mal faire [13]. » Cette manière de présenter les sentiments maternels traduit sans doute autant une réalité qu'une manière cléricale de percevoir et de représenter la femme dans sa fonction de mère.

Les « mères cruelles » : la sainte et la marâtre

Dans les sources médiévales, il existe deux femmes qui sont de mauvaises mères, des « mères cruelles » : la sainte et la marâtre. Mais, elles le sont, sous la plume des clercs, essentiellement pour des raisons idéologiques.

Les femmes saintes, dont certains biographes nous ont laissé la *vita*, éprouvent presque toujours des sentiments anti-maternels. A la fin du XIIIe siècle, Marguerite de Cortone, lorsqu'elle entre dans le Tiers-Ordre franciscain, abandonne son fils illégitime « sans aucun sentiment maternel » pour vouer sa vie aux pauvres et au Christ [14]. Angèle de Foligno, contemporaine de Marguerite, visionnaire et mystique, remercie Dieu d'avoir fait mourir sa mère, son mari et ses enfants, car ces décès successifs lui ont permis de se consacrer entièrement à la religion [15]. Cette attitude stéréotypée est censée montrer jusqu'où peut aller le don de soi-même et le refus des joies du siècle.

Aux côtés de la sainte, l'autre mauvaise mère médiévale est la marâtre, c'est-à-dire la seconde femme du père. On se trouve là devant une profonde contradiction : dans toutes les sources, cette femme est l'archétype de la mère cruelle et pourtant, elle représente une réalité quotidienne puisque la mort de la mère et le remariage du père sont des événements fréquents. Au Moyen Age, comme aujourd'hui, le terme de marâtre est très péjoratif. Guillaume de Saint-Thierry, au milieu du XIIe siècle, voulant démontrer que la nature est rude pour l'homme dès sa naissance, écrit :

> Alors que la nature, bonne mère, accorde une protection aux êtres vivants, elle se mue pour l'homme en une triste marâtre, elle le jette sur la terre pour le faire aussitôt pleurer et vagir alors qu'aucun animal n'a connu les larmes [16]...

Dès le début du Moyen Age, la marâtre est toujours un personnage d'une grande cruauté. Grégoire de Tours, par exemple, évoque la seconde épouse du roi des Burgondes, Sigismond, qui se montre très féroce vis-à-vis de Sigéric, fils d'un premier lit. Elle « ne tarda pas, écrit-il, à détester ce fils et à se fâcher avec lui, comme c'est l'habitude des marâtres », et incite son mari à faire étrangler l'enfant [17]. Dans les *exempla* ou les récits de miracles postérieurs, on retrouve cette même image de la seconde mère. Voici un exemple, parmi beaucoup d'autres, de la manière dont les clercs la mettent en scène : un homme, à la suite du décès de sa femme dont il a eu un enfant, se remarie. Après plusieurs années de vie commune, aucun descendant ne vient de cette seconde union :

> [la femme] se rongea du fiel de l'envie ; et, s'armant d'une haine de marâtre à l'encontre de son beau-fils, elle voulut lui faire payer les peines de son infécondité qu'il ne méritait pas. Et un jour, comme à son habitude, elle lui tendait du pain pour son repas, en cachette, elle y ajouta du poison. L'enfant y goûta. Le poison se répandit rapidement, atteignant d'abord les organes spirituels puis nutritifs. Son corps s'infecta, se mit à gonfler et il fut privé complètement de l'usage des sens corporels [18].

Tous les ingrédients idéologiques sont rassemblés pour faire de cette femme le stéréotype de la mauvaise mère. Le fils est unique. C'est lui, et lui seul, qui va pouvoir transmettre le patrimoine paternel et assurer la perpétuation de la lignée. Le crime en devient encore plus abominable. La marâtre est jalouse et n'accepte pas sa stérilité. Ne pouvant procréer elle-même, c'est-à-dire donner un autre héritier au couple, elle se venge sur le fils du premier lit. N'étant pas la mère biologique de l'enfant, son rôle doit être celui d'une mère nourricière. Or, justement, c'est par la nourriture qu'elle tue l'enfant en l'empoisonnant secrètement.

Lorsque le récit n'est pas centré sur ce thème à des fins édifiantes, on voit parfois, heureusement, s'établir des rapports bien meilleurs entre la seconde mère et son enfant.

Comment alors expliquer cet acharnement, cette

haine à l'encontre de la marâtre ? Il est évident qu'il s'agit d'une image dont l'origine est antérieure au christianisme et qui appartient à un fond anthropologique ancien. Beaucoup de contes (tel *Cendrillon*) développent ce thème. La marâtre est condamnée aussi parce qu'elle corrompt le sang de la nouvelle famille. La « mère cruelle », dans les sources juridiques françaises du XIIIe siècle, c'est celle qui vient dévorer les héritages, qui représente une menace car elle est en général beaucoup plus jeune que le mari et, par conséquent, elle mourra certainement après lui. Elle transfère donc des héritages, des patrimoines à d'autres familles. Pour les familles aristocratiques, la seconde mère menace le sang et l'argent. Mais, au-delà de ce fond anthropologique, existe une explication spécifiquement chrétienne. L'Église médiévale reste profondément opposée au remariage. C'est pourquoi celle qui ne contracte pas de secondes noces est valorisée. La veuve est, dans les sources médiévales, l'image inversée de la marâtre.

La tendresse paternelle

Si l'amour paternel paraît globalement plus mesuré que celui de la mère, il n'en demeure pas moins très fort et de nombreux exemples médiévaux existent qui attestent l'existence d'un père sensible, proche de ses enfants, partageant leurs joies et leurs peines. Dans le fabliau *Celui qui bota la pierre*, composé au début du XIVe siècle, un paysan revient de son travail. Voilà comment se déroulent les retrouvailles du soir avec son fils :

> Lorsque l'enfant voit arriver son père, il s'élance à sa rencontre. Il le rejoint sur le seuil de la porte, lui fait la fête et saute sur lui en disant : « Beau père, Dieu vous garde et vous

donne joie et vous fasse honneur. » Le prud'homme étreint son enfant et l'emporte joyeusement [19].

Nombreux sont les pères, dans les récits de miracles, qui souffrent et pleurent abondamment devant la maladie ou la mort de leur enfant, se précipitant chez le médecin, courant de sanctuaire en sanctuaire (parcourant parfois des dizaines de kilomètres) pour quémander une intervention divine qui permettra à leur enfant de guérir ou de ressusciter. Nombreux aussi, ceux qui restent des jours et des jours avec leur fils ou leur fille malade, devant le tombeau du saint, invoquant et priant et ceux qui éclatent de joie sous l'effet du miracle qui sauve leur enfant.

Hélas, tous les pères ne bénéficient pas de l'intervention divine et assistent alors, impuissants et abattus, à la mort de leur enfant. Observons la douleur du Florentin Filippo Di Bernardo Manetti qui, lors de la peste de 1449-1450, en l'espace d'un mois et demi, perd sa femme, sept de ses filles et son fils unique âgé de quatorze ans et demi. Voici l'éloge qu'il fait de ce dernier, dans son « livre de raison » (*ricordanza*) : « Je ne crois pas qu'il en naisse beaucoup de pareils à lui, aucun qui soit plus obéissant, plus respectueux, plus pur ni plus prudent et qui soit plus apprécié de tous ceux qui le voient. » Ce père italien admire surtout la manière dont son fils, en bon chrétien, s'est préparé à la mort :

Arrivé à sa fin, ce fut chose admirable que de le voir, dans cet âge encore vert et frais de quatorze ans et demi, conscient qu'il allait mourir [...]. Par trois fois il se confessa dans sa maladie avec une grande diligence, puis reçut le corps de Notre Seigneur Jésus-Christ avec tant de contrition et de révérence que les spectateurs en furent emplis de dévotion; enfin, ayant demandé l'huile très sainte et continuant de psalmodier avec les religieux qui l'entouraient, il rendit patiemment son âme à Dieu [20].

Écoutons encore un autre Florentin, Giovanni Morelli, et sa longue et terrible souffrance à la mort de son fils aîné, âgé de neuf ans, Alberto, en juin 1406. Ce père, pour réaliser son « travail de deuil », parce que la douleur insupportable doit se dire ou s'écrire, note, avec une extrême précision les derniers faits et gestes de la vie de son fils, du 19 mai, date à laquelle Alberto tombe malade, jusqu'au 5 juin, date du décès. Il relate l'agonie funeste à laquelle, impuissant, il a assisté. Son fils ne mange plus, ne dort plus, souffre terriblement. Ce témoignage est d'autant plus poignant que ce père qui écrit a perdu son propre père lorsqu'il avait deux ans et que sa mère, vite remariée, ne l'a pas élevé. Giovanni pensait pouvoir être pour son fils le père qu'il n'avait pratiquement pas connu, et voilà que la mort fauche sa paternité comme elle lui avait, auparavant, enlevé son père et amputé son enfance. Cette mort va le hanter d'autant plus que, alors que son fils rend l'âme, dans la chambre, beaucoup de parents et d'amis affluent mais, jusqu'au bout, aucun prêtre n'est présent. Contrairement à son concitoyen, Filippo Di Bernardo Manetti, voilà un père qui ne peut faire le deuil de son fils, parce que ce dernier n'a pas reçu les derniers sacrements. Il n'a pas assuré à son enfant une « bonne mort ». Toute la famille quitte la maison pendant un mois. Six mois durant, Giovanni n'entre pas dans la chambre filiale. Il écrit :

> Nous avons continuellement son image devant les yeux, nous rappelant son pas, sa manière d'être, ses paroles et ses actes, le jour et la nuit, au déjeuner et au dîner, dedans comme dehors... Nous pensons qu'il se saisit d'un couteau pour nous frapper au cœur [21].

C'est seulement au jour anniversaire de la mort d'Alberto que Giovanni est libéré de ses remords car son fils lui apparaît en rêve et l'assure que grâce à ses prières, il est sauvé.

L'amour filial

Les traces d'amour filial sont bien moins nombreuses que les signes de tendresse parentale. Elles émanent souvent d'adultes qui se souviennent avec nostalgie de l'affection qu'ils nourrissaient à l'égard de leurs parents et surtout de leur mère. On connaît, pour le XIIe siècle, les très belles pages que Guibert de Nogent consacre à sa mère :

> Grâces te soient rendues, mon Dieu, à toi qui avais tellement instillé la vertu en la beauté de ma mère ! Le sérieux de son maintien suffisait à révéler en effet son mépris de toute vanité [...] Dieu tout-puissant, tu lui avais inspiré dès son plus jeune âge, tu le sais, aussi bien la crainte de ton nom qu'un esprit résolu à résister à tous les entraînements. Notons-le, il arrive rarement, il n'arrive nulle part que l'on trouve chez les femmes de haute condition une retenue telle que la sienne, effet de ta grâce, avec une aussi grande répugnance à dénigrer celles qui en manquent [22].

Un autre clerc nous a laissé une confession émouvante lors de l'oraison funèbre publique qu'il adresse à sa mère, le jour de son décès. Il s'agit de celle de Frédéric de Hallum (mort en 1175) curé de Frise, puis chanoine prémontré :

> Je suis bouleversé par le départ de ma mère – personne ne me le reprochera – [...] je n'oublie pas ses bienfaits, surtout ceux que du sein de sa pauvreté elle m'a prodigués dans mon exil scolaire, pour que je ne défaille pas dans l'étude de Dieu. Ah ! combien de fois elle a réchauffé, nourri et servi des pauvres

> avec zèle en leur demandant de prier Dieu pour mon salut [...]. Je lui dois beaucoup [...]. De là mes larmes, de là mes soupirs, de là ce malheur que j'éprouve. C'est pourquoi mes paroles sont pleines de douleur [23]...

Si ces témoignages émanent d'adultes c'est, bien entendu, parce qu'au Moyen Age, les enfants (et les jeunes plus généralement) n'ont pas laissé d'écrits qui permettent de saisir leurs sentiments à l'égard de leurs parents alors qu'ils sont encore sous leur dépendance, dans la maison familiale. Mais, c'est aussi parce que les pédagogues considèrent l'amour filial comme un sentiment moins fort que celui que les parents peuvent porter à leurs enfants. Gilles de Rome, penseur aristotélicien du XIIIe siècle, écrit :

> Les pères et les mères aiment leurs enfants de manière plus intense que ne le font les enfants, parce que l'amour des pères et mères pour leurs enfants dure plus longtemps que l'amour des enfants pour eux et parce que lorsqu'ils naissent, ils n'ont pas assez de jugement pour leur permettre de reconnaître leurs parents et donc ils les aiment par nature [...] les pères et mères sont plus certains de leurs enfants [...] les enfants ne peuvent être assurés que par quelques signes ou par ouï-dire ou parce qu'ils voient qu'une personne a une plus grande confiance en eux que les autres. Car les enfants, à leur naissance, ne peuvent savoir de quelle mère ils sont nés ni de quel père ils ont été engendrés [...]. Car plus l'amour est certain plus il est fort [24].

Par conséquent, pour Gilles de Rome, si l'amour filial est moins fort que l'amour parental, c'est parce qu'il ne repose pas sur la certitude qu'un lien génétique existe entre père, mère et enfant.

Lorsque l'enfant grandit, parfois, un conflit de génération éclate, en particulier au moment de l'adolescence qui représente souvent, dans l'histoire comme aujourd'hui, un moment de tension très fort avec les parents. Ces derniers, lorsqu'ils sont âgés n'ont aucune sécurité financière pour assurer leur survie. S'ils ont déjà légué leur héritage à leur enfant, l'ingratitude de celui-ci peut s'avérer dramatique. On connaît le célèbre fabliau de l*a Housse Partie* (*La couverture partagée*) : un riche marchand qui veut assurer le mariage de son fils unique avec la fille d'un noble chevalier sans fortune, consent à se dessaisir de tous ses biens au profit de son fils. Ce dernier s'engage en contrepartie à prendre en charge son père jusqu'à sa mort. Au fil des années, le couple (surtout la femme) supporte de moins en moins le vieillard qui est vite perçu comme une bouche inutile à nourrir. La décision est donc prise de le chasser. Avant de quitter la maison, le vieil homme demande que son fils lui donne au moins une couverture pour le protéger du froid. Ce dernier y consent pour être certain de se débarrasser de son père. Il demande alors à son fils âgé de dix ans d'aller dans l'étable pour ramener une couverture de cheval et la donner au grand-père. L'enfant, « qui est plein de bon sens », ramène une couverture, prend son couteau et la partage en deux. Il en donne la moitié à son grand-père et, devant l'étonnement de son père, il lui explique qu'il conserve l'autre partie pour lui lorsqu'il sera vieux. Le père comprend alors la leçon de son fils et décide de garder son père chez lui comme il l'avait initialement promis [25].

L'éducation religieuse faite par la mère

La mère joue un rôle fondamental auprès de ses enfants quel que soit leur âge. C'est elle qui assure les principales fonctions éducatives ; lorsque l'enfant est tout petit, certes [26], mais aussi lorsqu'il est plus grand. La transmission de la foi chrétienne s'est faite pour l'essentiel à l'intérieur des familles, sous une forme orale et la mère a joué le premier rôle [27]. Jean de Joinville écrit par exemple, à propos de Saint Louis : « Dieu le garda par les bons enseignements de sa mère qui lui enseigna à croire en Dieu et à l'aimer » ; on sait, en effet, que Blanche de Castille a été particulièrement attentive à sa formation intellectuelle et religieuse, lui faisant écouter, très tôt, les sermons. Exemple royal qui se retrouve dans tous les milieux : lors de son procès, Jeanne d'Arc déclare que c'est sa mère qui lui a appris les trois prières que tout bon chrétien doit connaître : le *Pater Noster*, le *Credo* et l'*Ave Maria*.

La mère accompagne l'enfant à l'église, lui montre des images sacrées ou des statues, lui enseigne les gestes de la prière. Cet enseignement de la foi par la mère passe sans doute par tous les objets de la vie quotidienne. On a retrouvé des bols abécédaires ornés d'une croix, des chapelets, des bouliers, des jouets pieux pour enfants qui datent de la fin du Moyen Âge et qui montrent que cet apprentissage des valeurs chrétiennes est souvent très ludique.

La mère médiévale joue un rôle particulièrement important dans l'éducation de la jeune fille, en lui transmettant un certain nombre de qualités, de savoir-faire dans le domaine domestique et amoureux afin de la préparer à sa future vie de femme. Les fabliaux aiment beaucoup exploiter cette connivence de la mère et de l'adolescente, cette ruse commune qui, selon les clercs qui écrivent ces récits, servent à tromper les hommes. Le développement de ce thème dans la littérature montre l'inquiétude des hommes et de l'Église face à la diffusion de valeurs entre mère et fille, ces « secrets de bonnes femmes » qui leur échappent.

Des « nouveaux pères »

Dans ce domaine, il faut tordre le cou à une idée reçue : avant sept ans, l'enfant (surtout le garçon) aurait vécu dans un monde de femmes, et subitement, il quitterait ce gynécée pour être propulsé dans un monde d'hommes et y apprendre un métier. Avec un peu de bon sens, peut-on imaginer, surtout dans les milieux paysans du Moyen Age (c'est-à-dire la presque totalité de la population) qui vivent souvent dans une seule pièce, une situation de ce type où le père est lointain voire absent pendant toutes les premières années de la vie de son enfant ? En fait, de nombreuses sources montrent que le père est très présent aux côtés de ses enfants, garçons ou filles, dès les premiers âges. Dans les récits de miracles des XIIe-XIIIe siècles, sa présence auprès des enfants de moins de trois ans est aussi forte que celle de la mère et on le voit souvent « materner » [28]. A la fin du XIIe siècle, par exemple, un Flamand part réparer son bateau avec d'autres compagnons et, parce que sa femme est enceinte, il emmène avec lui sa petite fille âgée de deux ans [29]. Un siècle plus tard, on aperçoit, à Saint-Denis, un père aux côtés de la petite Marote de trois ans et demi qui joue dans la cour de la maison, un autre qui tient sa petite fille d'un an et demi sous les aisselles pour lui apprendre à marcher et un troisième qui, lorsque ses enfants souffrent de fièvres quartes, a l'habitude de prendre leur température tous les jours à la même heure, et ce, du mois d'août à Pâques, c'est-à-dire pendant huit mois [30]. Lorsqu'un couple a de nombreux enfants ou lorsque la mère connaît un handicap, il est évident que le père se doit de prendre en charge les tout petits enfants. A la fin du XIIIe siècle, à Saint-Denis, un certain Robert Rossel, mari d'une femme aveugle, baigne et nourrit ses nombreux enfants en très bas âge [31]. Lorsque la femme vient d'accoucher, en attendant les relevailles*, dans la grande majorité des foyers, le père assure certainement les soins quotidiens des plus jeunes enfants car les paysans pauvres n'ont pas de servantes pour suppléer à la mère alitée.

Mais c'est parfois à cause des carences maternelles, que les pères doivent assurer aux bébés amour et protection. En 1424, la jeune femme de Jean Lambert, orfèvre parisien résidant sur le pont Notre-Dame, accouche de son troisième enfant qu'elle ne peut nourrir comme elle l'a fait pour les deux premiers. Le père s'occupe alors de le placer en nourrice à Crosnes, près de Villeneuve-Saint-Georges. Mais, apprenant qu'il n'est pas en très bonne santé, il décide de le ramener à son domicile avec la nourrice. La mère, profondément dépressive, tente plusieurs fois de se suicider. Ce « père nourricier », au côté d'une femme n'assumant plus son rôle de mère, prend complètement en charge la vie de son petit enfant dont la santé reste inquiétante. Il fait porter ce dernier en pèlerinage à Saint-Germain-des-Prés pour que son état s'améliore. Finalement, Jean Lambert ne pourra empêcher le drame : la mère noie son bébé âgé de trois mois en le jetant dans un puits de la maison de son père habitant près de Saint-Merry [32].

Les pères assurent donc au Moyen Age des fonctions que l'on qualifierait aujourd'hui comme étant celles de « nouveaux pères ». Dans les sources iconographiques, les rôles paternels et maternels sont souvent aussi interchangeables dans le domaine de la puériculture. Dans les images mettant en scène un père, un modèle scripturaire s'impose qui est celui de Joseph. Dans les scènes de la Nativité, l'image du père nourricier de Jésus est double : d'un côté, un personnage jaloux, boudeur, semblant indifférent à la Vierge et à l'Enfant, dans un coin de l'image ; ce sont les représentations les plus connues. De l'autre, un père attentif qui va chercher du bois pour allumer le feu, verse l'eau du bain, répare le soufflet, attise le feu « à quatre pattes » en soufflant sur les braises, donne la bouillie, fait la lessive, sèche les langes de son fils au coin du feu, manie le hochet, berce l'enfant dans ses bras, puis, lorsque Jésus est un peu plus grand, joue à la toupie avec lui ou répare ses jouets. Ce dernier groupe d'images est très peu connu, occulté par les historiens du XIXe siècle ou du début du XXe siècle, peu enclins à montrer cette vision du père qui, sans doute, dérangeait les conceptions bourgeoises de la famille.

Les images plus profanes de la fin du Moyen Age laissent voir une grande complicité père-enfant, dans le jeu comme dans le travail : les petits ramassent des glands lorsque le père abat un chêne, effrayent les oiseaux dans les champs pendant qu'il sème du blé, tiennent les pattes du mouton qu'il est en train de tondre et, à la vendange, veulent l'aider à fouler le raisin dans la cuve.

Par conséquent, dans les sources littéraires comme dans les documents iconographiques, avant même les célèbres conseils de Jean Gerson qui écrit au début du XVe siècle : « ne rougissons pas de parler aux enfants comme le feraient de bonnes et tendres mères », les pères maternent. Le développement du culte de saint Joseph, à partir du XIVe siècle, n'est sans doute que l'aboutissement et l'expression la plus visible de l'existence d'un père nourricier et tendre au Moyen Age. Saint Joseph est honoré car il est resté chaste dans sa vie de couple et il n'est pas le père géniteur de Jésus. Il est le symbole de celui qui, en dehors de tout lien de filiation charnelle, a défendu sa femme et son enfant par amour pour Dieu.

Lorsque l'enfant grandit, le rôle éducatif du père est aussi essentiel. Les pédagogues conseillent aux pères de « chastier » leurs enfants, c'est-à-dire de les réprimander et de les instruire. Le sens de ce mot n'entraîne pas nécessairement un châtiment corporel. Même si les traités préconisent l'utilisation de punitions physiques, beaucoup d'entre eux conseillent d'y recourir en dernière instance, lorsque la persuasion a échoué et insistent sur la nécessité d'une grande modération des coups pour qu'ils soient efficaces. Dans les sources narratives, il est exceptionnel de voir un enfant frappé par son père. Les rares cas d'enfants battus concernent presque toujours des orphelins. Le père, dans ce type de sources, protège mais ne bat pas.

Comme les moines face aux novices dans les monastères, les pères doivent enseigner *pro verbo et exemplo.* Gestes et paroles qui marquent parfois si profondément les esprits enfantins qu'ils s'en souviennent avec précision, devenus adultes. C'est le cas de Jean Gerson (1363-1429) qui se rappelle son père, debout contre le mur de la maison, les bras en croix, lui disant solennellement : « Regarde, mon fils, c'est comme cela que ton Dieu a été crucifié, et qu'il est mort, pour ton salut [33]. »

Si l'éducation paternelle médiévale se déroule plus dans la douceur que dans la violence, elle n'en demeure pas moins une nécessité. L'absence de conseils paternels est dramatique pour la suite de l'existence : un *exemplum* très célèbre, repris souvent dans les traités de pédagogie, raconte l'histoire d'un enfant mal éduqué, commettant des larcins sous les yeux amusés de son père qui pense que ce mauvais penchant passera avec l'âge. Or, il se trompe. L'enfant grandit et commet des crimes de plus en plus graves, tant et si bien qu'il finit par être jugé et condamné à la pendaison. Alors qu'on le mène à la potence, il prie ses gardiens de laisser venir à lui son père, pour l'embrasser. Face à cette volonté filiale bien naturelle, les bourreaux prennent pitié de lui et autorisent le père à venir, une dernière fois, étreindre son enfant. Alors le fils se penche vers son père, comme pour l'embrasser, et lui arrache le nez. Suit alors une morale qui vise à dénoncer les pères trop laxistes. Dans le même registre, afin de mettre en évidence les carences et le désordre social que représente le manque d'éducation paternelle, quelques fabliaux (*Estula, De Barat et de Haimet* ou *Des trois larrons)*, exploitent le thème des deux frères voleurs. Leur vice s'explique toujours par l'absence ou les mauvais conseils paternels.

Filles et garçons

Incontestablement, les parents désirent plus fortement un garçon qu'une fille. La littérature médicale ou paramédicale (souvent issue d'un mélange de connaissances scientifiques et de croyances populaires), qui donne des recettes pour deviner le sexe ou provoquer la conception d'un fils ou d'une fille, a tendance à valoriser l'enfant mâle. On pense, par exemple, qu'une femme qui porte un garçon est toujours bien colorée et joyeuse tandis que celle qui est enceinte d'une fille est pâle et paraît en mauvaise santé. L'opposition droite-gauche est également récurrente dans ce type de croyance. Si le ventre grossit davantage du côté droit ou si le sein droit est plus volumineux que le gauche (côté maléfique), c'est un garçon. Ces croyances reposent sur le fait qu'au Moyen Age, reprenant Hippocrate, Galien ou Aristote, les médecins pensent que la naissance d'un garçon est la preuve d'une bonne conception puisque la semence de l'homme a dominé celle de la femme.

La préférence pour les garçons ne s'explique pas seulement par des raisons scientifiques mais aussi par des considérations socio-économiques, surtout dans les milieux fortunés. Un fils, c'est d'abord un être qui va succéder à son père, une fille c'est une future épouse qu'il faudra doter et qui va amputer les biens familiaux. Dans les milieux princiers ou royaux, il est évident que la naissance d'un fils est attendue avec une grande impatience et que celle d'une fille peut parfois être vécue avec beaucoup de déception. Voilà comment Guillaume d'Auvergne, évêque de Paris de 1228 à 1249, console Saint Louis de la naissance d'une fille :

> La reine de France Marguerite, femme du roi Saint Louis, était sur le point d'avoir son premier enfant. On attendait avec impatience un héritier du trône : elle mit au monde une fille. Il s'agissait de porter la fâcheuse nouvelle au père. La mission était délicate : personne, à la cour, ne voulut s'en charger. A la fin, on appela le bon évêque de Paris, Guillaume d'Auvergne, et on le pria de la remplir lui-même en usant de ménagement. « J'en fais mon affaire », dit-il. Et entrant aussitôt dans la chambre du prince, il lui tint ce petit discours :
>
> Sire, réjouissez-vous. Je vous annonce un bien heureux événement : la France vient de s'enrichir d'un roi. Et voici comment : si le ciel vous avait donné un fils, il vous eût fallu lui céder un vaste comté ; mais vous avez une fille : par son mariage, au contraire, vous gagnerez un autre royaume.
>
> Le roi sourit : il était consolé [34].

L'argument de Guillaume d'Auvergne est de poids à une époque où les rois de France (en particulier le père de Louis IX) ont tendance à retirer du domaine royal des apanages pour les frères cadets et à se servir habilement de leurs filles dans leur politique matrimoniale pour agrandir le royaume.

Mais tout cela ne veut pas dire qu'une fille, lorsqu'elle est née, est moins aimée qu'un garçon. Dans les récits de miracles des XIIe-XIIIe siècles, on constate que lorsque survient un accident ou une maladie, la fille fait l'objet de soins semblables à ceux qu'on dispense au garçon et les parents sont aussi présents, actifs et efficaces pour obtenir le miracle de l'un que de l'autre [35].

Frères et sœurs

Dans la société médiévale, à cause de la faible espérance de vie, la coexistence entre frères et sœurs a des chances d'être plus fréquente que celle entre les enfants et les parents. Ces derniers tôt disparus, le lien adelphique est, avec le lien conjugal, le plus puissant qui unisse les individus au Moyen Age. Comme les écarts d'âge sont généralement faibles, on assiste souvent à une grande connivence fraternelle dans les jeux. Dans les récits de miracles des XIIe-XIIIe siècles, on aperçoit des frères et sœurs qui se livrent à des jeux dans la cour de la maison. Lorsque la mère quitte le domicile pour se rendre à l'église ou à son travail, elle confie souvent la garde des plus petits aux aînés même très jeunes, comme cette mère anglaise de la fin du XIIe siècle qui sort pour vanner dans la cour, laissant dans le bain ses deux enfants âgés d'un an et demi et de trois ans. Elle quitte la maison en toute confiance, explique l'hagiographe, « parce que l'aîné avait l'habitude de surveiller le plus petit [36] ». Au début du XIIIe siècle, on voit un enfant de neuf ans, dont les parents sont morts, qui s'occupe de son frère, de trois ans son aîné, sourd et muet de naissance, lui servant de guide et d'interprète durant le voyage et les prières sur le tombeau de saint Wulfstan [37].

Mais c'est beaucoup plus souvent la fille aînée qui s'occupe de ses frères et sœurs. On la voit gardant le benjamin ou le cadet encore au berceau ou raccommodant la fibule décousue du manteau de sa petite sœur. Lorsqu'elle appartient à une famille nombreuse, dans les milieux populaires, surtout si la mère ou le père connaît un handicap physique, la sœur aînée doit prendre en charge les autres membres de la fratrie alors qu'elle peut être encore très jeune. A la fin du XIIIe siècle, à Saint-Denis, à cause de la cécité de sa mère, Emmeline (qui a entre neuf et douze ans) doit s'occuper de ses cinq frères et sœurs. Elle les nourrit et leur donne le bain [38]. Certaines sœurs aînées jouent aussi un rôle très actif dans le processus miraculeux qui doit apporter la guérison à leurs petits frères et sœurs, se substituant, dans certains cas à la mère [39].

L'affection qui lie les frères et sœurs est toujours très forte. Un hagiographe de Thomas Becket, Benedict de Peterborough, nous raconte vers 1175 l'amusante histoire de la petite Béatrice qui, « se livrant à ses amusements et à ses jeux, comme il est d'usage à cet âge », égare le fromage qu'on lui a confié. Par crainte de la vindicte parentale, « elle confia son secret à l'un de ses frères à peu près aussi jeune qu'elle, qu'elle préférait aux autres et dont elle était particulièrement chérie, cherchant à savoir s'il se souvenait de cet événement ou de l'endroit où le fromage avait été posé ». Comme son frère, Hugues, ne s'en souvient pas davantage, ils passent la maison au crible, sans succès. En fait, saint Thomas leur apparaît à l'un et à l'autre en songe pour leur indiquer où se trouve le fromage perdu et leur éviter une punition [40]. La duplication de l'apparition d'un saint ou de la Vierge est toujours le signe évident d'une grande affection entre les deux bénéficiaires de la vision.

Il arrive parfois aussi que le saint apparaisse au petit frère d'un malade pour lui dire d'avertir ce dernier qu'il se rende sans plus attendre prier au sanctuaire afin de recouvrer la santé ou encore qu'un tout petit enfant mort vienne se présenter dans le sommeil de son frère ou de sa sœur pour le rappeler à l'ordre : quelques jours après sa résurrection Hervé, âgé de douze ans, est bénéficiaire de deux visions nocturnes similaires au cours desquelles « sa petite sœur qui était morte aussitôt après avoir vu le jour et qui avait été baptisée » lui apparaît pour lui rappeler qu'il doit honorer son vœu et aller remercier le saint qui l'a sauvé [41]. Pour montrer qu'il s'agit d'une apparition favorable, l'hagiographe précise que la petite fille a été lavée du péché originel. Le baptême de l'enfant est, pour l'Eglise, une manière de tracer nettement une ligne de partage entre enfants-revenants maléfiques et enfants-revenants bénéfiques. « En disant cela (la petite sœur) donnait un baiser à son frère et de ses narines s'exhalait une odeur très douce. »

Quand les enfants grandissent, les frères et les sœurs continuent d'entretenir d'étroites relations. Lors d'un handicap physique ou mental, on voit souvent les parents réapparaître aux côtés de leur « enfant », même devenu adulte. Mais, lorsque ceux-ci sont morts ou absents du récit, ce sont les frères et sœurs qui jouent les premiers rôles. Les exemples sont très nombreux de frères et sœurs qui vont ensemble quémander un miracle et qui s'entraident dans ces moments difficiles. Amile, Parisienne de la fin du XIIIe siècle, est paralysée de toute la partie droite du corps. Son mari, las de vivre avec une femme infirme l'abandonne. Privée de ressources, elle doit donc mendier pour vivre. Délaissée de tous, le seul personnage qui reste auprès d'elle est un de ses frères qui l'accompagne au sanctuaire de Saint-Denis [42]. Lorsqu'un adulte tombe malade ou subit un accident, en l'absence des parents ou du conjoint, c'est presque toujours les frères et sœurs qui procurent l'aide nécessaire. C'est aussi à cause de ce lien très fort que les oncles et les tantes sont des personnages de tout premier plan auprès des enfants.

Il faut sans doute nuancer ce tableau qui peut paraître quelque peu idyllique. Les frères et les sœurs parfois se « chamaillent », peuvent se refuser l'entraide ou carrément s'affronter. Cependant, ce type de relation conflictuelle est minoritaire dans les textes narratifs. Il éclate surtout lorsque les parents meurent et que se présentent des querelles d'héritage dans les milieux fortunés.

Les grands-parents

On rencontre peu de grands-parents dans les sources médiévales, essentiellement à cause de la faiblesse de l'espérance de vie des individus. Comme les hommes se marient à un âge beaucoup plus avancé que les femmes (parfois entre dix et quinze ans plus tard), ceux-ci ont encore moins de chance que celles-là de connaître les joies des grands-parents. Saint Louis, né en 1214, est le premier roi de France à avoir connu son grand-père, Philippe Auguste, qui meurt du paludisme à l'âge de cinquante-sept ans, le 14 juillet 1223. Durant sa vie, selon ses biographes Jean de Joinville et Guillaume de Saint-Pathus, il aime à raconter les souvenirs que son aïeul lui a laissés, l'initiant au gouvernement du royaume. Son grand-père représente pour lui, sans doute plus que son père, le modèle idéal du roi de France et le fait de l'avoir fréquenté n'a pu que renforcer, dès l'enfance, la conscience de la continuité dynastique capétienne [43].

Rares, les témoignages sur les relations que les grands-parents entretiennent avec les enfants n'en laissent pas moins apparaître des sentiments profonds et une forte connivence. Au début du XIVe siècle, à Montaillou, on voit une grand-mère morte revenant embrasser ses petits-enfants dans leur lit. Lorsque certains auteurs racontent leurs souvenirs d'enfant, ils gardent parfois un souvenir ému de leurs aïeuls. Ainsi, au XIIIe siècle, Salimbene de Adam :

> La mère de mon père, ma grand-mère, eut pour nom *donna* Ermengarda. C'était une sage femme, centenaire quand elle mourut. J'ai habité quinze ans avec elle dans la maison de mon père. Que de fois m'a-t-elle enseigné à éviter les mauvaises fréquentations et à en choisir de bonnes, à être sage, morigéné et bon : qu'autant de fois Dieu la bénisse ; car elle le faisait fréquemment [44].

Benvenuto Cellini, quant à lui, se souvient de son grand-père :

> J'avais déjà l'âge de trois ans environ ; mon aïeul Andrea vivait encore et était plus que centenaire. Un jour qu'on changeait un conduit d'eau, il en sortit un scorpion de grande taille, que personne ne vit et qui descendit du tuyau jusqu'à terre, où il s'en fut se cacher sous un banc. Je l'aperçus et courus le prendre. Il était si grand que ma petite main laissait passer sa queue d'un côté et ses deux pinces de l'autre. Je courus, m'a-t-on dit, à mon grand-père avec des cris de joie, et je lui dis : « Regarde, grand-père, ma belle petite écrevisse ! » Lui, reconnaissant que c'était un scorpion, faillit tomber mort, tant il eut peur dans son amour pour moi. Avec mille cajoleries il me demandait de le lui remettre, mais je le serrais d'autant plus étroitement et je pleurais, car je ne voulais le donner à personne.

Finalement, c'est le père de Cellini qui, alerté par les cris, arrive à couper les pinces et la queue de l'animal avec une paire de ciseaux [45].

Ces quelques témoignages montrent bien que lorsque les enfants connaissent leur grand-père ou leur grand-mère, ces derniers sont très souvent des vieillards. Ils prouvent également que le souvenir des aïeuls reste vivace dans la conscience d'un enfant médiéval et participe à l'élaboration de la mémoire familiale.

La nourrice

Le personnage de la nourrice est très présent dans la littérature romanesque qui, la plupart du temps, met en scène des milieux aristocratiques où la pratique de l'allaitement mercenaire est fréquent, comme elle l'est aussi sans doute dans les milieux nobles et bourgeois urbains de la fin du Moyen Age. Mais, il serait bien imprudent de conclure à son importance réelle. De fait, dans la grande majorité des familles (paysannes) médiévales, l'allaitement est surtout maternel. Au Moyen Age déjà, l'ensemble des penseurs le prônent [46]. Aldebrandin de Sienne écrit, par exemple : « Sache que le lait qu'on doit lui donner, et qui vaut le mieux, est celui de sa mère [47]. » Et Gilles de Rome de renchérir : « Le lait de la mère est plus convenable à la nature de son enfant que le lait d'une autre femme [48]. » Pour un autre médecin de la même époque, si le sein maternel est préférable, c'est non seulement parce que le lait de la mère est la meilleure nourriture possible pour l'enfant mais aussi parce que l'allaitement crée des relations privilégiées entre le bébé et celle qui le nourrit.

Au Moyen Age, les hommes et les femmes sont persuadés que le lait transmet, de manière héréditaire, les vertus de la mère et du lignage maternel. Ils pensent qu'au moment de l'accouchement le sang se blanchit et devient du lait (procédé de déalbation). Ce dernier est donc, dans les croyances médiévales, de même nature que le sang dont l'enfant s'est nourri dans l'utérus.

Aaleth, la mère de saint Bernard, « refusa toujours de faire nourrir ses enfants (six garçons et une fille) du lait d'une étrangère, comme si, avec le lait maternel, elle dût leur fournir tout ce qui pouvait se trouver de bon en elle [49] ».

Étant toutefois obligés de tenir compte des habitudes de la bourgeoisie et de l'aristocratie de la fin du Moyen Age ou de l'incapacité d'allaiter de certaines mères, les médecins donnent de nombreux conseils sur le choix de la nourrice pour que les valeurs qu'elle transmette à l'enfant soient bonnes. Selon Aldebrandin de Sienne, il faut qu'elle soit en pleine force de l'âge, qu'elle ressemble à la mère, soit en bonne santé, ait des seins gros et durs pour que le lait soit abondant. Qu'elle ne soit ni coléreuse, ni triste, ni peureuse, ni sotte. Elle doit aussi surveiller son alimentation et s'abstenir de relations sexuelles pendant l'allaitement car le danger serait trop grand qu'elle soit enceinte. Alors, le bon sang irait nourrir le fœtus tandis que le mauvais se transformerait en lait. L'allaitement, qu'il soit maternel ou mercenaire, dure deux ans environ.

La mise en nourrice, comme toutes les formes de circulation des enfants au Moyen Age, ne doit en aucun cas être interprétée, selon nos propres jugements, comme un désintérêt pour l'enfant. Ceci pour au moins trois raisons : il s'agit avant tout d'une volonté parentale de bien-être pour l'enfant ; les parents continuent à entretenir ou reprennent rapidement de bonnes relations avec leur progéniture ; enfin, l'enfant en nourrice ne manque pas d'affection comme en témoigne, par exemple, la chanson de geste occitane *Daurel et Beton*, à la fin du XIIe siècle :

> Madame Aisilineta [la nourrice], que Jésus bénisse, l'embrasse très doucement, comme il convient, puis l'enveloppe dans un beau tissu de soie et le revêt d'une petite pelisse

> d'hermine, et ensuite lui chante une belle mélodie, lui baisant les yeux et le visage entier, et prie Dieu de lui donner une longue vie [50].

Au sein de la structure familiale, il y a donc place pour des sentiments. Ce n'est pas un hasard si des expressions telles que « aimer comme sa mère » ou « tenir cher comme son fils », etc. abondent dans l'ensemble de la littérature médiévale. Lorsqu'un auteur veut montrer une tendresse très forte entre deux êtres, il utilise souvent, à titre de comparaison, les sentiments parentaux et filiaux.

L'enfant dans la vie sociale (XIIe-début du XVIe siècle)

Danièle Alexandre-Bidon

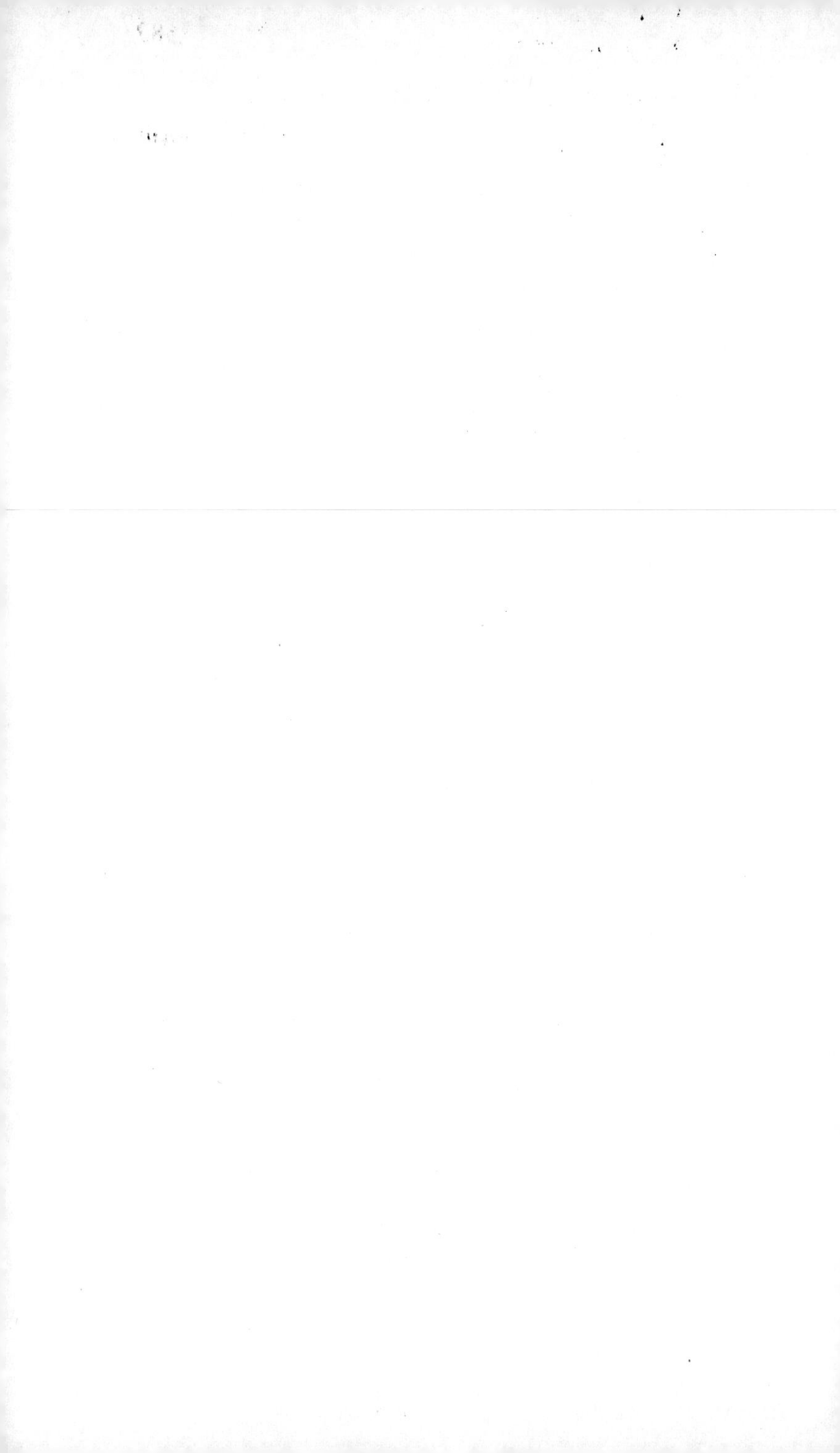

Entre le clerc et les parents spirituels, le nouveau-né est baptisé par aspersion. *Pontifical,* XIIIe siècle.
Cl. Besançon, B.M., ms. 138, f° 143 v°.

L'oblation : un père offre au monastère un de ses enfants et une somme d'argent pour son entretien. *Décret de Gratien,* fin du XIIe siècle.
Cl. Troyes, B.M., ms. 103, f° 68.

Une famille noble avec ses deux enfants, fille et garçon.
Psautier-livre d'heures, XIIIe siècle.
Cl. New York, Pierpont Morgan Library, ms. 729, f° 1 v°.

La mère alitée après l'accouchement, une servante s'occupe de l'aîné.
Livre des simples médecines, XVe siècle.
Cl. Bruxelles, Bibliothèque royale Albert Ier, ms. IV 1024, f° 200 v°.

La naissance de Philippe Auguste.
Le roi prend l'enfant dans ses bras, heureux d'assurer
sa postérité et celle de son royaume.
Grandes chroniques de France jusqu'en 1350, XIVe siècle.
Cl. Lyon, B.M., ms. 880, f° 239.

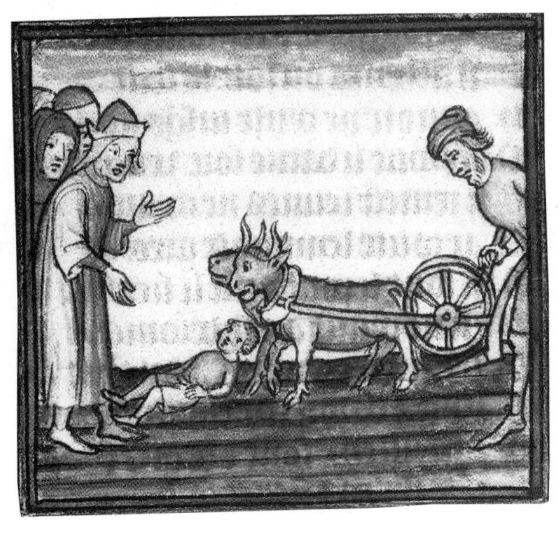

Un enfant renversé par une charrue devant ses proches en
émoi. *Métamorphoses* d'Ovide, XIVe siècle.
Cl. Lyon, B.M., ms. 742, f° 205 v°.

Un jeune fugueur de neuf ans garde les troupeaux avec un petit paysan.
Livre des costumes de Matthäus Schwarz, début du XVIe siècle.
Cl. Paris, Bibliothèque nationale de France, ms. allemand 211, f° 13.

L'enfant infirme attire la compassion des passants qui lui accordent l'aumône.
Psautier de Luttrell, XIVe siècle.
Cl. Londres, British Library, Additionnal ms. 42130 f°186b.

Un enfant aveugle mendie, accompagné d'un chien qui tient dans sa gueule la sébile.
Psautier flamand, XIIIe siècle.
Cl. Baltimore, Walters Art Gallery, ms. W. 82 folio 207.

A pied ou sur un cheval d'arçon à roulettes, les enfants nobles s'exercent à jouter en frappant le poteau de quintaine. *Le roman d'Alexandre,* XIVe siècle.

Cl. Oxford, Bodleian library, ms. Bodley 264 f° 82 v°.

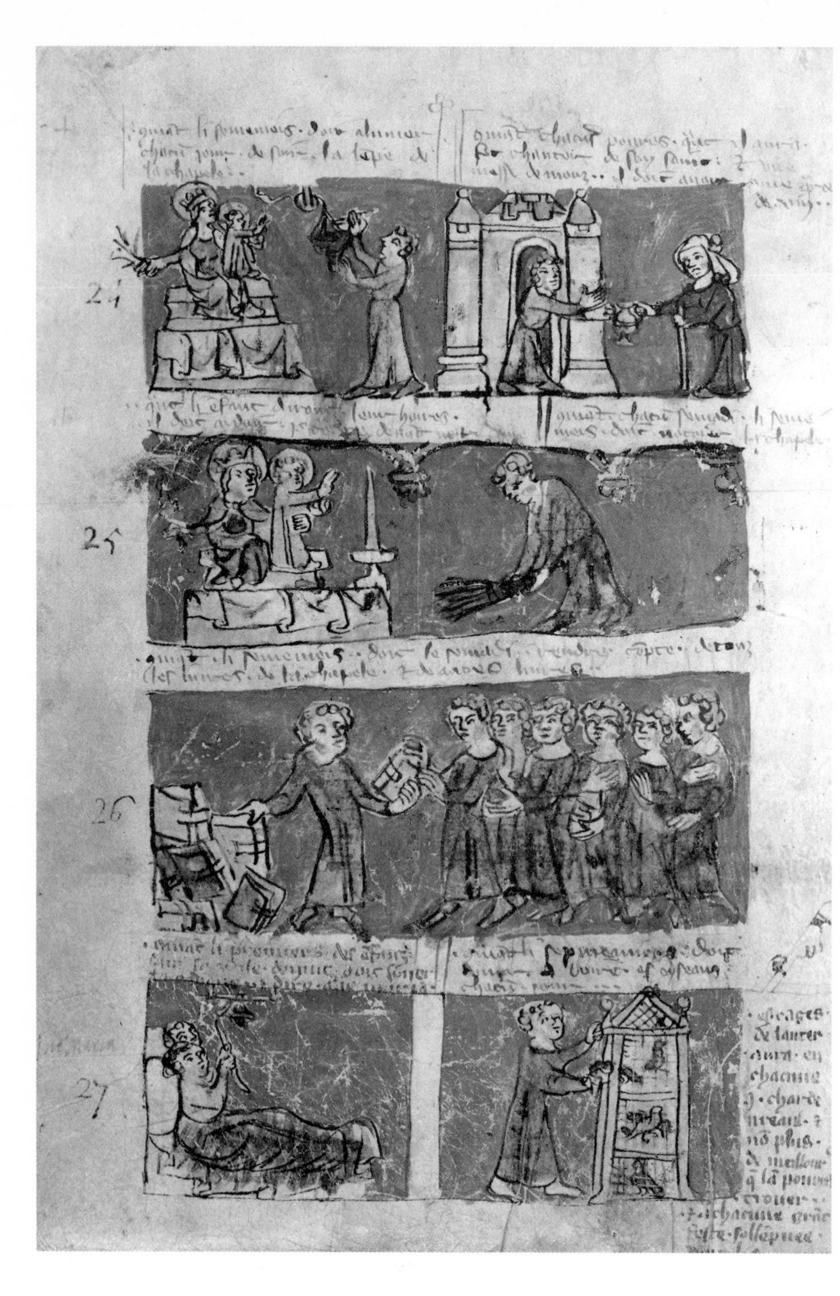

Les devoirs semainiers des petits collégiens de Paris :
aumône, entretien de la chapelle, prêt des livres, réveil à la cloche,
soins aux oiseaux. *Statuts du collège de Hubant,* XIVe siècle.

Paris, Archives nationales, ms. 406, f°10 v°. Cl. Giraudon.

Après un beau XIIIe siècle, les deux cents ans qui suivent sont frappés par des bouleversements auxquels la structure familiale n'échappe pas : c'est la famille en miettes des grandes épidémies de peste, à l'entraide momentanément brisée par la peur horrible de la contagion. Les contemporains en témoignent, tel Boccace dans l'introduction de son *Décaméron :*

> Le frère abandonnait le frère, l'oncle le neveu, la sœur le frère, souvent même la femme le mari. Voici qui est plus fort et à peine croyable. Les pères et mères, comme si leurs enfants n'étaient plus à eux, évitaient de les aller voir et de les aider.

Et pourtant, à l'issue de ce désastre démographique, rien n'a fondamentalement changé : les enfants, à en croire les images qui se multiplient de manière exponentielle au XVe siècle, sont tout autant aimés et protégés qu'avant. Les textes ne démentent pas cette situation, quels qu'ils soient. La littérature pédagogique, qui a connu un renouveau inégalé au XIIIe siècle [1], s'enrichit de nouveau au XIVe siècle avec l'humanisme italien. La puériculture, déjà fixée antérieurement au XIIIe siècle, se perfectionne. Les berceaux se font plus confortables – on invente la bercelonnette, la capote – et se diffusent dans les milieux populaires. Tout cela est dorénavant bien connu [2].

Avec les crises du bas Moyen Age, une part de la famille ancienne retrouve un rôle important : les oncles ou les grands-parents se substituent aux parents disparus; le frère adulte assume souvent ses sœurs restées célibataires, et il lui incombe de recueillir sa mère, si elle le souhaite, à son foyer, ou de lui procurer des moyens d'existence. Aussi plus d'enfants qu'on ne croit ont dû bénéficier de la présence protectrice des grand-mères. Enfin, la vie en famille dure plus longtemps que jamais, du moins pour les garçons qui restent souvent au foyer jusqu'à l'approche de la trentaine. Il faut entendre le modèle de la famille conjugale au sens large : il inclut les enfants, tous les enfants, quels qu'ils soient, non seulement les frères et sœurs, qui constituent déjà une famille nombreuse, mais les enfants d'origine extérieure; en Italie, lorsque se font des mariages d'adolescents, voire d'enfants, le jeune couple s'installe au foyer des parents. Partout, on conseille à la mère d'accepter les bâtards du mari en son giron – l'inverse n'est pas vrai. En région méditerranéenne, s'ajoutent aux enfants et aux bâtards les petits esclaves achetés aux confins Est de l'Europe, voire en Afrique. Le désir d'enfant sort sans doute accru du mariage tardif des hommes et des grandes difficultés démographiques du XIVe siècle. Le nombre des enfants s'accroît de nouveau. On compte en moyenne cinq enfants vivants par foyer. Au royaume de France, qui comprend sans doute seize millions d'habitants avant la grande peste – certains historiens avancent même le chiffre de vingt – dont près de 90 % de paysans, vivent par conséquent des millions d'enfants [3].

Dans cette famille conjugale mais nombreuse de la fin du Moyen Age, l'enfant grandit. Une fois passées les toutes premières années de la vie, sans doute relativement surprotégées, il est mis en demeure de mettre la main à la pâte, parfois *stricto sensu.* Comme chaque membre de la famille, il a un rôle à jouer. Un rôle beaucoup mieux connu que pour la période précédente : les sources qui nous parlent des enfants sont nettement plus abondantes pour les trois derniers siècles du Moyen Age qu'auparavant ; les mentions et les images de la vie enfantine deviennent innombrables. Ces renseignements concrets, d'une précision jamais encore atteinte, incitent l'historien à développer tous les aspects de leur vie quotidienne. Ils ont d'abord permis de dévoiler la vie des tout-petits et la puériculture [4], puis la place de l'enfant et son mode de vie dans la société médiévale [5] ; les sources du bas Moyen Age nous permettent enfin d'aborder des domaines nouveaux, parmi lesquels deux sont majeurs pour l'histoire de l'enfance : la scolarisation, en sensible accroissement au XIIIe siècle, et la mise au travail des enfants, soit à la maison ou dans l'exploitation familiale, soit dans une famille d'accueil, comme apprentis chez les gens simples ou pages chez les nobles.

Le travail en famille

On ignorera toujours à quel âge les enfants sont réellement mis au travail, surtout en milieu rural : sans doute aident-ils très jeunes leurs parents aux tâches agricoles ; c'est bien ce que l'on croit deviner à travers les sources judiciaires. Pour aborder le travail des enfants, il n'est pas nécessaire de séparer ceux des villes et ceux des champs : au Moyen Age, la distinction ne s'impose pas de la sorte. Des paysans habitent la ville, qu'ils quittent chaque matin pour aller travailler en « banlieue », et de nombreux métiers s'exercent aussi bien en ville qu'à la campagne.

Une initiation précoce et progressive

Aux yeux des pédagogues du Moyen Age, entrer jeune dans le monde du travail représente en quelque sorte une assurance sur la vie. Comme le dit le Catalan Raymond Lulle, au XIIIe siècle : « plus que de lui laisser en héritage deniers ou possessions, il n'est plus sûre richesse que d'enrichir son fils par l'apprentissage d'un métier » et, selon Philippe de Novare, « on doit apprendre aux enfants tel métier qui convienne à chacun : et doit-on commencer aussi tôt que l'on peut [1] ». Débuter jeune est une garantie de succès. Cependant, ce n'est que progressivement que les enfants, destinés à prendre la suite de leurs parents, sont insérés dans les activités économiques de ces derniers, qu'ils soient paysans ou artisans des villes : l'initiation professionnelle passe d'abord par les jouets façonnés pour l'enfant, telles les dînettes, modelées par les potiers de terre et qu'on découvre nombreuses dans les fouilles des grandes villes ; certaines portent des traces de brûlé qui permettent d'imaginer que les fillettes et les garçons – être cuisinier est alors un métier masculin – s'exercent sur le feu aux recettes maternelles. Des témoignages autobiographiques le confirment ; le chroniqueur et poète Froissart [2], au XIVe siècle, se souvient qu'il s'amusait à jouer au boulanger en confectionnant des tartelettes, des flans et des petits pains ronds pour les cuire dans un four construit de quatre tuiles ; il jouait aussi à construire écluse et moulin à vent miniature. D'autres construisent abbayes et châteaux de sable ou apprennent à servir la messe à l'aide d'un petit autel et de ses accessoires miniatures, selon le destin auquel ils sont voués. Au XIIe siècle, le petit Guibert de Nogent, promis à la vie religieuse, est habillé en clerc par son pédagogue : même le déguisement est jugé formateur. La vie d'enfant consiste un peu, à travers le jeu, et notamment les jeux d'imitation, à se préparer à l'âge adulte.

Mais surtout, comme le démontrent les images, des enfants très jeunes sont présents sur le lieu de travail des parents, qui peuvent ainsi à la fois les surveiller et les initier à la pratique de leur métier. Aussi voit-on le fils du boucher souffler dans une vessie de porc que son père lui a donnée, filles et garçons examiner ce dernier qui s'affaire à griller les soies de l'animal ou, observer, du pas de la porte, le sacrifice des bestiaux. Regarder travailler les parents est le deuxième stade de l'apprentissage d'un métier : on voit, dans les images, que des petits enfants assistent au foulage du raisin, jouent avec les grappes et tentent de grimper dans la cuve avec le père, ou qu'ils le regardent labourer, courant à côté de la charrue, au risque de se faire écraser. A examiner les recueils de miracles, il paraît évident que les enfants accompagnent très souvent les adultes au travail : en milieu rural, l'outillage agricole est en effet responsable de nombreux accidents dans les premières années de la vie ; les enfants tombent dans la cuve du brasseur, sous la roue du moulin à farine ou à eau, sous les sabots de la bête de somme ou de l'âne qui entraîne la meule [3]. Les enfants regardent aussi la mère nourrir les volailles, ramasser les œufs frais, préparer le fromage, et cueillir les légumes. Ils apprennent sans doute très jeunes à reconnaître les plantes du jardin et les simples*. Cette observation attentive des activités parentales est sans doute accompagnée de conseils variés. La transmission des connaissances en milieu paysan culmine lorsque le père emmène son fils au marché pour être « initié à la vie et aux coutumes du marché », comme dit, au XIIIe siècle, le fabliau du *Vilain de Farbus* [4].

Plusieurs exemples nous incitent à penser que l'insertion professionnelle débute dès que l'enfant a acquis une certaine maîtrise de la parole, ou une première initiation scolaire, alors assez précoce. Dès avant l'âge de cinq ans, un enfant peut être jugé assez grand non seulement pour apprendre en les observant les gestes techniques des parents mais même pour être considéré comme le témoin valable d'une transaction commerciale. Jean Favier, dans son essai sur l'homme d'affaire au Moyen Age [5], rappelle l'exemple d'une jeune femme appelée à témoigner du remboursement d'une dette, événement survenu alors qu'elle n'avait que quatre ans :

> Jeanne aux Clés dit sous serment qu'il y a bien vingt-six ans que la mère Agnès la Patinière avait de la guède toute prête

> pour mettre en cuve, ladite guède prit sire Jean [Broinbroke, riche marchand drapier de Douai] pour la dette que lui devait Marion. Elle ne sait quelle était la dette, mais elle vit mesurer la guède. Elle avait quatre ans, et entendit la mère demander à sire Jean vingt livres parisis pour le surplus de l'achat de cette guède. Et sire Jean disait : « Commère, je ne sais mie ce que je vous dois, mais je vous mettrai dans mon testament... »

Le troisième stade de l'initiation pratique à la vie professionnelle consiste à aider, selon leurs menues forces, les parents dans leurs tâches quotidiennes. Toutes les activités sans danger sont attribuées aux enfants. Fils et filles participent à l'éducation des cadets, au ménage, font du « baby sitting ». Les fils de menuisiers ramassent les copeaux, destinés à chauffer la maison; le ramassage du petit bois et le portage des fagots par les garçons est l'un des travaux enfantins le plus souvent représenté par les enlumineurs. D'autres garçons récoltent les châtaignes qu'un adulte fait cuire, comme on le voit dans les livres des simples médecines, ou ramassent les glands du chêne qu'on abat. D'autres encore accompagnent leur père en mars, pour la taille de la vigne, comme en témoigne le calendrier sculpté de Mimizan [6]. Ce sont des garçonnets qui grimpent dans les arbres pour récolter cerises, amandes ou olives, et qui aident la mère au jardin. Le jardinage est d'ailleurs un rôle enfantin traditionnel, à la campagne comme dans les monastères médiévaux où les enfants moines, parfois d'origine paysanne, passent leurs récréations non seulement à jouer mais à s'activer dans le potager : c'est ce que raconte un texte pédagogique anglais du Xe siècle, le *Colloque* d'Aelfric Bata. Les jeunes assistent également la mère dans la corvée d'eau et les activités textiles; ils aident à l'embobinage de la laine ou du chanvre autour des dévidoirs. Ils assurent à table le service de la boisson : ils vont chercher du vin à la cave. L'enfant des deux sexes est souvent chargé d'apporter son repas au père, resté au champ pour la moisson, ou enfermé dans la léproserie, comme dans le roman *Ami et Amile*. En ville, le sac à provision vide sur l'épaule, le garçon accompagne l'aîné ou les parents dans leurs courses.

Ainsi, les enfants sont mis jeunes au travail, mais ils ne sont pas pour autant « exploités » selon nos normes actuelles... du moins pas avant l'adolescence. Des médecins et pédagogues tels que Philippe de Novare, au XIIIe siècle, estiment en effet que « en l'âge de sept ans jusqu'à douze ans, les enfants ne doivent pas entreprendre à soutenir de grands travaux, pour que leur croissance ne soit pas entravée ». Cette césure ne repose sans doute pas seulement sur des bases physiologiques ; douze est un chiffre symbolique qui évoque l'achèvement : il y a douze apôtres, il faut douze mois pour faire une année, douze deniers pour faire un sou... et douze ans pour sortir de l'enfance. On pourrait s'interroger cependant sur la diffusion dans les milieux populaires de telles conceptions : mais, au XVe siècle, dans une lettre à son épouse, datée du 27 juin 1465, l'Anglais John Paston rappelle que « tout pauvre homme qui a élevé ses enfants jusqu'à l'âge de douze ans trouve normal qu'à cet âge-là ceux-ci l'aident et lui soient de quelque utilité [7] ». Mais cette « utilité » apparaît parfois aux contemporains comme une « servitude ».

Une servitude ?

Certains enfants souffrent en effet d'une mise au travail dans des conditions difficiles. Au XVe siècle, en Auvergne, on voit une mère et son fils, âgé de dix ans récupérer les toitures effondrées des maisons abandonnées et revendre poutres et tuiles [8]. En Provence, « journaliers, femmes peu robustes, jeunes filles, enfants de pauvres » sont employés comme « main-d'œuvre à bon marché » pour arracher les mauvaises herbes qui envahissent les champs de pastel [9]. C'est surtout dans cette catégorie de jeunes, non protégés par un contrat de travail, que l'on trouve sans doute la trace d'une enfance malheureuse, obligée à trimer aux côtés des parents pour survivre. Même des enfants d'une dizaine d'années peuvent être chargés de tâches pénibles, telle la corvée d'eau, qu'ils accomplissent régulièrement avec leur mère. De manière il est vrai exceptionnelle, la petite taille des enfants peut être l'incitation malheureuse de leur mise au travail dans des activités dangereuses ; de jeunes mineurs sont employés à creuser d'étroites galeries de mine dans l'argile, comme dans la Montagne Noire, au XIVe siècle : on a retrouvé, dans la glaise de la grotte du Caleil, des empreintes de leurs pieds ; d'autres sont engagés pour curer les puits comme, au XVIe siècle, chez le sire de Gouberville qui fait descendre un enfant, qu'il appelle « le petit anglais », assis dans un seau, au fond du puits.

Il est cependant impossible d'estimer quelle proportion d'enfants vit des conditions d'existence aussi pénibles. Sans doute est-elle faible. En règle générale, les jeunes ne sont pas dépouillés de leur enfance. D'une part, les enfants au travail jouent tout en travaillant : comme on le sait par les sources judiciaires, les jeunes vachers bavardent et s'amusent au jeu du bâton en gardant le bétail. Dans *Aucassin et Nicolette*, on voit les petits bergers acheter, avec l'argent de cette dernière, « des gâteaux, des couteaux dans leur fourreau, des flûtes, des cornets, des bâtons et des pipeaux » pour se distraire [10]. D'autre part, dans les milieux urbains, voire chez les riches paysans, tous les enfants ne sont pas mis à contribution. Ceux des ruraux aisés et des bourgeois échappent éventuellement au travail lorsque les parents prennent à demeure un jeune valet ou une petite servante ; c'est la situation même que met en scène une chanson de Colin Muset, au milieu du XIIIe siècle ; dans cette chanson, le père revient du travail et chacun de s'empresser autour de lui :

Mon garçon [valet] va abreuver
Mon cheval et le soigner
Ma pucelle [jeune servante] va tuer
Deux chapons pour déporter
A sauce aillée.
Ma fille m'apporte un peigne
En sa main par courtoisie :
Lors suis de mon hôtel sire
Plus que nul pourrait dire [11] !

A la même période, le roman de *Courtois d'Arras* envisage le cas d'un frère cadet dispensé de travail agricole, au détriment de l'aîné qui accuse son père de l'exploiter « tandis que mon frère s'en tire à bon compte » et se complaint tout au long du poème : « C'est mon cadet, il est plus petit que moi [...] vous me traitez comme votre esclave [12]... » L'aîné s'étant enfui, c'est au tour du cadet de se plaindre d'être tout au service de son père, « nuit et jour, comme un domestique »... « Esclave » (« *vostre serf* », dit le texte), ou « domestique » (« *vallet* ») qui « *serf* » (sert, comme un serf) le père sans relâche, telle est donc la manière dont ces jeunes gens vivent, difficilement, leur position à la ferme. Sans doute, avant un mariage, souvent tardif, qui leur permet enfin de s'établir à leur compte, les jeunes gens ressentent-ils une profonde amertume à ne pouvoir être autonomes. Mais ceux-là ne sont plus des enfants. Ils appartiennent à cette autre classe d'âge, la jeunesse, à laquelle un recueil d'articles vient d'être consacré [13].

Les garçons aux champs

La vie quotidienne du jeune paysan n'est pas des plus faciles, comme on le voit dans ce roman ; au petit matin, le père va secouer son fils Courtois :

> Debout, mon fils ! il y a longtemps que tu dors :
> A cette heure, tes agneaux devraient
> Avoir déjà brouté dans l'herbe courte.
> Père, vous allez me tuer à la tâche :
> Tard couché et tôt levé,
> Voilà la vie que j'ai toujours menée.

La principale tâche du jeune garçon est d'éliminer les animaux prédateurs des cultures, de tuer les crapauds et les gros insectes du jardin, pour protéger le potager. Ainsi, selon Pierre de Crescens, un savant agronome italien du XIIIe siècle, ce sont les enfants qui effectuent la chasse aux hannetons et qui, armés d'une fronde lors des semailles ou postés dans les vignes avant les vendanges, chassent les oiseaux :

> S'il y avait tant d'oiseaux assaillant les vignes que les épouvantails ne suffisent pas, il faudrait faire au milieu de la vigne une petite loge sur quatre pieux et mettre un enfant dedans. Il tirera sur des cordes attachées à de longues perches au-dehors et autour de la vigne. Elles correspondent à l'intérieur de la loge et il y a des sonnettes attachées à des perches. Il les fera sonner en tirant les cordes et fera résonner des bâtons, des courges et d'autres épouvantails là où il aura vu les oiseaux [14].

C'est d'abord avec le père que les garçons sont mis au travail, ramassant les raves avec lui, comme à Montaillou [15]. Ils l'accompagnent au champ, pour la moisson, portent les gerbes de blé au chariot, tirent par la bride le cheval attelé à la herse. Ils maintiennent fermement les pattes arrière des moutons lors de la tonte à la force, comme le montre une enluminure de missel au XVe siècle. L'élevage surtout fait partie de leurs activités et ils sont alors souvent livrés à eux-mêmes pendant la journée. Un petit berger devenu célèbre, Jean de Brie, a écrit, en 1379, pour le roi Charles V, un livre – disparu et qu'on ne connaît plus que par une version abrégée du début du XVIe siècle – intitulé *Le Bon berger* [16]. Il y énumère les taches enfantines, des plus simples aux plus difficiles, qu'il a lui-même assumées : à huit ans, un garçon est « institué et député à garder les oies et les oisons » pendant six mois, puis à garder les cochons, enfin, vers neuf ou dix ans, à mener les chevaux à la charrue. C'est au même âge, très précisément à neuf ans et quatre mois, que Matthäus Schwarz, jeune citadin fugueur, gagne sa vie en gardant un troupeau de bovins avec un petit paysan [17]. C'est en général vers cette période de la vie que surviennent les premiers accidents du travail. Jean de Brie ne fait pas exception à la règle : menant les chevaux de charrue, il souffre d'un pied écrasé puis il a un nouvel accident alors qu'il garde un troupeau de dix vaches laitières. Vient ensuite l'âge des responsabilités. A onze ans, il garde 80 moutons, 200 brebis « portières » à quatorze ans : ce sont là de véritables fortunes vivantes qui sont confiées à des pré-adolescents. Les petits paysans mènent également les porcs à la glandée. Ces animaux sont dangereux, et l'on voit, dans un livre de miracles de Notre-Dame de Soissons, un jeune « gardien de pourciaux » de neuf ans, blessé à la jambe et soutenu par sa mère, présentant sa plaie à la Vierge. Les sources comptables ou judiciaires vérifient ce déroulement « idéal » de l'enfance paysanne : la garde des troupeaux incombe en effet aux enfants ; en Angleterre, des petits enfants de huit ou dix ans gardent les oies ou les cochons ; en France, au début du XIVe siècle, les « petits pâtres » de Montaillou [18], professionnels dès l'âge de douze ou quatorze ans, surveillent les moutons. Les textes comme les images nous montrent que ces gardiens de troupeaux sont essentiellement des garçons.

Les filles

Les filles apparaissent peu dans la vie rurale du Moyen Age : les enluminures* les figurent plus rarement que les garçons. De même que ces derniers apprennent sous la férule paternelle, elles sont mises au travail aux côtés de leur mère. A Montaillou, mères et filles vont ensemble couper les blés. Dans un herbier italien du XIVe siècle, on voit que les jeunes filles pratiquent avec leur mère ou leur patronne la cueillette du panic. Elles soulagent la mère d'une partie des corvées domestiques voire la remplacent lorsqu'elle est absente, malade ou défunte. Les récits de miracles montrent que les grandes sœurs, même très jeunes, toujours plus exploitées que les autres enfants, raccommodent les habits des cadets qu'elles surveillent, au bain ou au berceau. Les sources judiciaires, plus variées, signalent les activités agricoles des fillettes et des jeunes filles : elles sont quelquefois agressées sur leur lieu de travail. C'est de cette triste manière qu'on connaît leur rôle dans la vie paysanne. Que font-elles ? Elles sont à l'étable, à faire un travail de force malgré leur jeune âge, comme Jeannette, onze ans [19], ou Perrote, fille de feu Guillaume Bidon, en Bourgogne, toutes deux violées par un valet de ferme :

> Perrote [...] âgée d'environ dix ans, requise, interrogée sur le rapt et les violences qu'elle a subis, et examinée, affirme sous

> serment donné aux saints Evangiles de Dieu, que samedi dernier, vers deux heures de l'après-midi, alors qu'elle était dans l'étable pour en sortir les vaches de Nicolas, son oncle, la nettoyer et en extraire le fumier, elle appela Jean Merlin, valet de Nicolas, afin qu'il l'aide à charger. Mais dès que Merlin fut dans l'étable, il demanda à Perrote qu'elle le baisât, la prit, la coucha, lui découvrit le corps, lui pinça les cuisses et lui remplit la bouche de litière afin qu'elle ne crie pas...[20]

Elles gardent les troupeaux de moutons et de vaches, toutes seules, et si ces animaux sont paisibles, elles se retrouvent à l'occasion la proie d'un adulte pervers. En effet, les travaux agricoles ne sont pas réservés aux garçons et l'hypothèse de la spécialisation des femmes dans les travaux « considérés comme inférieurs (cuisine, jardin, corvée d'eau, maternité, puériculture) [21] » est loin de se vérifier pour les petites filles. Les fillettes ne restent pas à la maison. Comme leurs frères, elles vont aux champs et poussent même la charrue, s'il faut en croire les témoignages des contemporains. Au procès de Jeanne d'Arc, l'un de ses nombreux parrains affirme que « dans sa jeunesse, et jusqu'au moment où elle a quitté la maison de son père, elle allait à la charrue et gardait parfois les animaux aux champs »; un autre témoin mentionne qu'elle « veillait à la nourriture des bêtes », un autre encore qu'elle « cultivait la terre avec son père [22] ». A partir de quel âge les fillettes étaient-elles ainsi sollicitées? Une réponse est donnée par son procès; on lui demande: « Conduisiez-vous les animaux aux champs? » et la jeune femme de répondre:

> Quand j'ai été assez grande et que j'ai eu l'âge de raison, je ne gardais généralement pas les animaux mais j'aidais bien à les conduire au pré et aussi en un lieu fortifié qu'on appelait l'Isle. Mais je ne me souviens pas si dans mon jeune âge, je les gardais ou non.

De très jeunes filles œuvrent également au moulin, à moudre le grain, comme cette enfant de treize ans, travaillant la nuit avec d'autres compagnes, sans la protection d'un meunier[23]. Plus généralement, tous les métiers spécifiquement féminins ont été exercés par des filles, avec leur mère : dans le bassin méditerranéen, la cueillette des olives, l'arrosage des plantations de lin et des produits du potager, la vente au marché des denrées du jardin, etc. Aux lourds travaux il faut ajouter les tâches domestiques, dont elles sont spécialement chargées. Jeanne d'Arc enfant « faisait les ouvrages de la maison », « les ouvrages de femme, filer et tout le reste... » De fait, on confie volontiers aux doigts fins des petites filles le travail de la soie, comme à la jeune sainte Catherine de Sienne, ou du lin, comme à Jeanne d'Arc dans son enfance, qui en livre un témoignage autobiographique. Lors de son procès, à la question posée : « Avez-vous appris quelque métier dans votre jeune âge ? », elle répond : « Oui, à coudre les toiles de lin et à filer[24]... »

Une éducation paysanne

Mais on ne se contente pas d'apprendre à travailler aux enfants. De rares et précieux témoignages démontrent que les ruraux sont tout aussi soucieux que les nobles d'éduquer leur progéniture dans les bonnes mœurs. Au XIIIe siècle, Berthold de Ratisbonne s'adresse aux « pauvres gens » :

> Quant à vous, pauvres gens, vous n'avez pas de précepteurs pour vos enfants, comme en ont les seigneurs et les nobles dames pour les leurs. Il faut bien que vous éduquiez vos enfants tout seuls [...]. Par conséquent, à l'époque où vos enfants commencent à dire des gros mots, prenez une badine qui sera toujours à votre portée, coincée dans les poutres ou dans le

> mur, et quand il aura dit une saleté ou un gros mot, cinglez-lui la peau nue ! Mais ne le frappez pas sur la tête nue avec la main, vous pourriez le rendre idiot ; non, une petite badine suffira. Il en aura peur et sera vite éduqué. [...] [25].

Il existe des témoignages sur l'éducation des filles de la campagne dans le procès de Jeanne d'Arc : on dit d'elle que dans sa jeunesse elle était « fille bonne, simple, chaste, réservée » ; du couple de laboureurs « pas bien riches » mais « d'honnête conversation » qui lui a donné naissance, leurs voisins affirment qu'ils l'ont « convenablement élevée dans la foi et les bonnes mœurs » et « dans d'honnêtes habitudes ». On en saurait sans doute plus sur ces mœurs paysannes si les ruraux avaient laissé des textes – mais les adultes ne savaient pas écrire et Christine de Pizan, l'une des seules à traiter de la vie des femmes rurales, dans son *Livre des trois Vertus*, un traité de contenances, y consacre peu de lignes. On croit cependant reconnaître des comportements partagés avec la noblesse ou la bourgeoisie : ainsi, la « réserve » de Jeanne d'Arc est recommandée aux filles de tous les milieux sociaux. En revanche, la bourgeoisie, plus prolixe, s'est exprimée dès le XIIIe siècle sur l'éducation de la jeunesse des villes, à qui Bonvoisin Da La Riva, en Italie, consacre même un livre de bonnes manières, les *Cinquante courtoisies de table* [26], dans lequel il demande au jeune lecteur de ne pas être « rustre » et de se garder de « faire le vilain ». Malgré des points communs, les manières des paysans ne sont sans doute pas celles des gens de la ville...

Les enfants des marchands

A la ville, les enfants de boutiquiers et de marchands mènent une existence plus privilégiée ; les milieux urbains disposent en effet d'un confort de vie supérieur à celui des ruraux et de services qu'on trouve plus rarement à la campagne : c'est le cas de l'école. Les enfants des cités sont nombreux ; aux XIIIe-XIVe siècles, il existe déjà des grandes villes : si Arras, Avignon, Beauvais, Bourges ou Lyon ne comptent que 10 000 à 20 000 habitants environ, Paris atteint peut-être les 200 000. Nombreuses sont les cités qui regroupent 25 000 à 35 000 citadins, comme Strasbourg, Narbonne, Toulouse, Tours ou Orléans, voire plus encore, comme Rouen et Montpellier [27]. Aux XIVe et XVe siècles, les habitants des villes représentent 10 à 15 % de la population. Dans ce contexte urbain florissant, dans les grandes entreprises comme dans les modestes affaires familiales on fait tôt une place à l'enfance : on confie volontiers des responsabilités au garçon à partir de l'âge de raison. En Auvergne, au XVe siècle, un gamin « de huit à dix ans » vend tout seul des chandelles et les enfants d'un tondeur de draps gardent la boutique en l'absence du père : ils doivent déjà savoir compter [28] ; les enfants des villes, et notamment ceux des marchands, fréquentent en effet les petites écoles ouvertes dans chaque quartier. Sans doute est-ce leur mode de vie relativement protégé qui a conduit quelques clercs et pédagogues sévères à inciter les parents à leur donner une éducation plus austère. A la fin du XIVe siècle, Dominici, à Florence, suggère de ne procurer aux garçons qu'une « nourriture grossière » :

> Qu'ils marchent pieds nus ; habituez-les aux durs travaux et fortifiez leur corps afin que, si le besoin s'en fait sentir, ils se contentent de peu... Qu'ils dorment, au moins une fois par semaine, assis tout habillés et la fenêtre ouverte, et habituez-les aussi à jeûner. En bref, traitez-les comme les enfants d'un manant.

Quant à leurs sœurs, dit-il, « peu importe comment vous nourrissez une fille, pourvu qu'elle reste en vie. Elle n'a pas besoin d'être grasse... » On doute que les parents aient obéi à ses injonctions, qui donnent cependant une juste idée des tâches enfantines :

> Apprenez-lui toutes les tâches ménagères : à cuire le pain, à rôtir le chapon, à passer la farine au tamis ; à faire la cuisine, la lessive, les lits ; à filer et à tisser des bourses à la française ; à broder sur soie, à tailler des vêtements dans la toile et le drap ; à poser des semelles aux chaussures et toutes choses semblables afin que, quand vous la donnerez en mariage, les hommes ne disent pas : « elle sort d'un pays de sauvages [29] ! »

En réalité, filles et garçons ne sont pas maltraités. Ce décalage entre les vitupérations des clercs et la réalité provient sans doute d'une méfiance innée de l'Eglise envers ceux qui gagnent de l'argent. Sans doute estiment-ils qu'il faut surveiller davantage leur progéniture, trop protégée et selon eux constamment tentée par une vie de mollesse. Ils n'hésitent pas à donner aux parents des conseils vigoureux – mais largement en retard sur les réalités sociales – sur leur éducation intellectuelle : le clerc ou le savant s'offusquent à l'idée d'ouvrir le savoir aux hommes du commerce. Gilles Le Muisit, auteur parisien du début du XIVe siècle, estime que les laïcs n'ont pas à s'instruire et que mieux vaut pour eux apprendre la « marcheandise », le commerce. Cela n'empêche pas certains riches marchands d'être « lettrés », c'est-à-dire de savoir le latin, voire le grec, qu'ils apprennent dès l'enfance. Ainsi, à Aix, au début du XIVe siècle, une grand-mère juive, marchande aisée, décide de léguer ses livres à son petit-fils... à condition qu'il apprenne le latin. Si, au XVe siècle, un marchand lyonnais failli, François Garin, estime que son fils adolescent doit surtout apprendre « à bien nombrer », il lui propose cependant d'apprendre la grammaire latine et de lire un traité de morale antique, le *De Consolacione* de Boèce.

Tôt mis à l'école, comme à Venise, « selon la coutume de la ville », les enfants apprennent à lire et à écrire en peu de temps, puis s'exercent quelques mois au calcul ou à l'étude de manuels spécialisés, tel le *Cri des monnoyes*, texte imprimé à Paris vers 1506, avant d'être commis, s'ils sont doués, au travail de la banque ; ainsi, des enfants sont engagés par l'entreprise drapière Strozzi-Guineldi, à Florence, en 1464, comme vendeurs au détail ou comme employés de caisse [30]. Les marchands apprécient les enfants précoces ; c'est à l'âge de dix ans que le Florentin Messer Giannozzo Manetti, futur puissant marchand et homme politique, se trouve chargé de tenir les comptes de la caisse. Dès leur majorité, à quatorze ans, les fils de marchands aspirent à affronter les réalités de la vie commerciale ; à cet âge, le jeune Schwarz devient le représentant de son père pour l'achat et la vente de vin, qu'il goûte avec professionnalisme avant de s'en porter acquéreur. Il faut imaginer quelle confiance les pères devaient éprouver envers leurs fils pour leur permettre d'assumer jeunes des tâches importantes. Le sens du commerce incite aussi les marchands de pays différents à s'échanger leurs fils en voyages linguistiques, pour que ces derniers accroissent leurs connaissances et apprennent les langues étrangères. Les adolescents n'hésitent pas plus qu'aujourd'hui à traverser l'Europe, ou les mers comme Hans Wessel, ce jeune Hanséate qui, de l'âge de douze à vingt ans, effectue sept grandes traversées maritimes, à raison d'une par an [31] ; à la fin du XVe siècle, ils ne redoutent pas davantage de traverser l'Atlantique, comme le fils de Christophe Colomb qui « en son si jeune âge de treize ans » accompagne son père dans sa dernière traversée. Tous ces jeunes garçons encourent le risque de naufrages ou même d'une prise d'otage : le marchand est parfois obligé de remettre son fils en gage aux mains des Maures pour pouvoir poursuivre sa route [32]. De tels voyages, qui forment la jeunesse, durent parfois plusieurs années.

En apprentissage

Si la majorité des enfants apprend le métier de son père et avec ce dernier, en famille, certains sont cependant mis en apprentissage. Des circonstances le plus souvent douloureuses entraînent ce bouleversement dans leur vie, qui est dû, comme en Orléanais aux XIVe-XVe siècles, dans près de 60 % des cas, au décès d'un des deux parents, en général le père. C'est dans cette éventualité que Philippe de Novare, au XIIIe siècle, conseille aux filles de familles pauvres d'apprendre très jeunes à coudre et à filer. Il faut donc assurer l'avenir des enfants et trouver une famille d'accueil ; la mise en apprentissage professionnel est une solution volontiers adoptée pour le garçon et qui constitue pour l'orpheline un mode de vie honorable. D'une certaine manière, l'apprentissage participe de la politique de protection de l'enfance, et notamment des orphelins, que la société médiévale a à cœur de défendre : il s'agit d'éviter de faire de ces jeunes isolés, et notamment des filles, des sans-abris et des marginaux ; pour cette raison, il est parfois prévu que ces dernières soient dotées à l'issue de leur formation. Le départ en apprentissage est également nécessaire, en cas de famille trop nombreuse, s'il n'y a pas de place pour tous dans l'ouvroir* paternel. Mais, qu'on vive à la maison ou au foyer d'accueil d'un maître de métier, soit on suit la voie de son père, soit l'on prend soin de rester dans la même famille d'activité : la mobilité socioprofessionnelle ne dépasse pas celle du laboureur au vigneron, du charpentier au menuisier-ébéniste, du marchand au notaire, ou du notaire à l'avocat [1]. Enfin, des jeunes paysans aussi sont placés en apprentissage : les garçons deviennent viticulteurs, ou éleveurs ; en milieu rural, les femmes ne se contentent pas d'œuvrer aux champs : elles travaillent aussi à demeure pour un employeur citadin. Les filles, comme on le voit dans l'Espagne du bas Moyen Age, apprennent donc à tisser la soie ou les rubans, à broder ou, plus simplement, à couper ou à coudre [2]. Sauf cas de pauvreté extrême, la mise en apprentissage n'est pas, comme on pourrait le croire, une manière pour les parents de se désinvestir de l'éducation de leurs enfants ; en effet, l'apprentissage est quelquefois payant et il s'agit alors pour la famille d'un relatif sacrifice financier. En outre, les parents perdent, en plaçant leurs enfants, une force de travail utile à leur foyer.

La vie quotidienne de l'apprenti

Le petit apprenti quitte donc sa famille pour aller habiter dans celle du maître de métier. Un contrat assure au jeune le vivre et le couvert et oblige l'employeur à veiller sur lui, valide ou invalide, sain ou malade, comme si l'enfant était le sien. La mise en apprentissage ne sépare pas totalement l'adolescent de sa véritable famille : il a la permission de retourner chez ses parents, à certaines périodes de l'année, pour aider à la moisson, aux vendanges, ou pour aller visiter une mère veuve. On connaît bien, grâce aux contrats, les âges de ces apprentis : peu d'entre eux ont moins de douze ou treize ans. Les seuls à être placés très jeunes sont des orphelins de mère, voire de père et de mère, ou des abandonnés, comme cette petite fille de cinq ans placée chez une fripière [3]. Ces petits enfants ne sont sans doute pas mis au travail aussitôt : en témoigne, à l'occasion, l'obligation faite au maître d'envoyer son petit apprenti à l'école. En réalité, la moyenne d'âge à l'apprentissage est de quinze ans et demi ou seize ans : l'initiation au travail manuel n'est donc en rien prématurée, pas même selon les critères de notre XXe siècle. Certains apprentissages débutent plus tardivement encore, à l'âge de dix-huit ou vingt ans, mais c'est peut-être alors qu'il s'agit de métiers de confiance : chirurgien ou barbier, qui demandent davantage de maturité, ou orfèvre.

Quelle que soit la difficulté technique du métier, un apprentissage dure en moyenne de deux à trois ans, bien que certains métiers, telle l'orfèvrerie, exigent la décennie. En règle générale, on confie les filles à une maîtresse [4], les garçons à un maître. A en croire les contrats, beaucoup moins de filles que de garçons entrent en apprentissage, mais le déséquilibre est tel – 90 % de garçons, 10 % de filles au mieux – qu'on est bien obligé de s'interroger sur la représentativité de ces chiffres. Les admettre *a priori*, c'est peut-être oublier un peu vite qu'il est facile de garder une fille au foyer ou de la marier jeune, voire de la placer comme « baby-sitter », aide domestique, lingère ou chambrière, sans passer pour autant un acte notarié ; d'une part ce dernier est payant, d'autre part ces activités ne sont pas considérées comme des « métiers » exigeants en qualité et qu'il faut protéger par des normes de fabrication et des statuts, et les enfants qui les exercent ne sont pas toujours payés en retour : si le travail des jeunes, et notamment des filles, nous échappe, c'est qu'il se fait surtout en dehors des limites du travail salarié. C'est pourtant grâce à ces contrats, conservés en assez grand nombre à travers l'Europe et pour les deux derniers siècles du Moyen Age, que l'historien peut aborder le chapitre demeuré longtemps obscur du travail des enfants.

Le maître, stipulent les contrats, en sus d'enseigner le métier à l'enfant, « sera tenu querir et administrer boire, manger, feu, lit et hostel et sa chaussement [5] ». S'il s'engage parfois à l'envoyer à l'école, les garçons semblent davantage concernés par ce type de clause que les filles : à Montpellier, un contrat sur trois prévoit l'instruction du garçon, contre un sur cinq seulement pour les filles [6]; l'instruction est d'ailleurs limitée : « jusqu'à ce qu'il ait appris son ABC et sept psaulmes (de pénitence), et lui fera donner tonsure, et icellui envoyer a escripture par l'espace de deux mois »; le petit Guillaume Rouleau, huit ans, qui est l'objet de tant de soins, est apprenti tonnelier [7]. Son maître, par force sensible à la géométrie, lui promet une doloire et un compas à l'issue de ses onze ans de formation dont on voit bien qu'elle n'est pas tout entière vouée à la tonnellerie : à la fin du Moyen Age, le marchand doit aussi savoir lire et écrire. Ces conditions relativement privilégiées ne doivent pas faire oublier que le jeune apprenti a autant de devoirs que de droits : chez les potiers d'Aix, en 1517, il lui faut, s'il tombe malade, rembourser son alimentation, les médicaments et les frais de médecin, assurer un rattrapage de son travail du double du temps perdu. On tremble à l'idée des horaires qui sont exigés des enfants lorsqu'on lit, toujours dans les contrats, l'obligation faite au maître de les laisser dormir suffisamment. Il est interdit, à Florence, d'imposer aux apprentis employés dans l'industrie lainière un travail avant le lever du jour – ce qui signifie sans doute que la pratique en est fort répandue; au demeurant, le jeune subit les horaires des ouvriers adultes et comme chacun, dans le monde médiéval, il se lève aux aurores : vers 1250, les ouvriers tisserands, par exemple, commencent le travail quand est chantée la première messe.

Plus rarement, et c'est tout aussi inquiétant, on fait au maître l'obligation de traiter l'enfant « *doucement* », voire de ne pas le frapper à la tête – ce qui sous-entend assurément qu'il est permis de le faire sur d'autres parties du corps... On se prend à espérer que la surveillance des corporations était assez efficace pour empêcher la surexploitation ou les mauvais traitements. Les maîtres s'engagent en tout cas à ne pas abuser, « à ne pas lui faire faire ce qui serait au-dessus de ses forces », comme on peut le lire sous la plume d'un tisserand dans un contrat d'apprentissage génois. Les excès existent cependant. Mais les jeunes ne manquent pas de recours judiciaires, et des apprentis battus peuvent dénoncer leur maître et gagner leur procès. Ainsi, en 1371, en Angleterre, deux frères se présentent devant la Cour de justice, pour demander que leur contrat d'apprentissage soit rompu ; ils accusent leur maître de s'être longuement absenté sans avoir assuré leur formation, ce qui est grave, et son épouse de les avoir insuffisamment nourris et battus « si méchamment » que l'un d'eux en a perdu l'œil gauche. Un examen médical s'ensuit, prouve les mauvais traitements et l'enquête révèle que le maître était en réalité en prison « et que ni lui ni sa femme ne pouvaient supporter les garçons [8] ». Mais aucun maître honnête ne souhaite se trouver dans une situation aussi gênante vis-à-vis de ses confrères ; nul n'a intérêt à maltraiter les apprentis, qui constituent une main-d'œuvre à bas prix. La majorité des apprentissages se déroule sans doute à la satisfaction des deux parties.

Enfin, quel que soit le type d'activité, il semble

qu'une même méthode soit universellement appliquée par les maîtres : c'est la mise au travail progressive des enfants. Comme dans le travail en famille, les jeunes commencent par regarder travailler les adultes pour apprendre à copier leurs gestes techniques. On leur met en main les outils. Chez l'extracteur de minerai, comme on le voit dans une gravure du XVIe siècle, un tout petit garçon aux pieds nus joue dans l'atelier avec un marteau miniature, imitant les adultes. Parallèlement, les jeunes aident aux « menus travaux », autrement dit les taches ingrates, le nettoyage de l'atelier, le ramassage des copeaux chez le menuisier, par exemple, le portage du combustible et l'entretien des flammes dans les métiers du feu. Chez le fabricant de mortier, les jeunes balayent la poussière, nettoient les canevas après usage et les mettent à sécher. Chez le tisserand italien, on voit, en 1464, des enfants commis au poste de « surveillant des ouvriers [9] » : ils en profitent sans doute pour observer les gestes du métier. Lorsque les apprentis commencent à mettre en pratique leurs connaissances, ils s'exercent à des réalisations faciles. Ainsi, les petits potiers de Bourgogne n'ont le droit que de tourner des couvercles, et non des pots. Pour les apprentis peintres, le moine Théophile, au XIIe siècle, explique que « c'est graduellement, par parties, que s'enseignent les arts. Le peintre doit d'abord apprendre à faire les couleurs » puis « appliquer son esprit aux mélanges ». Boccace se moque gentiment de ses premières leçons dans la sixième nouvelle du sixième jour de son *Décaméron* : les enfants commencent à faire des dessins où « l'œil droit est plus gros que le gauche ; ailleurs, il est plus bas. C'est ainsi que les enfants dessinent d'abord les visages quand ils reçoivent leurs premières leçons. » Ensuite, ils s'emploient sérieusement à la copie de modèles conservés dans des carnets d'artiste.

Dans un dessin à l'encre exécuté vers 1140-1150 [10], un tout jeune apprenti, qui s'appelle Everwin et a les traits d'un enfant de huit ou dix ans, s'exerce aux pieds de son maître à peindre arabesques et feuilles d'acanthe : apprendre à reproduire des motifs ornementaux constitue sans doute un premier stade de l'enseignement du dessin. Cette progression dans l'apprentissage est d'autant plus nécessaire dans les professions médicales où l'acte technique met en danger la vie des clients... Les apprentis des médecins transportent le précieux urinal de verre, soigneusement empaqueté dans un emballage d'osier. Ceux des barbiers se contentent de tenir le bol de la saignée pendant l'intervention : ils s'habituent ainsi à la vue du sang. De même, les jeunes assistants des chirurgiens sont chargés de l'aiguière et de la serviette destinées au lavement des mains après l'opération.

Les emplois féminins

Que font les filles ? Elles travaillent surtout dans les métiers du textile, comme couturières, lingères ou brodeuses. Elles sont, comme Marion, onze ans, ouvrière de tissus de fil [11]. Mais les parents cherchent à faire acquérir à leur fille une formation parfois hyperspécialisée : le tissage des rubans larges, ou de la soie, la broderie des rebords de toques, ou en Italie des bourses à la française, voire en Espagne l'art des « plis portugais »... Les filles travaillent aussi dans les métiers de bouche : on trouve ainsi, à Montpellier, davantage d'apprenties boulangères ou pâtissières que de garçons [12]. Il en est qui partent travailler chez des médecins, des artistes, ou des scribes [13]. Mais toutes les petites filles n'ont pas accès à de telles professions.

Nombre d'entre elles, orphelines de mère, sont simplement placées par leur père comme petite servante, auprès d'un ecclésiastique de bonne réputation, ou d'un bourgeois qui accepte, par une « convention », d'entretenir et de marier l'enfant « à l'âge convenable », c'est-à-dire vers quinze ou seize ans, comme s'il s'agissait de sa fille mais avec « licence de son père » : c'est ainsi qu'un « pauvre laboureur » de Toulouse, en 1425, chargé d'enfants, renonce à l'évidence à l'éducation d'une de ses filles, « âgée de huit ans ou à peu près », dont il ne peut vraisemblablement pas assurer l'entretien [14]. Elles sont aussi, et surtout, chambrières ou servantes, et une lettre du marchand italien Datini détaille, au XIVe siècle, les travaux domestiques qu'on exige alors d'elles : faire la vaisselle, apporter le bois et le pain au four « et autres tâches de la sorte » ; selon une chanson du XIIIe siècle, ces petites servantes font la cuisine, plument les volailles, préparent la sauce. Elles font les courses : le domestique est leur domaine. Aussi, rien d'étonnant à voir telle petite fille de onze ans, en Orléanais, qui s'apprête à apprendre à « tenir prison fermée [15] ». Elle saura nourrir ses prisonniers et leur blanchir le linge si besoin est et s'ils peuvent le payer...

La diversité des emplois masculins

Au XIIIe siècle, Raymond Lulle, pour sa part, conseille aux jeunes l'apprentissage d'un « art mécanique » : laboureur de terre, forgeron, charpentier, cordonnier, marchand... Mais la diversité des emplois masculins est sans limite. A douze ans, on est placé chez un tondeur de draps ou un argentier de Barcelone, à treize ou quatorze ans chez un tailleur ou un couturier auvergnat. En Orléanais, à quatorze ans, on peut être apprenti mineur et à quinze ans apprenti changeur[16], ou apprenti bonnetier à Séville[17]. En Auvergne, on entre en apprentissage chez un maréchal à seize ans, chez un cordonnier entre seize et dix-huit ans. Les métiers du bâtiments requièrent des jeunes qui travaillent sur les chantiers de construction[18], menant les convois de pierres, de terre ou de briques. Chez le charpentier, les apprentis participent au sciage des planches. Les métiers de bouche attirent les garçons, dans la boulangerie, où on les voit, dans les images médiévales, porter au four la planche des pains à cuire. L'apprenti est aussi présent au sein des métiers à haut risque sanitaire, médecins et barbiers ; il sert d'assistant médical.

Chez le tisserand, aucune tâche ne semble être épargnée aux apprentis : bobinage de la soie, battage de la laine, cardage, peignage[19], tissage, teinture. Au XVe siècle, il est en effet précisé dans le *Traité de l'Art de la laine* de Florence que des enfants travaillent aux cuves de teinture à démêler les nœuds qui se forment dans les écheveaux et à « étendre les laines enroulées » pour les sécher. Ils sont chargés du « portage des toiles[20] ». Les statuts des métiers de la laine interdisent d'employer des enfants pour apporter la laine aux fileuses, ce qui prouve assurément que telle est la coutume, et proscrivent aux patrons de demander à « un apprenti ou un enfant » d'aller réserver un lieu d'étendage de la laine avant l'aube[21]... Ces derniers peuvent, en revanche, porter des messages ou s'occuper des livraisons de marchandises[22].

Dans les métiers du feu, l'enfant assiste directement le maître ; il se charge de l'entretien des flammes. Au XIIe siècle, selon le moine Théophile, son rôle est de « souffler un peu », au soufflet[23] ; dans l'élaboration du cuivre repoussé, c'est un enfant « exercé à cet art », assis face au maître, qui frappe sur les fers à graver à l'aide d'un marteau moyen. C'est encore un enfant qui aide à la composition de la « ferme » en la battant, « doucement ou fort ». Chez le forgeron, l'apprenti construit les meules de paille, qui sert de combustible, et s'épuise à sauter d'une jambe sur l'autre sur les deux gros soufflets de forge [24]. Des enfants sont présents dès leur tendre jeunesse dans l'atelier du forgeron, du batteur d'or ou de l'orfèvre. Au XIIe siècle le moine Théophile conseille l'usage de « l'urine d'un petit enfant roux » qui, croit-il, « donne au fer une trempe plus ferme que l'eau pure » ! Choisissait-on de préférence des apprentis aux cheveux roux, de la couleur du feu, pour travailler à ces métiers brûlants ? L'urine d'enfant sert d'ailleurs également, chez le scribe, dans la composition des encres. On imagine bien les récupérateurs d'urine enfantine au travail... Chez le potier, la tentation est grande d'employer trop tôt les enfants : il faut interdire, en 1508, aux tupiniers du village de Sevrey, en Bourgogne, de faire débuter l'apprentissage avant l'âge de dix ans. Ces apprentis sont le plus souvent des fils ou neveux de potiers. Ils connaissent déjà un peu le métier. Mais on voit aussi une municipalité se soucier des enfants abandonnés ou pauvres et auxquels il faut donner une formation pour qu'ils trouvent une place dans la société : c'est ainsi que les échevins lyonnais, en 1555, ordonnent aux faïenciers de « prendre des enfans de l'haulmosne pour faire besoigner es dictz ouvraiges de terre ». Quel est exactement le rôle de ces enfants de la terre ? En 1255, en Angleterre, les potiers de Brill leur demandent d'aller en forêt ramasser des fagots de petit bois pour les fournées. Ceux de Provence doivent transporter le bois, mais également la glaise, lourde et collante. Ils apprennent aussi l'ensemble des gestes du métier, le moulage, le tournage, les techniques de la cuisson et même de la construction des fours. Cette dernière information est confirmée par l'archéologie ; on est sûr que des enfants participaient en effet aux réparations des soles des fours, car la trace de leurs pieds nus se lit encore dans l'argile.

Les professions intellectuelles et artistiques sont davantage connues de l'intérieur : les apprentis, dont c'est souvent le métier d'écrire, ont laissé des souvenirs de leur travail. Au Moyen Age, l'art est alors un artisanat comme les autres ; chez les artistes, si de jeunes orphelins ou enfants trouvés sont placés en apprentissage par de riches protecteurs et mécènes, habituellement, le premier stade de la formation artistique s'effectue sous la férule du père. De très nombreux artistes médiévaux ont appris leur métier aux côtés de leur père, avec leurs frères, leurs cousins, voire leurs sœurs. Orfèvres, enlumineurs, architectes, font leur apprentissage en famille et pratiquent leur métier de grand-père en petit-fils. L'orfèvre Benvenuto Cellini, né en 1500, rappelle dans sa *Vie* que son grand-père était un architecte très compétent, comme son père et ses oncles. Benvenuto fait appel à l'hérédité paternelle lorsqu'il dit, racontant sa petite enfance, « je ne m'adonnais volontiers qu'au dessin, au modelage, et aux occupations du même genre. J'avais d'ailleurs toute facilité de suivre ce penchant, mon père étant très habile dessinateur...[25] ». De véritables dynasties d'artistes marquent le Moyen Age. Les trois frères Limbourg, peintres du duc Jean de Berry, sont eux-mêmes neveux du peintre favori de Philippe le Hardi, Jean Malouel. Dès l'adolescence, ils ont été considérés comme des peintres avertis, travaillant déjà à une magnifique bible royale alors qu'ils n'étaient âgés que de quatorze à seize ans. A Bourges, Jean Colombe est le frère cadet d'un sculpteur et son fils fut également enlumineur, de même que son petit-fils. Le plus grand peintre du XVe siècle, Fouquet, a deux fils peintres. Simon Marmion, le meilleur artiste du Nord de la France, appartient à une famille nombreuse d'artistes : son père, son frère et son neveu étaient peintres, sa fille « enlumineresse [26] ».

Cependant, en un second stade, les jeunes artistes partent souvent en apprentissage pour se spécialiser. Les filles ne se contentent pas d'apprendre le métier avec leurs père et frères. Elles sont placées chez des artistes, comme cette apprentie peintre donnée, à Montpellier, en 1387, à une veuve [27]. Certaines sont devenues célèbres, telle la fille de l'enlumineur Jean le Noir, Bourgot, en œuvrant pour le roi de France. On possède encore quelques manuscrits médiévaux exécutés par des enfants, qui ont parfois signé ou laissé quelque colophon révélateur de leur âge et lorsqu'une enluminure, à nos yeux d'amateurs éclairés, semble fruste, c'est parfois qu'un gamin de onze ans en est l'auteur : bien des enlumineurs ont en effet débuté à l'âge tendre. Des enfants travaillent également chez les scribes et, dans les illustrations des manuscrits, des portraits d'auteur figurent à la fois le scribe principal et son apprenti, assis à ses pieds, lui tendant l'encrier et lui taillant ses plumes. Il nous reste même des traces plus directes encore de ces jeunes au travail : ils se sont exprimés sur le parchemin des livres qu'ils copiaient. Dès le XIIe siècle, en effet, des colophons attestent dans les manuscrits l'existence des apprentis : la fougue de l'adolescence se plie mal aux longues stations assises du travail de copiste et l'apprenti n'hésite pas à laisser trace de ses complaintes. Ainsi, en Italie, un jeune juif de la province d'Ancone copiant, vers 1473-1474 un *Livre de l'Instruction*, exécute à l'encre rouge des dessins de femmes et, content de lui, les légende : « Je suis un bon apprenti-peintre » ; plus encore, il s'amuse à accumuler dans les marges de ce livre sans doute trop sérieux à ses yeux facéties et « vers de mirliton » faisant référence à son apprentissage :

> Béni qui donne force à qui est épuisé
> Mes yeux étaient éteints et mon cerveau brisé
> Au point que j'en devins inerte et harassé !
> Mais j'ai trouvé vigueur et ferme agilité,
> Laborieux à la tâche, au travail empressé,
> Moi, le sot débordant de sa stupidité [28]...

Cet exemple autobiographique et saisi sur le vif démontre que l'apprentissage n'est pas nécessairement ressenti comme une charge pesante, mais comme une découverte de soi, et que les jeunes gens ne perdent pas avec l'entrée dans le monde du travail leur entrain juvénile.

Enfants exploités ou adolescents en formation ?

Que gagnent tous ces enfants à travailler ainsi ? Pas grand-chose. Les plus âgés des apprentis reçoivent parfois un salaire. Mais la majorité d'entre eux ne sont considérés que comme des salariés non qualifiés. En règle générale, les jeunes sont sous-payés, tout comme les femmes. « A travail égal, salaire inégal », dit à propos des « enfants de boutique » italiens Alessandro Stella [29]. Salaire très inégal en effet : deux à seize florins par an alors qu'un adulte en touche de dix-huit à trente-trois... Un adolescent de quatorze ans peut gagner le tiers du salaire d'un adulte ; cependant, ce salaire à première vue insuffisant semble aussi avoir été considéré comme assez attractif pour que des jeunes viennent de loin se placer chez les maîtres qui le leur proposent. Cette réduction des émoluments dus à la jeunesse laborieuse est une vieille habitude. Une petite devinette extraite d'un livre de calcul attribué à Alcuin et composé pour l'éducation – et l'amusement – de son royal élève Pépin, les *Figures et subtilités mathématiques*, démontre déjà cette diminution :

> Six ouvriers sont engagés pour construire une maison. Parmi eux, il y a un apprenti. Les cinq hommes divisent le salaire de 25 deniers par jour, moins le salaire de l'apprenti, *qui représente la moitié du salaire de chaque ouvrier*. Combien chacun recevra-t-il [30] ?

Ainsi, le bas Moyen Age a conservé cette pratique ancienne qui dévalorise le travail du débutant et du jeune en général. Mais ce salaire est-il vraiment si inégal qu'il y paraît ? En tant qu'apprenti, on est également nourri et logé, ce qui n'est en général pas pris en compte, et l'on se considère certainement comme un « élève » davantage que comme un ouvrier. On a d'ailleurs pu observer, chez les tisserands de Florence, au XVe siècle, que le salaire des enfants varie selon leur expérience : le débutant, entre neuf et treize ans, gagne moins que l'apprenti confirmé, entre quatorze et seize ans [31]. Dans ces conditions, être moins bien payé que les autres ne crée peut-être aucun sentiment d'amertume. En outre, une rémunération est souvent versée en fin de formation, plutôt en nature qu'en monnaie cependant : dons de vêtements ou de chaussures, voire outils du métier, comme en Espagne, au XIIIe siècle. On connaît ainsi le cas d'une fillette sévillane de dix ans placée en apprentissage avec obligation pour la famille d'accueil de lui remettre, à la fin du contrat, un métier à tisser [32] pour qu'elle puisse à son tour s'installer et œuvrer. Il paraît difficile d'estimer la valeur de tels dons. Les chaussures médiévales ne valent pas grand-chose. Les vêtements, en revanche, sont plus coûteux. Quant aux outils du métier, qui valent leur pesant de métal, ils sont souvent plus symboliques que précieux : munis de ces outils, les apprentis peuvent prouver, aux yeux d'un employeur éventuel, la qualité et la nature de leur formation : ne serait-ce pas là l'équivalent d'un diplôme de fin d'études ? Dans le cas des métiers à l'outillage complexe, comme le tissage, le don en fin de contrat de l'outil principal, le métier à tisser, constitue certainement un viatique non négligeable que l'enfant ajoute à sa dot.

Enfin, si les enfants sont sous-payés, voire pas payés du tout, il faut savoir que telle est quelquefois la volonté de leurs parents : c'est justement le cas du jeune Benvenuto Cellini, entré en apprentissage à quinze ans dans un atelier d'orfèvrerie. Dans son autobiographie, il rappelle les circonstances et les motivations de ce choix : « Mon père ne voulut pas qu'il me payât un salaire, comme aux autres apprentis. Il donna comme motif que je venais de mon propre gré apprendre le métier ; en réalité il voulait me réserver la faculté de dessiner. » Dans ce cas précis, l'apprenti non salarié conserve une certaine liberté d'action : Benvenuto a le droit de prendre sur sa journée de travail le temps de s'adonner à d'autres activités, ici le dessin, et de retourner chez son père « pour jouer de la flûte ou du cornet [33] ». Ce type d'apprentissage peut donc correspondre, exceptionnellement du moins, à une éducation à la carte. Autrement, bien qu'il dispose ainsi d'une force de travail au rabais, pour ne pas dire gratuite, le maître estime sans doute se rembourser du travail gâché par les apprentis débutants en ne les payant pas : en Italie, les artisans se plaignent, dans le *Traité florentin de l'art de la soie* [34], des imperfections des tissus auxquels travaillent les enfants. En outre, avoir des apprentis à former constitue en tout temps une surcharge de travail.

Une enfance volée?

Cependant, les hommes du Moyen Age ne considèrent pas le travail enfantin comme un bénéfice effectué sur leur dos, mais comme une formation destinée à leur assurer travail, famille, maison dans l'âge adulte, « un plus donné au jeune [...] qui impliquait certains sacrifices de la part des parents »[35]. Mais il est vrai que seuls les employeurs s'expriment... et qu'à l'âge où aujourd'hui on est libre de toute contrainte matérielle, hier on était soumis aux rythmes de travail des adultes. Transparaît cependant, dans la documentation écrite, la part de liberté et de jeu qui reste aux plus jeunes. Avant l'adolescence, les petits apprentis semblent avoir tout de même eu droit à une vie d'enfant : certains d'entre eux vont à l'école. Ils jouent ; à défaut de se distraire, ils sont distraits. Ils plaisantent – on en retrouve le témoignage dans les manuscrits qu'ils copient, dans les farces dont nous font part les écrivains d'alors : les petits employés d'un banquier abandonnent leur poste pour lâcher une souris sur la place du marché[36], ils se bagarrent dans l'atelier. Le roi René fait donner des étrennes, à Noël, pour que ses jeunes valets de cuisine puissent aller jouer aux dés. Les jeunes ont quelque liberté, celle par exemple d'aller jouer de la flûte les jours de fête pour gagner de l'argent – qu'on partage ensuite, il est vrai, avec son maître, comme à Arles à la fin du Moyen Age[37]... Si la journée de travail est longue, nous ignorons si des pauses ne leur sont pas accordées et si, comme à l'école ou comme au monastère, ils n'ont pas droit à des « récréations ». En outre, le sort des apprentis dépend de nombreux facteurs ; ainsi, les petites orphelines placées très jeunes comme servantes ou chambrières, et qui ne disposent plus de la protection d'un père, sont des cibles faciles pour les violeurs, parfois leurs employeurs : dès l'âge de dix à onze ans, sans doute dès qu'on les sait pubères (et bien que les viols de fillettes soient relativement rares [38], car l'enfance est sacrée) c'est le destin occasionnel de telle ou telle petite apprentie couturière ou brodeuse [39], ou de filles de ferme. Marie Ribon, orpheline de treize ans, se retrouve enceinte de son maître et Marion Lévesque, employée à laver les écuelles, est régulièrement violée dans la grange par son employeur, un laboureur de cinquante ans [40]. Aussi, placer une fillette comme servante de curé [41], comme telle « pauvre petite fille » de douze ans, à Montaillou, est sans doute la meilleure manière de la protéger contre les sévices ou le harcèlement éventuels d'un patron.

Le sort des apprentis dépend aussi de la nature de l'activité. Les métiers du textile ont une longue tradition de dureté d'emploi. En revanche, comme le fait très judicieusement remarquer Franco Franceschi [42], un « enfant de boutique » employé aux comptes et qui rentre chaque soir dans sa famille ne subit pas des conditions de vie aussi dures. A la fin du Moyen Age, les marchands ne souhaitent pas donner aux jeunes une éducation trop sévère : l'un deux, l'Italien Giovanni Rucellai, au XVe siècle, conseille justement de « laisser (les jeunes) sauter, jouer à la paume, à la balle [43] ». Benvenuto Cellini, qui en 1505 entre en apprentissage à quinze ans dans un atelier d'orfèvrerie, se souvient de ses premiers travaux non comme d'un calvaire mais comme d'un plaisir, se sentant le bienvenu dans un atelier dont le maître orfèvre, de surcroît, « avait un fils unique, enfant naturel, auquel il commandait maintes fois de m'aider ». Benvenuto, qui se souvient avoir été de « si bonne volonté » à son service, parle de cet orfèvre comme d'un « excellent homme de maître [44] ».

Les petits esclaves

Une dernière catégorie d'enfants est mise au travail loin de sa famille : les esclaves. Des pays lointains, parfois africains, plus souvent turcs ou slaves – d'où l'étymologie d'« esclave » – le marchand médiéval ramène volontiers dans sa cargaison des enfants, achetés à prix d'or, très demandés en Italie et en Sicile, et même en France du Sud [45]. Aux XIVe et XVe siècles, les esclaves blancs sont de loin majoritaires. L'Eglise autorise leur acquisition pourvu qu'ils soient infidèles – condition loin d'être systématiquement observée puisqu'on connaît aussi le cas d'esclaves dont les mères sont bonnes chrétiennes... Du moins ces derniers bénéficient-ils alors d'un statut particulier, comme ceux nés au nord de Corfou [46]. Outre des Maures ou des Turcs, plutôt achetés comme objets de luxe et de curiosité, ce sont des enfants tartares, tcherkesses, russes et des peuples du Caucase, parfois vendus par leurs propres parents, qui sont acheminés en Italie dans les ponts inférieurs des navires génois. Au XVe siècle, les Turcs vendent aux bourgeois italiens des esclaves serbes, bulgares, hongrois ou bosniaques. Pour se procurer de très jeunes femmes et des petites filles, qui sont une denrée particulièrement recherchée – jusqu'à 90 % des achats d'esclaves en Italie – les marchands n'hésitent pas à se fournir en d'autres lieux encore : des petites Albanaises ou Grecques, âgées de douze ans, sont vendues à Chio ; à la fin du XVe siècle, on acquiert des esclaves canariens [47]. Chaque année, à Gênes, ce sont plusieurs milliers de jeunes filles et de jeunes femmes orientales ou slaves qui débarquent pour être achetées par la bourgeoisie marchande italienne... C'est là une population non négligeable.

On achète volontiers des enfants jeunes, sans doute pour qu'ils s'habituent à vivre au sein de leur nouvelle famille et ne soient pas tentés de s'enfuir ou de se rebeller, tout en étant assez grands pour aider la maîtresse de maison au travail domestique. Ils ont parfois moins de douze ou treize ans. On connaît leur âge par les contrats d'achat ou de soin, car ils arrivent parfois en mauvaise santé. L'acquéreur engage alors un médecin pour les soigner : à Palerme, en 1323, Nicolaus, un enfant grec de Romanie âgé de douze ans, souffre d'une plaie infectée de la voûte plantaire ; un petit Silvester, âgé de neuf ans, est atteint d'énurésie. Ces soins ne sont pas uniquement donnés par grandeur d'âme : l'énurésie constitue un cas classique de rupture de contrat [48]. Margherita Datini, épouse d'un grand marchand et banquier, parle dans sa correspondance, de son « troupeau de jouvencelles », libres et esclaves, qui constitue sa domesticité et son époux en commande régulièrement de nouvelles à son associé :

> Je te prie, achète-moi une petite esclave, jeune et rustaude, qui ait de huit à dix ans, qui soit de bonne race et assez robuste pour supporter les gros travaux, de bonne santé et de bon caractère pour que je puisse la former à mon gré. Je ne l'emploierai qu'à laver la vaisselle et à porter le bois et le pain au four communal et autres travaux de ce genre [49]...

Comment vivent ces enfants déportés ? Même si inévitablement il a dû exister des cas de mauvais traitements, les petits esclaves semblent faire partie de la famille. On les soigne bien pour protéger une force de travail – et un investissement : l'enfant esclave n'est pas une acquisition bon marché; dans le premier tiers du XIVe siècle, en Italie, un petit Tartare est acheté à des marchands catalans le prix d'une mule, une petite fille de dix ou douze ans, acquise au marché de Venise, vaut 50 ducats [50]... Mais leur valeur marchande n'explique pas tout : les acheteurs prêtent attention à leur vêture et à leurs jeux et une « très grande indulgence » semble avoir été de mise envers eux [51]. Il n'empêche que leur famille d'accueil les fait travailler dur. Ils font le plus souvent fonction de domestiques, et ne reçoivent pas de salaire en échange de leurs bons et loyaux services, pas plus d'ailleurs que n'en recevaient bien des petites servantes libres qui étaient seulement logées, vêtues et nourries. En réalité, si leur statut juridique les met en marge de la société, leurs conditions de vie ne sont guère différentes de celles des petits employés de libre condition. Certains jeunes esclaves sont même particulièrement bien traités, notamment les bâtards du maître de maison; choyés, éduqués avec soin, ils reçoivent des cadeaux, ils apprennent la musique, on leur procure une maîtresse d'école, comme à Ginevra, fille bâtarde que le marchand Datini a eue d'une de ses esclaves. Lorsque Margherita, son épouse, évoque l'enfant, elle en parle comme de sa propre fille :

> ...C'est la meilleure enfant du monde... Ne t'inquiète pas pour Ginevra [qui a mal à la gorge]. Sois assuré que je la soigne comme si elle était à moi, et c'est ainsi que je la considère. Sa plaie à la tête n'est rien, mais je me tourmentais pour sa gorge.

La petite Ginevra est d'ailleurs demandée en mariage dès l'âge de neuf ans et elle reçoit en dot 1 000 florins, davantage que bien des filles légitimes de grands marchands! Cette pratique ne semble pas réservée aux filles : un jeune Maurizio, à Gênes, au XVe siècle, reçoit une dot de 1 000 lires [52]. Affranchis – mais seulement après la mort du maître – enrichis – les esclaves ou leurs descendants peuvent même accéder à la noblesse, à la mode italienne – on est loin encore des mauvais traitements réservés, aux temps modernes, aux esclaves africains. Mais il est vrai qu'on ne connaît bien que le cas de ceux qui ont réussi dans la vie.

Ainsi, libre ou esclave, l'enfant au travail est une réalité sociale indéniable. Il constitue à l'évidence une valeur d'appoint pour le monde du travail. Aux exceptions près – des exceptions trop nombreuses il est vrai – que constituent les violences exercées à leur égard par des maîtres abusifs, mais qui sont jugés pour cela, les enfants ne semblent pas maltraités et ne débutent pas trop jeunes dans la vie active. Il ne paraît pas que l'enfance médiévale soit exploitée comme elle l'a été au XIXe siècle. Rappelons pour mémoire qu'en France, la première loi sociale sur le travail des enfants, qui date de 1844 [53], met en lumière des conditions de vie nettement plus difficiles que celles du Moyen Age : désormais, les usines et les manufactures ne pourraient plus employer d'enfants *de moins de huit ans*, les horaires ne pourraient plus excéder huit heures quotidiennes entre huit et douze ans, et dix heures de douze à seize ans... Doutons que les enfants médiévaux aient autant souffert dans le monde du travail. Aujourd'hui, dans le monde, 73 millions d'enfants sont au travail, soit un enfant sur huit. Et ceux-là ne sont pas protégés par un contrat d'apprentissage, comme ils l'étaient au Moyen Age.

Les enfants de la rue

Cependant, tous les enfants ne sont pas encadrés. Si la maison constitue l'univers de la première enfance, c'est dans la rue que, dès l'âge de trois à quatre ans, s'exerce leur liberté d'action, parfois aux dépens de l'ordre public; on trouve, tant en Italie qu'en Angleterre, aux XIIIe et XIVe siècles, des mentions de jeunes « casseurs » qui s'attaquent aux édifices religieux, jetant « des pierres contre le baptistère ou la cathédrale pour abîmer les sculptures et les peintures », comme à Parme, ou de garçons qualifiés de « vauriens, insolents et oisifs » pour avoir lancé des pierres et des flèches sur les pigeons et corbeaux, joué au ballon dans l'église et sur le parvis, et cassé vitraux et statues, comme en 1385, à Saint-Paul de Londres [1]... C'est l'observation de ces bandes de jeunes qui a dû inciter les prédicateurs italiens de la fin du Moyen Age à rassembler les petits enfants pour en faire l'instrument de la moralisation des mœurs; au temps de Savonarole, ce sont eux qui, à coups de pierre, chassent les ribauds, traquent les prostituées, les joueurs de cartes ou de dés [2] ou même, à la grande horreur des adultes, s'acharnent sur les condamnés ou sur les corps des suppliciés [3]. En France, les prédicateurs chargent des bandes d'enfants de faire respecter la morale : on les voit courir après les femmes coquettes en criant « Au hennin ! Au hennin ! », les désignant ainsi à la vindicte de la foule [4]. Ils propagent également les chansons politiques, comme à Paris au temps des Armagnacs et des Bourguignons : « Duc de Bourgogne, Dieu te remaint [garde] à joie [5]... » Les enfants dans la rue jouent par conséquent un rôle social indéniable. Les enfants trouvés, abandonnés ou assistés accompagnent les convois mortuaires. Les autres sont embrigadés dans les processions religieuses, les charivaris, les jeux de la Saint-Jean, les danses de mai ou de Noël aux côtés des adultes. Au temps de pénitence, avant Pâques, lorsque les cloches se taisent, c'est aux enfants qu'on demande d'actionner, à la messe et dans la rue, les contre-cloches et martelets de bois. Aux grandes fêtes de l'année, ils quémandent de porte en porte, parfois agressivement, victuailles ou argent, notamment le jour de l'« aguillaneuf » (au gui l'an neuf). A Pâques, devant les adultes, ils jouent à la course aux volailles et à la roulée des œufs, jeux d'où ne sont pas absentes les réminiscences religieuses : l'œuf est celui de Pâques, la poule qu'on attrape et qu'on martyrise symbolise la mise à mort du Christ par les juifs.

En ville comme à la campagne, les garçons au-delà de sept ans passent souvent, semble-t-il, plusieurs heures par jour en balade hors de la maison et les parents ne s'inquiètent pas de leur absence avant l'heure du repas. Le poète Froissart se souvient de ses échappées belles et de leurs fâcheuses conséquences : « Il suffisait que je voie mes compagnons passer devant chez moi, et j'avais tôt fait de trouver un prétexte pour m'en aller m'amuser avec eux. » Une punition s'ensuit. Mais si le petit Jean est battu, ce n'est pas pour avoir quitté le foyer sans autorisation, c'est pour ses vêtements déchirés :

> Je me battais avec les autres enfants,
> J'étais battu et je battais,
> Et j'étais si enragé alors

Que souvent je rentrais chez moi
Avec mes vêtements déchirés.
Alors on me grondait
Et souvent on me battait, mais
A coup sûr cela ne servait à rien
Car je ne me modérais pas pour autant [6].

Bien que vivant dans un monde rude, les enfants ne sont donc pas privés de liberté, ni de plaisirs, malgré l'obligation d'aide ménagère aux parents ; ils mènent une vraie vie d'enfant. Les garçons se promènent partout : tout petits, lorsque la mère traie les brebis à la porte de la ferme, ils s'amusent dans la cour à traîner un chariot miniature à roulettes, en bois, un petit chat à leur côté, comme le montre joliment un manuscrit français du XVe siècle. En hiver, ils jouent aux boules de neige. En été, ils vont nager dans les rivières, et cueillent cerises ou baies rouges, dont les bergers et les enfants font leurs délices, comme nous l'apprend, au XIIIe siècle, l'encyclopédiste Barthélemy l'Anglais. Les enfants de Domrémy vont à l'arbre des Dames, tressent des guirlandes qu'ils offrent à l'image de la Vierge qui y est accrochée ; ils chantent et dansent autour du hêtre. La part de liberté des fils et filles de ruraux doit être grande dans la vie quotidienne, malgré l'aide obligatoire aux parents. Ainsi, à son procès, d'aucuns témoignent que Jeanne d'Arc se rendait souvent à l'église alors que ses parents la croyaient « à la charrue, aux champs ou ailleurs ». Cependant, « elle ne traînait pas par les rues », comme le dit de manière révélatrice un témoin [7]...

Les accidents

On a du mal à comprendre aujourd'hui cette liberté enfantine, pourtant si dangereuse, dans une société qui par ailleurs a protégé l'enfance et prôné par le biais des juristes, du moins, une surveillance attentive des enfants jusqu'à l'âge de raison au moins voire jusqu'à dix ans. Mais il est, déjà, difficile aux mères de concilier travail salarié – ou agricole – et famille. C'est peut-être aussi aux exigences d'une éducation à la dure, fondée sur l'expérience acquise par plaies et bosses, qu'il faut imputer ce comportement familial. La surprotection cesse à l'évidence après les premières années, du moins pour les garçons, car les fillettes, occupées aux taches domestiques, restent davantage à l'intérieur de la maison. En vérité, ce sont surtout les animaux qui représentent un danger pour ces enfants qui jouent tous les jours dans la rue. Les adultes en sont conscients : un formulaire de baptême anglais du XIVe siècle souhaite « que cet enfant soit protégé de l'eau, du feu, du pied des chevaux, et de la dent du chien [8] ». Le pourceau enfui de son enclos et qui croque le marmot, l'âne qui lance un coup de pied mortel, tous ces animaux, et leurs maîtres sont souvent jugés et condamnés, le maître à une amende, l'animal à être exécuté, pour avoir tué ou blessé un enfant : aux XIVe et XVe siècles, les minutes des procès et les comptes évoquent ainsi les frais d'exécution qui d'un âne, qui de trois petits cochons coupables de tels crimes... Les sources judiciaires et les recueils de miracles démontrent que les rues des grandes villes sont tout aussi dangereuses qu'aujourd'hui et que bien des accidents surviennent aux enfants : ceux de Londres se hissent sur les piles de troncs d'arbre entassés en attendant les charpentiers, jouent les acrobates sur le grand pont – et en meurent [9]. Les fillettes jouent à puiser l'eau dans la rivière ou le ruisseau qui traverse leur ville ou leur village – et y tombent. La ville n'est pas sûre : le puits, la cave, sont les principaux lieux à haut risque. L'enfant peut glisser sous les roues d'un chariot. Les maisons urbaines, à plusieurs étages, sont potentiellement dangereuses : les enfants s'amusent sur les balcons de bois, comme en Italie, et tombent de haut. Même ceux qui patientent sagement assis sur le seuil de leur porte ne sont pas à l'abri d'un coup de sabot ou d'un étranger malveillant. A la campagne, les foyers ouverts suscitent des brûlures souvent graves, la rivière et l'étang des noyades, sans doute l'accident le plus courant pour les enfants avec les chutes. Comme aujourd'hui, les parents ne parviennent pas à surveiller sans relâche une famille nombreuse. L'accident ne signifie pas pour autant la démission devant l'éducation.

Une autre catégorie d'enfants, bien différente et livrée à elle-même, vit à la rue. Malgré les associations de bienfaisance, essentiellement urbaines, il existe des enfants en marge de la société médiévale : la pauvreté s'accroît aux XIVe et XVe siècles; pour prendre un exemple sans doute généralisable, il existe alors à Lyon 40 % d'habitants en situation de précarité et 10 % de pauvres ne vivant que d'aumônes. En 1420, le bourgeois de Paris se désole de voir les mères de famille, « pauvres créatures », faire la queue à l'huis des boulangers tandis que leurs enfants meurent de faim dans les maisons. Parmi ces pauvres, une frange tombe dans le vagabondage et la mendicité. Pour survivre, leurs enfants se comportent en prédateurs. C'est tout le problème, déjà, de l'enfance délinquante.

Les petits voleurs

Voler est une autre façon de gagner de l'argent. Pas la plus facile cependant. Les marchands à qui l'on tente de dérober quelque chose ont la main leste : en 1324, un enfant anglais de cinq ans, pris à voler de la laine en la cachant dans son chapeau, meurt d'une claque trop violemment appliquée par une marchande en colère [10]. Les autorités ne manquent pas d'arrêter les petits voleurs reconnus. Que leur arrive-t-il alors ? Aux XIVe et XVe siècles, ils sont mis en prison et fouettés, à l'exemple de trois « jeunes enfants » de Châlon qui avaient volé de l'argent [11], ou d'un petit « coupeur de bourses » de neuf ans, exerçant ses talents aux halles de Paris : c'est le vol à la tire, une spécialité de petits garçons aux gestes prompts et à la course rapide ; d'autres sont spécialisés dans le dépouillement des troncs à la glu [12]. La réaction de la société à ces petits délits n'est en général pas excessive. Au XIIIe siècle, le juriste Philippe de Beaumanoir conseille de tenir compte à la fois de la nature du délit et de l'âge : « Quand un enfant qui est sous-âgé commet un crime, on doit regarder la manière du fait et la discrétion qu'il a selon son âge. » C'est la marchande qui punit le gamin au point de le blesser qu'on arrête et condamne, non l'enfant. Avant l'âge de sept, voire de dix ans, les enfants ne sont pas considérés comme responsables de leurs actes. D'aucuns, au XIIIe siècle, donnent même des conseils pédagogiques pour le cas où un enfant aurait dérobé un objet pour la première fois. Berthold de Ratisbonne préconise :

> Si un enfant apprend pour la première fois à voler, s'il prend ou dérobe quelque chose à un autre, corrige-le immédiatement avec une baguette et oblige-le à rapporter son larcin où il l'a pris, c'est la seule façon de l'empêcher de s'habituer à chaparder et à voler [13]...

Le premier vol, aux yeux des parents médiévaux, n'est donc pas une catastrophe. Sans doute les pédagogues lettrés se souviennent-ils des *Confessions* de saint

Augustin, qui a lui aussi volé des poires dans sa jeunesse, larcin commis de nuit et en compagnie d'une bande de jeunes galopins [14]... Les artistes en témoignent à leur manière, qui avec une certaine complaisance ont aimé illustrer la saison d'été du thème des garçonnets grimpant aux arbres pour voler des cerises au grand dépit des paysans. Cette relative équanimité ne se limite pas aux petits délits. Ainsi, on ne compte presque aucun enfant ou adolescent criminel dans le vaste corpus des demandes de grâce adressées au roi de France par les condamnés de droit commun. Les tribunaux sont indulgents envers la jeunesse ; pour les derniers siècles du Moyen Age, Claude Gauvard parle même d'une « totale et systématique clémence » des juges envers l'enfance [15]. Cet âge de la vie est toujours, sur le plan juridique, une circonstance atténuante.

Mendiants et guides d'aveugles

Plus délurés, certains jeunes s'appliquent très tôt à soutirer à moins de risque de l'argent en servant de guide aux aveugles et les accompagnant dans leur quête mendiante. Un « jeu » théâtral du XIIIe siècle, *Le garçon et l'aveugle*, met en scène l'un d'entre eux escroquant impunément le malheureux infirme, qui le prend pour valet, ce dernier s'engageant à le protéger des obstacles et à mendier pour lui à la porte des riches demeures. Ce « jeu » sans doute se fonde sur une réalité sociale, celle des jeunes sans famille, fugueurs peut-être, dégourdis sûrement, qui savent « si bien [faire] la grimace, le pauvre et le marmiteux Que ceux qui ne donneront quelque chose seront bien despiteux [16] ».

La réalité historique est plus rude. L'interrogatoire

d'un aveugle de l'hôpital des Quinze-Vingts, fondé à Paris au XIIIe siècle, évoque les malheurs du « petit garçon » qui l'aide dans sa mendicité. Le texte raconte comment l'enfant est maltraité par les passants, qui font tomber sa sébile en le frappant au bras ou la remplissent de boue, ne lui jettent au passage que des jetons de plomb, voire des cailloux, et vont jusqu'à lui dérober la pierre sur laquelle il s'assied pour mendier [17]. A la fin du Moyen Age, le sort du petit mendiant n'est pas rose face à une société qui ne respecte pas toujours, tant s'en faut, la charité chrétienne envers les pauvres de surcroît infirmes ou malades. De jeunes guides d'aveugles sont assez souvent mentionnés dans les recueils de miracles, mais il s'agit en général des fils ou filles des malades, les accompagnant de sanctuaire en sanctuaire au fil d'un interminable pèlerinage. Passer ainsi sa jeunesse sur les routes ne devait pas être exceptionnel. De jeunes aveugles, guidés par un chien dressé à tenir la sébile dans la gueule, sont aussi peints par les artistes dans les livres d'heures* à l'usage des laïcs. Il s'agit là d'inciter les nobles lecteurs de ces livres à la compassion et à l'aumône : la mendicité constitue en effet une manière de gagner, tant bien que mal, sa vie d'enfant. Dans les images médiévales, on observe que tous les mendiants chargés de famille mettent en avant leurs enfants : dans un monde où la méfiance est devenue de règle envers les pauvres, l'enfance, pure, innocente, malheureuse fait encore recette. Un enfant pauvre et infirme suscite doublement la pitié des passants : on estime en effet que la prière du pauvre et de l'enfant sont les plus efficaces qui soient, Dieu ayant pitié d'eux et les écoutant plus volontiers.

Les enfants martyrs

Les mendiants adultes ont fort bien compris cette situation nouvelle : des truands n'hésitent pas à « kidnapper » de très jeunes enfants pour les mutiler afin de les rendre plus pitoyables à la vue des passants. Le bourgeois de Paris, en 1440 et 1449, évoque ces « caimans, larrons et meurtriers » qui confessent avoir enlevé des enfants « en plein marché », et « à l'un avoir crevé les yeux, à autres avoir coupé les jambes, aux autres les pieds [18]... » Le médecin Barberino, en Toscane, mentionne aussi les mendiants qui volent les enfants pour les estropier. D'autres rapts ont pour but d'obtenir une rançon. En 1449, le bourgeois de Paris explique que les voleurs d'enfants choisissent des nouveau-nés non encore baptisés : les parents, persuadés que si leur enfant mourait avant baptême il serait à jamais privé du paradis, payent plus volontiers. Les voleurs d'enfants kidnappent aussi les gamins isolés qu'ils trouvent marchant « parmi les chemins aux villages ou ailleurs ». C'est la mésaventure que vécut réellement, à l'âge de dix ans environ, un Florentin du nom de Donato Velluti, dans la première moitié du XIVe siècle [19]. Trompé par un homme, enlevé par des rançonneurs, il n'est sauvé que grâce à la présence d'esprit d'un aubergiste qui reconnaît en lui un fils de bonne famille, s'étonne de le voir en compagnie de malandrins et appelle la garde. Sans doute est-ce de cette façon que les voleurs recrutent les jeunes destinés à être mutilés ou aveuglés pour attendrir les passants. Le rapt d'enfants est une des grandes terreurs médiévales. Des enlèvements d'enfants – une quarantaine à en croire son procès – sont aussi reprochés, à tort ou à raison, au fameux Gilles de Rais. Mais la finalité de l'acte était autre : elle visait la débauche.

Prostitution ou pédophilie

D'autres enfants sont particulièrement maltraités : les textes ne manquent pas qui nous décrivent leur sort ; ce sont ces petites prostituées employées à ce faire par leur mère, une parente, une voisine [20]. Elles ont parfois moins de dix ans, mais le maquerellage concerne davantage des filles de douze à quatorze ans [21]. Au XIIIe siècle, Berthold de Ratisbonne constate avec effarement l'existence d'enfants voleurs ou débauchés, « car il y en a beaucoup qui commencent de bonne heure. En vérité, on m'a parlé d'une gamine de huit ans qui aurait levé le pied avec un bonhomme [22] ». Une maquerelle accusée d'avoir prostitué sa jeune servante se défend en disant qu'avant l'âge de treize ans elle l'avait trouvée « mettant les doigts en sa nature... pour soy eslargir [23] » ; défense ambiguë, laissant entendre que la gamine était vicieuse et naturellement immorale. Mais, à l'origine de leur débauche, il y a surtout le viol, celui de l'employeur, d'un valet de ferme, comme celui du noble : au XVe siècle, un chevalier catalan passe en procès pour avoir violé des enfants. Après cet acte, déshonorées, les filles n'ont parfois plus d'autre recours que la maison publique. Elles sont en général servantes, orphelines et adolescentes : l'adolescence est un âge à haut risque, surtout lorsqu'elle se déroule sans protection familiale. On le sait pour les prostituées repenties d'Avignon : une sur trois a débuté dans le plus vieux métier du monde avant d'avoir fêté ses quinze ans [24]... S'il existe des mères maquerelles, en général leurs enfants échappent à la carrière : au XIVe siècle, les municipalités prennent en charge les enfants des « fillettes », si ces dernières n'ont pas de quoi les faire nourrir. Les garçons eux-mêmes n'échappent pas aux violences sexuelles, hélas intemporelles. Gilles de Rais est accusé de trop les apprécier – ils en meurent.

Petits martyrs, enfants de romanichels volontairement mutilés pour attendrir davantage les passants, prostituées à peine pubères... Tous ces cas sont la face cachée de l'enfance médiévale. On ne les montre pas dans les images : le phénomène a choqué. L'homme médiéval se dit horrifié par leur sort, comme le bourgeois de Paris, dans son journal. L'enfant malheureux attendrit et le truand en tire profit : paradoxalement, la maltraitance tire en partie son origine de la valeur accordée à l'enfance.

Le vagabondage en famille

A partir du XIVe siècle, la pauvreté s'installe dans les villes. Une population fragilisée par des salaires insuffisants passe le seuil de la pauvreté. On les appelle ces insolvables les « *nihil habens* » : ceux qui n'ont rien. Ils ne sont pas tous sans abri pour autant, et certaines familles connaissent des hauts et des bas ; leurs enfants ne deviennent pas tous des mendiants. Ceux qui ont perdu leur toit se font itinérants, voire pèlerins. Au XVe siècle, des familles entières prennent ainsi la route, trouvant chaque soir dans un nouveau lieu d'accueil, hôpital ou monastère. S'il est difficile d'estimer cette population sans abri, en revanche les images médiévales donnent quelques aperçus frappants de son mode de vie. Les mendiants affligés d'enfants en bas âge se fabriquent des porte-bébés de fortune en forme de hottes ou de sac à dos ; les enfants voyagent avec leurs parents, qui à pied, qui sur les épaules de leur père ou mère, suivant leur âge ; ils ne sont jamais isolés : ils demandent l'aumône en famille ; à en croire les images, ce procédé est hautement efficace : c'est toujours aux enfants que le premier pain ou la première pièce de l'aumône est donné. Malgré leur pauvreté, ces enfants-là ne souffrent sans doute que du froid et parfois de la faim, mais pas de l'abandon. Il en va de même, à la fin du Moyen Age, des petits pèlerins accompagnant leurs parents devenus gyrovagues quasi professionnels, parvenus à la limite de la mendicité : revêtus des insignes de leur vocation, les coquilles et le petit bourdon – leur bâton de marche – à l'imitation miniature de ceux de leurs parents, ils tendent la sébile avec succès à l'entrée des châteaux ou des demeures aisées urbaines : on enseigne en effet aux femmes nobles et aux bourgeoises des derniers siècles du Moyen Age à pratiquer systématiquement l'aumône, notamment au premier pauvre qu'on trouve sur son chemin, le matin en allant à la messe, surtout au pauvre père chargé d'enfants ou, comme l'explique Raymond Lulle, à « chaque femme pauvre tenant un pauvre enfant dans les bras », image vivante de la Vierge à l'Enfant.

Mais certains parents ne se résolvent pas à mendier. Les institutions charitables se sont donc chargées, au fil du Moyen Age, de leur procurer le minimum vital. Ainsi, à Florence, les *Buonomini*, les « bons hommes », apportent à domicile langes et maillots aux femmes pauvres qui viennent d'accoucher, mais aussi de la nourriture et peut-être surtout du réconfort moral. Ils procèdent également à des distributions de pain et de vin de même que de vêtements – le chapitre budgétaire sans doute le plus élevé de la vie quotidienne. Les pauvres, au premier rang desquels on voit toujours des enfants affamés, montrant les dents, comme dans les fresques de l'hôpital de la Scala, à Sienne, au XVe siècle, trouvent enfin dans les hôpitaux urbains des « donnes » de pain. Enfin, on le sait par les sources écrites, bien des parents abandonnent leur enfant, non seulement à la naissance, mais même à des âges variant entre cinq et huit ans. Ce qui n'a alors rien de choquant, à condition que ce soit fait pour cause de pauvreté, devant l'église ou auprès des hôpitaux. A Florence, c'est un des devoirs de l'hôpital des Innocents, que de recueillir les « enfants jetés » ou abandonnés. Les mêmes institutions font l'effort de placer les orphelins en apprentissage, de même que les abandonnés. Les fillettes sont ainsi placées, trois par trois, auprès de maîtresses qui leur enseignent le travail de la soie [25]. Enfin, toujours à Florence, comme dans de nombreuses autres villes, il existe une Caisse communale de dotation pour les jeunes filles pauvres.

Sans famille

Les enfants abandonnés trouvent un accueil bienveillant au sein d'hôpitaux spécialisés, qui constituent la forme de protection infantile la plus ancienne [26]. Pourtant, leur espérance de vie y est réduite ; près de 40 % meurent avant l'âge de six mois à un an, mais ce n'est pas en raison de mauvais traitements : ils résistent mal à leur transport précoce chez la nourrice dans des conditions climatiques difficiles, couchés à plusieurs dans un couffin accroché à un joug d'épaule, comme on le voit dans les images ; fragilisés par la vie communautaire, qui les rend davantage sensibles aux épidémies, ils souffrent aussi d'un sevrage précoce ou du changement de nourrice. A sept ans, ils reviennent à l'hôpital où ils reçoivent, outre les soins médicaux indispensables, la nourriture et des vêtements, une éducation religieuse et scolaire puis professionnelle, pour être enfin dotés et mariés. Si les premiers hôpitaux pour enfants trouvés, fondés dès le VIIIe siècle, sont assez peu nombreux, ils se multiplient aux XIIe et XIIIe siècles, principalement sous l'égide de l'ordre du Saint-Esprit qui se dévoue à leur survie : on en compte partout en France, en Italie, en Allemagne, en Pologne. A la fin du Moyen Age, les municipalités se joignent aux efforts des institutions charitables pour accueillir les petits abandonnés dont le nombre s'accroît non seulement en relation avec les malheurs du temps, mais aussi avec l'amélioration des conditions d'accueil : la tentation pour les parents en difficulté de se séparer un peu vite de leur progéniture devient trop forte. Pour éviter un accroissement des abandons, les statuts des établissements prévoient qu'on ne doit pas recueillir tous les enfants « jetés », comme l'on disait en Italie. La situation empire encore lors des grandes catastrophes, pestes, épidémies, ou famines qui livrent à la rue des hordes de gamins abandonnés ou, plus souvent, laissés sans ressources à la suite du décès des parents. Au XVe siècle, le bourgeois de Paris se lamente :

> Et sur les fumiers parmi Paris, pussiez vous trouver ci dix, vingt ou trente enfants, fils et filles, qui là mouraient de faim ou de froid et n'était si dur cœur qui par nuit les ouît crier « Hélas je meurs de faim ! », qui grande pitié n'en eût [27]...

Sporadiquement, la société urbaine expérimente aussi, à la même période, le retrait des enfants aux parents mendiants, accompagné d'un placement d'office, comme à Reims, en 1454 [28]. A l'aube des Temps modernes, à Strasbourg, on tente de séparer les enfants mendiants de leurs parents pour les mettre en apprentissage, afin de rompre le cercle vicieux de la pauvreté. Les motivations de cet interventionnisme communal partaient vraisemblablement d'un bon sentiment, mais les enfants perdaient de ce fait leur famille légitime, auprès de laquelle ils n'étaient pas forcément malheureux ; le système achoppa au demeurant sur le fait que l'apprentissage exige, pour être opérationnel, une autorité de tutelle capable de payer pour l'éducation professionnelle de ces enfants ; mais nul ne voulut s'en charger [29]... Ces enfants perdus sont une minorité. Toute différente est la situation d'une autre minorité, celle des privilégiés, les enfants au château.

L'enfant au château

C'est sans doute l'enfance noble qui est la mieux connue : les sources émanent majoritairement de cette catégorie sociale. Comme chez les paysans, la famille nombreuse est de règle. Il est cependant difficile d'estimer la population enfantine vivant au château. Même si la noblesse ne représente alors qu'une petite fraction de la population, cependant le nombre des châteaux construits entre le XIIe et le XVe siècle est fort grand : les ruines nous conservent aujourd'hui le souvenir d'au moins trente mille d'entre eux... Nombre d'enfants y ont par conséquent vécu, même s'il faut soustraire à ce compte ceux qui, pour leur rang de naissance dans la fratrie, étaient confiés aux monastères. En outre, les jeunes nobles ne sont pas seuls à demeurer au château. Comme en ville, des apprentis sont là pour apprendre un métier voire espérer faire carrière à l'écurie, à la cave ou à la cuisine. Les enfants des artisans qui travaillent sur place, pour le compte du seigneur, se mêlent à l'évidence à ceux des nobles et renoncent parfois au métier manuel de leur père pour devenir, comme Bernard de Ventadour, au XIIe siècle, le fils du fournier du château de ce lieu, un troubadour célèbre. Le château est un véritable *melting pot*, où nobles et ignobles cohabitent et où les fils et filles du seigneur peuvent utilement apprendre à se comporter envers les représentants des autres catégories sociales.

Les enfants de cuisine

Un château constitue en effet une communauté d'habitants d'origines très diverses et de tous âges. De longue date, il a attiré les métiers : forgeron pour réparer l'armement et ferrer les chevaux, servantes pour entretenir les lieux, blanchir le linge, coudre les vêtements, et nourrir maîtres et serviteurs. Ce dernier chapitre budgétaire exige l'engagement d'un personnel parfois nombreux, comprenant des jeunes garçons. Les textes les appellent des « enfants de cuisine » ou même des « galopins ». Ils ont pour fonction de vider les poissons et les volailles, de les plumer et de tourner la broche, activité fatigante voire douloureuse : les enluminures nous montrent ces enfants grimacer en détournant le visage, se protéger la figure d'une main ou, si le chef cuisinier est aimable, d'un tranchoir de bois qu'il leur a prêté pour faire fonction de pare-feu. Ils rendent en cuisine de « menus services », comme disent les textes médiévaux, qui ne sont sans doute pas si menus que cela : le terme signifie simplement qu'il ne s'agit pas de tâches de responsabilité. Les enfants de cuisine sont également chargés de balayer les détritus et leur longue journée de travail ne les empêche pas d'être aussi turbulents que tout autre enfant de leur âge. Ils se disputent, se chamaillent, et le cuisinier, assis en chaire comme un maître d'école, est obligé de les chasser [1]. « Le queux, nous dit un texte ancien, doit avoir en sa main une grande louche de bois [...] pour chasser les enfants hors de la cuisine pour faire leur devoir, et férir dessus si besoin est. »

Même au chapitre des divertissements, l'on retrouve au travail les plus jeunes habitants du château. Des enfants peuvent être engagés comme musiciens, comme on le voit dans les comptes princiers : sont à l'occasion payées, comme dans ceux du roi René d'Anjou, en décembre 1479, « cinq petites filles qui sont venues chanter Noël [2]... » Des enfants font également fonction d' « acteurs », lors des grands « entremets » joués des festins des grands nobles. Jehan Chiquart, le cuisinier des ducs de Savoie au XVe siècle, signale dans son livre de cuisine un de ces divertissements à mi-repas, où interviennent les enfants : des petits musiciens, installés dans un château en miniature, sont ainsi présentés dans la salle du repas pour distraire les nobles convives. Ces enfants ne sont pas forcément de basse extraction : il faut déjà qu'ils aient appris la musique ! Dans les marges des livres d'heures des femmes de la noblesse, au XVe siècle, on voit aussi s'ébattre des enfants déguisés en « fol », toutes sonnettes grelottantes, sans doute pour illustrer le proverbe médiéval : « de fol et d'enfant, méfier se doit-l'en »...

Galopins d'écurie et petits pages

Sont-ce les mêmes enfants de cuisine qui s'occupent des chevaux ? Le terme de « galopin », qui désigne les premiers, pourrait le laisser entendre : dans l'iconographie des mages, Galopin est en effet le nom de l'écuyer. Quoi qu'il en soit, le soin des chevaux est une des tâches des enfants du château : les galopins nettoient l'écurie, les pages s'occupent de l'animal. Dans un manuscrit allemand du XIVe siècle, c'est un bel enfant blond en robe longue, signe de son jeune âge, qui tient par la bride le cheval de son seigneur, et se plaît à caresser le chanfrein du noble animal, pour l'apaiser lorsqu'il piaffe. Au tournoi comme à la guerre, le page a la responsabilité du cheval, voire de son maître lui-même : à la fin du XVe siècle, lorsque les chevaliers en tournoi sont vêtus d'armures si lourdes et hermétiques qu'ils ont du mal à voir où diriger leur monture, ce sont les plus âgés des pages, les écuyers, qui tirent l'animal au galop par la bride pour le forcer à affronter l'adversaire...

Devenir un excellent cavalier est aussi essentiel qu'être bon conducteur aujourd'hui. Plus encore peut-être : lors des affrontements militaires, l'excellence de la monte est un des facteurs de survie ; aussi entraîne-t-on les pages à l'équitation, non seulement par la chasse, mais encore par de véritables courses équestres, dont les premières mentions remontent au XIe siècle, en Bretagne. Les pages en sont les jockeys, sur lesquels, à la fin du XVe siècle, les seigneurs n'hésitent pas à parier de l'argent ; Philippe de Vigneulles évoque plaisamment cette scène, qu'il a personnellement observée dans sa ville de Metz [3] :

> Le jour de la Saint-Clément, le duc de Siffort entreprit de faire une nouvelle fois courir ses chevaux, par un page contre le seigneur Nicolle Dex (qui déjà l'année auparavant, le même jour avait couru) ; et vallait cette course la somme de XXI écus au soleil. Mais, par male fortune, le page du duc se laissait cheoir à terre...

Les valets de chien

Au chenil, d'autres enfants font leur apprentissage comme « valets de chien ». C'est là une occupation réservée de longue date à la jeunesse : aux temps carolingiens, on considère l'adolescent comme un « bachelier » accompli – le terme perdure aujourd'hui mais pour sanctionner la fin des études secondaires ! – lorsqu'il sait servir la curée. La tâche du jeune garçon, qu'on observe parfois occupé à ce travail dans les enluminures ou les tapisseries, est précisément décrite par le maître en vénerie du XIVe siècle, Gaston Phébus, pour qui il faut

> ...en premier lieu [...] lui apprendre et donner par écrit tous les noms des chiens et lices du chenil, jusqu'à ce que l'enfant les connaisse de poil et de nom ; après je veux lui apprendre à nettoyer chaque matin le chenil de toutes ordures ; après je veux lui apprendre à mettre de l'eau fraîche deux fois par jour, matin et soir, dans le vase où les chiens boiront [...]. Après je veux lui apprendre à remuer la litière où les chiens gisent, tous les trois jours, en la mettant sans dessus dessous ; après je veux lui apprendre à vider et bien nettoyer une fois par semaine le chenil et sa litière et à remettre une litière neuve, propre et blanche, abondante et bien épaisse [4]...

Cet apprentissage à plusieurs vitesses, qui commence par des leçons, concerne des petits garçons. Selon Gaston Phébus, il s'agit d'engager dès l'âge de raison un enfant qu'il faut placer sous la férule d'un « bon maître » ayant l'amour et le goût des chiens – et des enfants, espère-t-on... même s'il doit aussi « pour l'instruire, le battre quand il n'obéira pas afin qu'il hésite à faillir » :

> Que tu sois grand seigneur ou petit, si tu veux faire instruire un homme pour qu'il devienne bon veneur, choisis d'abord un enfant de sept ans tout au plus et, comme bien des gens me pourraient blâmer de mettre au travail des chiens un enfant si jeune, je leur réponds que les qualités naturelles s'altèrent et diminuent avec le temps ; car on n'ignore pas qu'un enfant d'aujourd'hui sait plus de ce qui lui plaît, ou dont on l'instruit, dès l'âge de sept ans, qu'il n'en savait de mon temps à l'âge de douze ans. C'est pourquoi je veux le mettre si jeune à l'ouvrage, car un métier requiert toute la vie d'un homme avant qu'il y soit parfait ; c'est pourquoi l'on dit : « ce qu'on apprend dans sa jeunesse, on le retient dans sa vieillesse [5].

Ainsi, la prime jeunesse est en général considérée comme un empêchement raisonnable au travail des enfants et l'auteur du *Livre de la chasse* se place ici en porte-à-faux par rapport à ses contemporains, qui le « pourraient blâmer de mettre au travail des chiens un enfant si jeune », selon ses propres paroles. Philippe de Novare, à la fin du XIIIe siècle, conseille en effet aux parents de ne pas mettre avant l'âge de douze ans les enfants au travail ni même « aux œuvres de chevalerie ». Mais cet âge de sept ans, qu'on disait « de raison », n'a rien d'impossible. C'est aussi celui à partir duquel les jeunes nobles eux-mêmes, encore tout jeunes (« babees », comme dit un livre de contenances anglais composé vers 1475 et qui leur est destiné) doivent quitter leur famille pour aller au loin apprendre le service courtois et militaire. Car, selon le pédagogue, « de tous les métiers dont il convient le plus de hâter le commencement en enfance, ce sont les deux plus élevés et les plus honorables à Dieu et au siècle : à savoir clergie et chevalerie ».

La bande des jeunes nobles

Dans les murs du château, les enfants de la noblesse sont cependant les plus nombreux : ce sont les fils du seigneur, et les jeunes invités dont l'éducation, pour quelques années, est prise en charge par ce dernier. En effet, le château d'un grand noble est souvent envahi par les pages, qui viennent accomplir leur apprentissage de chevalerie. C'est vers onze ou douze ans que Guillaume le Maréchal quitte, vers 1115, la maison familiale pour devenir « *puer* » chez son oncle. Accueillis par ce dernier, souvent choisis dans la branche maternelle, ou par un seigneur ami du père et de préférence plus puissant que lui, ces jeunes nobles assument de multiples tâches. Entre sept et dix ans, ils se forment par l'observation des gestes et des mœurs, apprennent les « contenances », notamment celles de la table. Vers dix ans ils partent s'exercer dans un autre château. A l'âge de seize ou dix-sept ans, ils deviennent écuyers. Ils atteignent alors le sommet de leur carrière : à la fin du Moyen Age, très peu d'entre eux sont finalement armés chevaliers. Leur vie quotidienne est fatigante, mais agréable. Ceux d'entre eux qui résident dans les demeures les plus nobles portent les brillantes livrées « mi-parties* » de leur seigneur et créent au château une animation juvénile bien venue. Ils apprennent à jouer de la trompe. Ils jouent et s'exercent dans la cour ; leur jeunesse ne leur est pas volée même s'ils n'habitent plus au foyer familial et si des corvées leur incombent aussi : porter l'épée ou le casque de leur seigneur, entretenir les armes, tenir son cheval par la bride et le panser, demeurer debout immobile en observateur lors des séances de basse justice ou de conseil... Adolescents, ils sont aussi au service de la dame. A la fin du Moyen Age, on les voit, dans les enluminures ou les tapisseries, occupés à divers petits services : actionner les soufflets de l'orgue de l'épouse du seigneur, soulever sa courte traîne pour qu'elle ne se salisse pas au contact du sol ; la dame semble en effet prendre plaisir à sortir en ville entourée d'enfants pages, ou à se rendre à la messe avec quelque petite suivante qui porte ses chapelet et livre d'heures, ou le panier d'osier contenant les menues courses effectuées dans les boutiques de la ville.

L'entraînement militaire

Mais ce sont là occupations de pages de châteaux urbains et de Moyen Age tardif, période où l'art de vivre tend à prendre le pas sur l'art de la guerre. Une partie de la « journée de travail » du futur chevalier se déroule plus activement, dehors, à la fois par goût et par obligation. Par goût : comme on le voit dans le *Roman de Silence*, qui met en scène, au XIIIe siècle, une petite fille déguisée en garçon depuis son plus jeune âge, l'enfant mâle aime à s' « exposer au vent et au soleil ... se promener dans la forêt, lancer des traits, tirer des flèches, chasser à l'arc... [6] » Dans le roman des *Enfances Vivien*, le jeune héros a huit ans lorsqu'il réclame un cheval et des chiens. Au XIVe siècle, Jean de Berry n'a pas douze ans lorsqu'on lui offre l'équipement vestimentaire complet pour lui permettre de se livrer à ce plaisir. La chasse, notamment au faucon, n'est pas réservée aux garçons ; les enfants des deux sexes ont cet animal pour compagnon favori, apprennent à le nourrir et porter au poing ; le lien qui unit l'homme ou l'enfant au faucon est si fort qu'en Forez, aux XIVe et XVe siècles, on donne le prénom de Faucon aux garçons... comme aux filles – en le féminisant ! Par obligation : il s'agit aussi d'entraîner physiquement les enfants et les adolescents ; la formation militaire du jeune Tristan, au XIIe siècle, consiste à apprendre « à être très adroit de ses mains et de ses jambes : à lancer des pierres, à courir et à sauter, à lutter avec habileté, à lancer le javelot avec force, comme un vaillant guerrier ». On leur demande d'acquérir l'adresse par la chasse, la force et l'endurance par le port de petites armures, à l'évidence destinées à des enfants de moins de dix ans. L'une d'elles est encore conservée, celle du futur Charles VI : elle ne mesure que soixante-dix centimètres de haut. Des exercices physiques variés sont jugés bons pour la santé – la sueur, dit Raymond Lulle, évacue les « mauvaises humeurs » des enfants – et conformes au rôle auquel sont appelés les jeunes nobles : l'exercice, selon Gilles de Rome, « renforce », « endurcit » et assouplit les membres ; il empêche le corps de devenir « pesant » et paresseux. A l'évidence, le prototype du petit garçon gras et pataud n'est pas un modèle pour la noblesse médiévale, qui rêve de gamins vifs et combatifs pour ne pas dire agressifs. A cette fin, les enfants du château sont mis en compétition et les adultes observent leurs progrès avec attention.

Au programme des exercices physiques, on compte des promenades à pied, la course, la lutte, le lancer du poids – de simples pierres – et du javelot, l'art du combat au corps à corps. On entraîne les jeunes à l'escrime, d'abord à l'aide d'épées de bois, enfin à l'aide de spécimens en réduction d'épée de métal ; ces deux sortes d'armement juvénile ont été découverts par les fouilles. Le tir à l'arc est une discipline essentielle de l'éducation noble. Il est précocement appris, par des garçons de six à huit ans. Il ne manque pas de textes qui mentionnent les petits arcs dont se servent les enfants pour tirer les oiseaux, soit chez les tout-petits à l'aide de noyaux de cerises, soit chez les plus grands avec des flèches de bois ; mais à dix ans un enfant peut utiliser une flèche meurtrière [7]. Plusieurs enluminures figurent cet exercice à la fois sportif et militaire accompli par des adolescents. Ces derniers s'exercent, dans le jardin du château, sous le regard critique des hommes mûrs ; une cible de bois montée contre une large butte de terre ou de paille évite les risques d'accidents dus aux flèches perdues. Il existe peut-être même, si l'on en croit les fouilles de Charavines, dans l'Isère du XIe siècle, des arbalètes pour enfants : on en voit en tout cas un exemple, au XVIe siècle, dans une gravure flamande de Stradanus. A l'adolescence, puis dans les premières années de l'âge adulte, cet entraînement persiste ; il est même l'apanage de la jeunesse dans les cités italiennes [8].

La gymnastique semble avoir été très pratiquée par les jeunes garçons nobles. Ils s'entraînent à faire le poirier, à se contorsionner pour apprendre à se débarrasser des liens qui leur ligotent les poignets dans le dos, pour le cas sans doute où ils seraient un jour faits prisonniers. Ils apprennent aussi à supporter le froid et la douleur, et nombre de jeux de garçons consistent à se frapper, qui sur le nez – c'est la nasarde – qui sur le séant à l'aide d'une pelle de fer ! C'est en effet tout un entraînement à l'endurcissement du corps que, même à la fin du XVe siècle, les pédagogues recommandent à la jeunesse noble. Raymond Lulle et Gilles de Rome, au XIIIe siècle, conseillent aux parents de ne pas trop vêtir les enfants en hiver pour les aguerrir. Au XVe siècle, Jean de Bueil, l'auteur du *Jouvencel* [9], un roman didactique destiné, comme son titre l'indique, aux jeunes nobles, rappelle qu'il faut « fuir les aises du corps, comme trop boire, trop manger et trop dormir ». Il propose au futur chevalier de jeûner, de « porter le harnoys nuit et jour », de s'entraîner à dormir par terre et sans chauffage, comme il lui faudra le faire en campagne. Il exalte la ruse guerrière et la science du camouflage, dignes des Sioux : le jeune doit apprendre à ramper sur le ventre pour se cacher, essuyer ses traces au sol, couvrir de terre ou de cire les barrières des voisins sciées à l'avance, « garder ses chevaux de crier », attaquer à la nuit tombée afin que les « fourragiers » ne vous entendent pas, couvrir de feuillages les « salades (casques) afin qu'elles ne reluisent point » et ne permettent pas à l'ennemi de vous découvrir trop vite. Le courage lui-même, qui n'a rien de naturel, doit être soigneusement entraîné : apprendre à garder son sang-froid, faire honte aux lâches, aux paresseux, font partie de l'éducation.

L'équitation

Le cheval est une arme vivante, a-t-on pu dire. Telle est sans doute la manière dont on le présente à l'enfant. Apprendre à monter à cheval est alors une nécessité vitale et cet enseignement débute assez tôt, comme pour le jeune Tristan qui, au XIIe siècle, quitte sa nourrice le jour où il peut monter à cheval ; on voit, dans les enluminures, des enfants dont les pieds dépassent à peine la selle. Les adages confirmant cet apprentissage précoce ne manquent pas : « jamais ne montera bien celui qui n'a pas appris jeune », dit, au XIIIe siècle, le pédagogue Philippe de Novare. Ou encore « Qui sans monter à cheval est, jusqu'à douze ans, resté à l'école, n'est plus bon qu'à faire un clerc... » Les conseils donnés dans les livres d'éducation expliquent comment on accoutume jeunes enfants et poulains l'un à l'autre : le poulain soigneusement entravé dans sa stalle, l'enfant se juche sur son dos, immobile, lui parle et l'apaise par des caresses, jusqu'à ce que l'animal s'habitue à son poids et à sa présence. Ensuite on apprend l'équitation à proprement parler. Les images nous montrent comment, pour aller à la chasse, l'enfant trop jeune monte en croupe derrière le père, agrippé au haut troussequin de la selle, tandis que le frère aîné parade à cheval sur un joli poulain au harnais orné de grelots. A l'adolescence, on pratique la monte à cru dans la cour du château. Enfin, on s'exerce à diriger le cheval d'une seule main, la seconde servant à porter le faucon, le bouclier ou la lance. Mais on n'apprend pas tout de suite à jouter à cheval : pour plus de sécurité, cet exercice s'accomplit d'abord à pied seulement. Les garçons se courent sus une lance de fortune à la main, en canne ou en tige de millet, ou visent une cible plantée sur un poteau; ils pratiquent ensuite le cheval d'arçon à roulettes, que des condisciples tirent en courant vers la cible, un fer à cheval accroché à un bras pivotant, à l'autre extrémité duquel pend un sac de son ou de sable destiné à les frapper durement dans le dos s'ils ne vont pas assez vite. Ce n'est que lorsque les jeunes maîtrisent à la fois la science de l'équitation et l'art de la visée qu'ils associent les deux activités.

Du jeu à la guerre

Avec l'adolescence, la formation militaire se durcit. Les pédagogues conseillent aux parents d'« appliquer leurs enfants à la guerre » en les confiant aux mains du capitaine du château, « sans leur bailler estat ni serviteur ». Il leur faut apprendre à obéir et à tout faire soi-même; sans doute cet apprentissage à la dure constitue-t-il une rupture profonde avec le confort du château familial. En outre, une part du travail militaire revient aux jeunes, qui n'est pas, et de loin, la plus gratifiante. Ainsi, le guet est volontiers confié à des « jeunes enfants », qui s'en acquittent parfois peu sérieusement [10]; le terme est trompeur : en réalité, le service du guet est exigé à l'âge minimum de quatorze ans. Au XVe siècle, le *Jouvencel* explique que c'est aux pages (mais aussi aux femmes et aux chiens) qu'on confie la tâche d'aller voir dans les fossés à sec si aucun ennemi ne s'y dissimule. On voit enfin dans les sources judiciaires que d'autres « jeunes enfants » peuvent être engagés comme espions : c'est le cas en 1432, à Châlon; lorsqu'ils sont surpris, on se contente de les fouetter de verges et de les chasser (alors que leurs homologues adultes sont pendus) sachant bien qu'ils ne sont pas responsables de leurs actes en temps de guerre comme de paix.

Dans la haute noblesse, l'enfant peut être initié très jeune aux choses de la guerre. Au XIIe siècle, la vie de Guillaume le Maréchal nous rappelle qu'un tout petit garçon noble fait à l'occasion un bon otage, remis par son propre père à un roi ennemi [11]. Même si l'innocence de l'enfance désarme presque toujours le guerrier, et si en l'occurrence celui-ci emmène l'enfant sous sa tente pour jouer avec lui à des jeux d'adresse à l'aide de brins d'herbe, le *stress* – ou la fierté – du souvenir suit sans doute longtemps le petit otage, que l'on avait aussi fait mine de mener à la potence et même de transformer en projectile de catapulte ! On souhaite surtout que l'adolescent soit mis réellement à l'épreuve, même en temps de paix. La chasse n'est que le premier exercice destiné à entraîner l'enfant. Il lui faut ensuite mettre en vigueur tout ce qu'on lui a enseigné. Comme première expérience sur le terrain, au XIIe siècle, le père du futur saint Hugues de Grenoble oblige son fils, pour l'aguerrir, à aller piller les domaines des alentours. C'est sans doute là une pratique nobiliaire assez courante, qu'évoque également le *Jouvencel :* on envoie l'adolescent ni plus ni moins voler le bétail du voisin ! Le but de l'opération est d'habituer le jeune aux déplacements nocturnes, furtifs et silencieux. S'il parvient à surprendre le guet de l'adversaire – un adversaire qui n'en peut mais – sans se faire prendre, il est en quelque sorte déclaré bon pour le service. C'est ainsi que le jouvencel se voit chargé de dérober les chèvres du château voisin et qu'il n'hésite pas à voler la lessive du capitaine du lieu, dont il fait incontinent le rembourrage de son « jacque », le court pourpoint des militaires. Il vole ensuite les chevaux, puis la vache du capitaine, mais la lui rend tout de même, à sa demande, car elle servait à nourrir son enfant de son lait. Tout cela semble admis voire encouragé par l'entourage comme par les victimes, consentantes, et paraît aujourd'hui bien mesquin mais « celui qui veut parvenir à bonne fin, ne doit pas au commencement trop entreprendre », conclut proverbialement l'auteur du *Jouvencel*. Ces « premières victoires » du futur chevalier constituent en réalité le début d'une carrière qu'il lui faudra confirmer avec joutes et tournoi, et couronner un 1er mai – mois de la jeunesse et de la chevalerie – par l'adoubement, encore très présent dans la vie noble au XIIIe siècle mais qui tend par la suite à disparaître des mœurs, ou à intervenir à l'âge adulte seulement, à vingt-et-un ans, comme dans les milieux royaux. Aux XIVe et XVe siècles, les plus grands nobles ne sont plus automatiquement adoubés, cependant que des enfants de quatre ans, tel Philippe de Bourgogne, peuvent l'être et que Jean de Berry, au milieu du XIVe siècle, faillit l'être à onze ans.

La vie quotidienne au château

Vivre au château ne signifie pas pour autant vivre dans le confort : la majorité des châteaux n'est guère confortable. Dans les résidences royales, en revanche, la vie est, pour un enfant comme le futur duc de Berry [12], d'un luxe inouï. Deux fois par an, à Toussaint et à Pâques, la décoration de la chambre est renouvelée, passant du rouge au vert du temps de Pâques, couleur du printemps et du gazon à « paquerettes ». Même les chaises de la chambre d'enfant sont redécorées à ces deux moments de l'année. Pour les grandes cérémonies, comme l'adoubement de Jean de Berry, on modifie le décor de la chambre du jeune garçon. Les courtines habituelles sont rangées et la chambre ornée de neuf, de tissus aux couleurs symboliques : noire pour la pénitence et rouge pour la gloire. De surcroît, au château princier, un mobilier inhabituel témoigne de l'attention portée à la santé de tels enfants : pour les tout-petits, les comptes mentionnent les berceaux, meubles rares chez les ruraux ; les petits princes en possèdent souvent deux exemplaires, un pour dormir et un, dit « de parement », ou d'apparat, décoré d'armoiries, pour les présenter à la cour. Exceptionnellement, le berceau est couvert de fourrure d'hermine, tant pour tenir l'enfant au chaud que pour montrer la puissance de sa famille, et garni de moustiquaire. Plus grand, le jeune prince voit sa garde-robe meublée de « chaises à peigner » et de « chaises nécessaires », autrement dit percées, fort confortables : elles sont feutrées et couvertes de cuir et de drap. Des drageoirs sont disposés dans l'appartement du petit prince, des « cloches enrubannées » servent à l'amusement, à la musique ou à appeler les serviteurs. La garde-robe des enfants princiers, exceptionnellement riche et variée, est renouvelée lors de chaque grande fête de l'année, à Noël, Pâques, l'Ascension, la Pentecôte, la « mi-août », la Saint-Michel, la Toussaint, et des déguisements leur sont offerts pour la fête du 1er mai, où tous les jeunes nobles se parent de couleur verte pour imiter les feuillages : à cette occasion, la robe du jeune Jean, futur duc de Berry, n'est pas seulement verte, elle est « enfeuillée » de feuilles de lierre [13]. Si ces jeunes gens ont besoin de chaussures – qu'à cela ne tienne. Les comptes mentionnent la livraison en une seule journée de quarante paires de souliers neufs à Jean, qui a alors quinze ans ! En temps ordinaire, les jeunes princes et leurs condisciples du même âge sont vêtus à l'identique, pour mieux apprendre à ces derniers à ne faire qu'un seul corps avec leur jeune seigneur et pour leur faire comprendre qu'ils auront, plus tard sur le champ de bataille, à le défendre et à s'entraider.

Mais c'est là un mode de vie tout à fait inhabituel. En général, le château ordinaire est conçu pour la défense ou pour la guerre plutôt qu'aménagé pour le confort domestique et, même à la fin des temps médiévaux, l'ambiance évoque plutôt un bivouac permanent qu'une demeure cossue et bien meublée : le confort est davantage réservé aux fils et filles de bourgeois. Cependant, les gens de guerre, accompagnés de leur famille, ont toujours souhaité aménager un agréable lieu de vie au sein de l'ensemble défensif aux pierres nues et froides. Au temps des châteaux de bois, déjà, femmes et enfants disposent d'un espace qui leur est destiné. Lambert d'Ardres, au XIIe siècle, évoque comment, dans son donjon, la grande chambre conjugale est flanquée d'une autre pièce destinée aux nourrices et aux enfants, et d'un cabinet privé, chauffé matin et soir : c'est là que sont installés les enfants malades et allaités les nourrissons.

L'emploi du temps

La journée de l'enfant noble commence tôt; la « grande matinée », que nous appellerions aujourd'hui « grasse », lui est formellement déconseillée : ce serait là faire preuve d'une « branche » du péché de paresse, qu'on appelle alors « charnalité ». Vers sept heures du matin au plus tard, on réveille l'enfant pour lui faire dire ses heures, c'est-à-dire ses prières. Peut-être est-ce là le devoir de sa mère. Christine de Pizan invite en effet cette dernière, même de haute noblesse, à visiter ses enfants dans leur chambre, au lever comme au coucher [14]. Ensuite l'enfant s'habille, puis se lave le visage et les mains avant d'aller à la messe; on l'autorise enfin à manger son petit déjeuner; comme l'explique non sans quelque humour un livre de contenances anglais du XVe siècle :

> Levez-vous quand il est temps de votre lit, faites le signe de la croix sur votre front et votre poitrine, lavez-vous les mains et le visage, peignez-vous les cheveux et demandez grâces à Dieu pour qu'Il vous aide en toutes vos tâches ; ensuite allez à la messe et demandez pardon pour toutes vos offenses. Dites bonjour courtoisement à quiconque vous rencontrerez en chemin. Ainsi fait, rompez le jeûne avec bonne nourriture et boisson mais avant de manger faites le signe de la croix sur votre bouche, votre régime n'en sera que meilleur. Puis dites vos grâces (cela ne demande que bien peu de temps) et remerciez le Seigneur Jésus pour votre nourriture et votre boisson [15].

Mais ce repas ne lui est accordé qu'avec une certaine réticence : la noblesse n'en prise guère l'usage. Il est cependant difficile de résister aux plaintes des jeunes affamés ; et si quelque pédagogue grognon, tel Raymond Lulle, au XIIIe siècle, se désole de leurs mauvaises manières et de leur incapacité au réveil à résister à la faim, si Aldebrandin de Sienne conseille de ne leur donner au matin que du pain, en leur refusant toute « lècherie », c'est-à-dire tout gâteau, notamment les pâtés, les tourtes, les flans et les fruits, ce qui en dit long sur les goûts des enfants, les mères satisfont sans doute à la volonté des petits enfants malgré ces interdictions. Il n'en va pas de même des adolescents, et notamment des adolescentes, dont on exige davantage de tenue. Au XVe siècle, les grands nobles, soucieux d'élever convenablement leur descendance, demandent à des médecins de rédiger à leur intention des « régimes de santé » où des menus-types sont proposés aux cuisiniers chargés de nourrir la progéniture du seigneur. Un texte, unique en la matière, informe sur les horaires du repas et les manières de table des enfants de moins de sept ans qui vivent au château du duc de Croy : soupes et potages, viandes tendres et jeunes, poisson soigneusement préparé pour éviter les accidents, fromage et poire, vin coupé d'une eau hygiéniquement bouillis etc. [16]. La journée, ponctuée des trois repas pour les plus jeunes, de deux seulement pour les autres, est alors remplie par diverses activités, jeu, étude, exercices sportifs ou militaires, dont certaines sont communes aux deux sexes, d'autres spécialisées.

A l'âge de cinq ou six ans, les enfants sont confiés au précepteur qui leur apprend les lettres de l'alphabet, le syllabaire puis la lecture sur des livres en français depuis le XIIIe siècle. Les quelques heures de leçons et les distractions à consonance guerrière occupent alors la journée des garçons, qui bâtissent des châteaux de branchages, comme au XIIe siècle les compagnons de jeux d'Aelred de Rievaulx, à la cour du roi d'Ecosse [17]. Ils ont des épées de bois, assistent à des représentations de marionnettes figurant des combats – sans doute fondées sur des chansons de geste – comme on le voit dans un manuscrit anglais du XIVe siècle. Si le père est souvent en déplacement, la mère demeure plus volontiers au domaine et Christine de Pizan ne manque pas de lui recommander de faire souvent mener à elle ses enfants, pour vérifier par elle-même « leurs manières et faiz et dits », sans doute en fin de journée. Si les adultes aiment alors se coucher tard, après des festivités variées, les pédagogues comme Aldebrandin de Sienne conseillent de ne pas trop faire veiller les enfants. On les couche donc avant les adultes, après leur avoir fait réciter les prières pour les défunts et en l'honneur de leur ange gardien, pour qu'ils ne risquent pas de mourir subitement – la pire des morts – pendant la nuit.

Jeunes filles et petits garçons

Dans le grand château médiéval, on rencontre sans doute moins de filles que de jeunes gens : cependant, ces derniers quittent leur famille pour servir alors que les filles demeurent au château de leur père et grandissent, jusqu'au mariage, sous la coupe de la mère. Les petites filles n'ont guère la faveur des artistes, qui privilégient systématiquement les garçons. Point de petites servantes dans les images médiévales, à quelques exceptions tardives près. Pourtant, elles devaient abonder. Seules quelques rares fillettes ou jeunes filles nobles apparaissent dans les sources écrites. On les suit accueillant les visiteurs de passage et leur offrant le bain, brodant des linges d'Eglise, cousant, en chantant des « chansons de toile » avec leur mère ; on les voit, plus souvent dans les romans que les images, l'aider à tisser des rubans aux cartons en maintenant les fils de la trame. Sans doute l'assistent-elles ensuite pour coudre ces beaux galons sur les bordures des vêtements civils ou liturgiques. « Va dans ta chambre faire de la couture. C'est la loi de Nature... » s'entend dire, à douze ans, la petite Silence qui refuse de se comporter en jeune fille. Contrairement à Silence, ou même à Christine de Pizan qui se plaint encore, devenue adulte, de ce que sa mère « la vouloit occuper de filasses » seulement, les filles de la noblesse doivent en général apprécier les travaux d'aiguille, tant pour leur caractère artistique que pour l'ambiance de la vie collective au gynécée. Au demeurant, même si elles sont destinées à avoir, plus tard, la haute main sur une petite troupe de servantes, mieux vaut apprendre à coudre ou à broder : comme le fait remarquer, au XIVe siècle, Barberino dans son *Régime des dames*, les filles des chevaliers, mais aussi des juges et des médecins, ont tout intérêt à maîtriser ces techniques pour le cas où elles auraient à subir des revers de fortune [18]. Dans le meilleur des cas, les travaux d'aiguille, pense-t-il, aideront les femmes à supporter l'oisiveté – toute relative d'ailleurs – de la vie féminine seigneuriale.

Les tout petits garçons, qui vivent encore avec leur mère et leurs sœurs, ne sont vraisemblablement pas exclus de ce travail féminin. Les femmes leur demandent sûrement de les aider, ne serait-ce que pour les occuper, à l'image de cet enfant modèle qu'est l'Enfant Jésus qui, dans les enluminures, joue avec les bobines de fil ou les pelotes de laine et aide sa mère aux travaux textiles. Les adolescents aussi rejoignent leur mère au gynécée : l'ambiance devait y être chaleureuse et gaie. Dans un texte du XIIe siècle, écrit par Jean Renart, on voit un jeune homme, Guillaume, demander à sa mère de chanter l'une de ces « chansons de toile » que modulent les femmes en tissant et cousant : « Mère, intervint Guillaume, chantez-moi une chanson, vous me ferez plaisir [...]. Alors elle commença d'une voix pure et claire :

> Fille et mère sont en train de broder,
> D'un fil d'or tissant des croix dorées,
> La noble mère se mit à parler
> De quel amour brûle Aude pour Doon !
>
> Apprenez, fille, à coudre et à filer
> Et à broder des croix d'or sur l'orfroi.
> L'amour de Doon, il faut l'oublier.
> De quel amour brûle Aude pour Doon [19] !

Une bonne part du temps des femmes et de leurs filles est dédiée à l'éducation des petits garçons et aux soins de la puériculture, bonne occasion, pour les fillettes, de s'exercer avant le mariage. Contrairement aux enfants du peuple, plus proches de leur père, ces garçonnets sont entourés d'un personnel exclusivement féminin : femmes de chambre, nourrice, berceresses et même « femmes à relever la nuit » pour les nourrissons ; ils s'amusent cependant à des jeux guerriers, petits soldats ou cavaliers de métal ou d'argile, découverts par les fouilles, qui leur permettent de s'initier à l'idée de la guerre. Avec leur mère, leur sœur ou leur nourrice, ils sortent souvent du gynécée, pour assister au retour du père de la chasse ou de voyage, aux exercices physiques des grands frères et des pages. A la belle saison, ils jouent dans les jardins, avec l'eau des fontaines ornementales, et nul doute que les animaux domestiques, chiens et chats voire, chez les plus grands nobles, singes et oursons, peluches vivantes, n'aient retenu leur attention. Il faut même leur interdire, lorsqu'ils ont l'âge de raison, pour des questions d'hygiène, de caresser les chatons au moment des repas.

Ainsi, pas plus que les petits garçons, les femmes et les filles ne sont cloîtrées au gynécée ni confinées dans les taches domestiques et, contrairement à l'image idyllique que les romans donnent d'elles, les fillettes ne sont guère plus sages que dans d'autres milieux sociaux ou à d'autres époques. Elles se livrent à des farces, parfois cruelles, voire dangereuses : Christine de Pizan, dans un livre d'éducation dédié à Marguerite de Bourgogne, une petite princesse de onze ans, évoque les mauvaises manières des fillettes nobles qui répondent avec insolence ou même tentent de se débarrasser de leur gouvernante en semant des pois secs dans les escaliers pour qu'elle se « rompe le col [20] » ! Cette dernière a pourtant pour mission de les distraire en leur racontant des histoires ou des fables et en jouant avec elles, sans doute aux cailloux et surtout à la poupée, que les fouilles archéologiques ont permis d'exhumer. Les petites filles possèdent volontiers un écureuil, qu'un petit paysan a capturé puis dressé : c'est l'animal favori des jeunes femmes et des fillettes nobles. A la cour, les petites princesses affectionnent les perroquets, comme Marie, fille de Charles le Téméraire. On sait que les filles apprennent également à monter à cheval, puis à chasser, notamment au faucon, et surtout que leur éducation intellectuelle est parfois aussi approfondie que celle de leurs frères : au château, en effet, la lectrice, c'est la femme. C'est elle qui dès l'enfance prie dans son livre d'heures ; c'est la jeune fille de la maison qui lit des romans pour son plaisir ou, à haute voix, pour celui de toute sa famille. C'est la femme qui, plus tard, saura tenir les comptes et vérifier si les redevances ont été correctement perçues. La femme noble est une intellectuelle, voire une bibliophile, comme les reines et princesses de France, et dans les milieux les plus privilégiés c'est à un âge tendre, vers cinq ans, qu'on lui offre généralement son premier livre d'heures ou de prières illustré. La peinture et la musique font partie de son éducation. Si l'on en croit les auteurs du XIIIe siècle, les petites filles nobles et bien éduquées apprennent à en jouer, mais aussi à chanter et à composer des poèmes.

Les bonnes manières

Le comportement des jeunes nobles, filles ou garçons, est réglementé jusque dans les moindres détails de la vie quotidienne. Selon Christine de Pizan, les filles doivent se tenir convenablement, c'est-à-dire toujours droites, d'allure retenue et modeste. Il leur faut aller à la messe le matin – ce qui n'est pas très difficile, car les châteaux ont communément une chapelle privée dotée d'un aumônier, mais à jeun. On exige même d'elles plusieurs jours de jeûne par semaine lorsqu'elles sont à marier – mais c'est pour mieux calmer leurs ardeurs adolescentes, et non pour les faire maigrir. Elles doivent pratiquer la politesse envers tous, nobles ou pauvres gens. Christine enseigne à la jeune Marguerite de Bourgogne à ne pas exploiter inconsidérément ses servantes : pour la prière nocturne, il ne faut pas les réveiller pour leur faire allumer les chandelles, elle doit se débrouiller seule. La tenue est soigneusement réglementée : les vêtements ne doivent pas être trop collants par souci de décence, la chevelure ne doit pas traîner sur les joues ; de fait, dans les enluminures, on voit que les cheveux des filles nobles, laissés longs, sont tressés ou peignés en des queues de cheval ornées de bijoux dorés ou orfévrés. Il ne manque cependant pas d'exemples de fillettes ou d'adolescentes transgressant ces divers obligations ou interdits. Tous les livres d'éducation destinés aux jeunes filles donnent les mêmes conseils, que Christine elle-même a pu lire, dans sa jeunesse, dans un vieux traité du XIVe siècle, *Le Livre du Chevalier de la Tour Landry pour l'enseignement de ses filles*[21].

Ces dernières ne sont pas seules à recevoir une bonne éducation : le comportement des garçons n'est pas moins codifié. Mais, livrés à l'amour complice des mères et des grandes sœurs, les enfants gâtés ne manquent pas ; les pédagogues et hommes de lettres mentionnent parfois les pleurs et les caprices des petits garçons, voire leur brutalité, dans lesquels les femmes espèrent pouvoir reconnaître déjà un tempérament guerrier. De fait, la violence des jeunes chevaliers est un trait de caractère systématiquement observé[22]. Dans les premières années, ce comportement est sans doute même encouragé : dans un « régime » destiné à la noblesse, Aldebrandin de Sienne, à la fin du XIIIe siècle, suggère qu'il ne faut pas « mettre en courroux » l'enfant, « que ce qu'il demande lui soit accordé, et qu'il ne demeure rien devant lui qui le retienne ». Olivier de la Marche, au XVe siècle, évoquant la petite enfance de Charles, le futur Téméraire, dit de lui : « Il était chaud, actif et dépit, et désiroit, en sa condition enfantine, à faire ses volontés à petites corrections... » Par bonheur, selon son chroniqueur, il « eut l'entendement et le sens si grands qu'il résista à ses complexions ». On apprend aux garçons à canaliser leur émotivité après l'âge de raison. Les enfants sont alors assagis par le pédagogue qui leur enseigne, comme à Guibert de Nogent, « la modestie, la pudeur, l'élégance des manières », par la lecture de livres de contenances. Partout, en France, en Italie, en Espagne, en Angleterre, sont composés de tels manuels. Il y est expliqué comment manger proprement; en Espagne, on leur interdit même de manger avec « toute la bouche, mais avec une moitié seulement, pour ne pas paraître glouton [23] »! On leur enseigne à se tenir droit et silencieux mais souriant lorsque le seigneur entre dans la pièce où ils se trouvent, comment répondre à ses questions par des réparties pleines de déférence mais également de gaieté et de bonne humeur, un sentiment considéré semble-t-il comme caractéristique de l'enfance (il existe même des recettes de bonne femme pour « rendre un enfant beau et gai ») et encouragé par les prédicateurs et les mères :

> On attend de vous que vous soyez joyeux, vous devez être prêt à répondre avec de jolies paroles, douces et respectueuses [...]. Lorsque vous pénétrez là où se tient votre seigneur, dites « Dieu vous protège » et, avec de modestes acclamations, saluez tous ceux qui sont présents. Ne faites pas irruption grossièrement, mais entrez la tête haute et la démarche naturelle, et agenouillez-vous sur un genou seulement pour votre seigneur ou souverain, quel qu'il soit [...]. Répondez avec révérence à votre

> seigneur. Autrement, tenez-vous aussi immobile qu'une pierre, jusqu'à ce qu'il prenne la parole [...]. Si vous voyez boire votre seigneur, gardez le silence sans rire haut, murmurer, siffler, plaisanter ou quelque autre insolence [...]. Lorsque vous êtes assis (à table) ne racontez pas d'histoires grossières. Evitez de vous curer le nez, les dents, les ongles à l'heure du repas – comme on vous l'a déjà dit [24]...

« Applique-toi à faire constamment preuve de bonne éducation », dit au jeune Tristan son pédagogue, un écuyer, qui lui enseigne non seulement « les règles de la courtoisie », mais encore

> entre autres choses à jouer de la harpe et à chanter [...]. Il lui apprit à être prodigue de ses biens [...]. Il lui enseigna à parler en homme bien élevé et à ne jamais manquer à sa parole, et il lui dit que s'il avait la folie d'être un menteur, il serait méprisé. Il lui commanda aussi d'être loyal [...]. Il lui dit de s'empresser à servir les dames de son bras, de ses biens, avec bonne humeur [25].

Enfin, aux bonnes manières s'ajoute l'éducation intellectuelle et artistique.

Les distractions et l'étude : un savant mélange

Les enfants nobles bénéficient d'une éducation diversifiée. Les comptes du roi René d'Anjou nous montrent comment, au château de Bar, en 1462-1464 est jouée une « farce de pastoureaux » dont les acteurs ne sont autres que son petit-fils, le futur René de Lorraine, et les « enfants des seigneurs de la cour [26] ». La musique, comme le dessin, fait aussi partie intégrante de l'éducation et des distractions nobiliaires et de très jeunes enfants y sont formés, qu'ils soient nobles ou non, à l'image du petit Benvenuto Cellini, qui dans son autobiographie, se souvient comment, à un âge

« fort tendre », il fut ainsi engagé pour distraire le doge :

> Mon père commença à m'enseigner la flûte et la musique vocale. Comme j'étais encore à cet âge fort tendre où les gamins s'amusent d'ordinaire avec un sifflet ou des jouets de ce genre, les leçons paternelles me causaient un déplaisir inexprimable, et c'était uniquement par obéissance que je me résignais à flûter et à chanter [...]. J'étais encore très jeune à ce moment, et mon père me faisait mettre à califourchon sur le dos d'un huissier pour jouer de la flûte en qualité de soprano, avec les musiciens du palais, devant sa Seigneurie. Je déchiffrais les morceaux, juché sur mon porteur. Le gonfalonier [...] prenait plaisir à me faire babiller, il me donnait des dragées [27]...

Au château, les garçons, comme les filles, apprennent à danser, à chanter et à jouer de la harpe. Sans doute préfèrent-ils s'exercer sur les chansons de geste, dont la récitation chantée narre des aventures chevaleresques et glorieuses, que sur les chansons de gynécée, chansons de toile ou berceuses qu'ils prennent cependant plaisir à écouter, comme Guillaume, ou à composer, comme au XVe siècle Charles d'Orléans, le prince poète. Les nobles semblent beaucoup apprécier de voir jouer et chanter les petits enfants, plaisir qu'on ressent encore à la lecture des inventaires mobiliers de leurs châteaux, meublés de tapisseries « aux jeux d'enfants » et de pièces d'orfèvrerie « aux enfants jouant ». Les jeunes de la noblesse s'adonnent également à des jeux plus intellectuels : les « tables » (c'est-à-dire le trictrac) et surtout les échecs. C'est dans ce jeu que, dès l'âge de sept ans, ils apprennent la tactique militaire, mais aussi l'équivalent de l'instruction civique, la courtoisie – en jouant avec les jeunes filles et en les laissant gagner – et même les mathématiques. Le jeu d'échecs semble un jeu noble par excellence, non seulement parce qu'il met en scène des cours royales mais aussi parce qu'on n'y joue, semble-t-il, que dans les châteaux et maisons nobles : aucune pièce de ce jeu n'a jamais été découverte dans les vestiges d'une maison paysanne. Ce divertissement, polyvalent, est tout à la fois utile pour rationaliser la violence et l'ardeur de la jeunesse noble et pour l'intéresser à l'étude et à la réflexion.

La salle de cours

Une pièce est, au château, consacrée à l'éducation des enfants. Filles et garçons sont-ils mélangés sous la férule d'un unique pédagogue ? Rien n'est moins sûr. Comme en ville, dans les petites écoles, l'enseignement mixte semble avoir été rarissime. Au XIIIe siècle, Berthold de Ratisbonne sépare les enfants des deux sexes et leurs maîtres, les « précepteurs des grands de ce monde, qui sont tout le temps auprès d'eux et leur enseignent la discipline et la vertu [28]. Et les demoiselles ont des préceptrices qui sont tout le temps avec elles et leur enseignent de bonne heure la discipline et la vertu. » Au XVe siècle, on voit aussi, à la cour du roi René d'Anjou, qu'un homme est payé « pour avoir montré les heures aux petites filles » – non aux filles et aux garçons – c'est-à-dire sans doute pour leur avoir donné une leçon de lecture sur un livre d'heures, qui comporte quelquefois un alphabet et les prières majeures. Le pédagogue, parfois le chapelain du château, a la lourde charge de prendre en main l'enseignement d'un jeune garçon que tout son environnement pousse à être remuant. Comment rester assis, alors qu'à l'écurie piaffe son cheval préféré ? Des méthodes rigoureuses sont alors mises en œuvre. Nul ne semble avoir été aussi brutal que le maître de Guibert de Nogent, au

XIIe siècle, que sa mère a pourtant pris tant de peine à débaucher d'un château voisin. Non seulement il frappe incessamment l'enfant, mais encore il l'empêche de jouer avec les enfants de son âge et le tient dans « une contrainte continuelle, affublé comme un clerc ».

> Je regardais les bandes de joueurs comme si j'avais été un être au-dessus d'eux. L'on m'accordait à peine quelques instants de repos, jamais un jour entier, j'étais toujours également accablé de travaux, et mon maître s'était engagé à n'instruire que moi [29]...

La « salle de classe » du château est meublée d'un tabouret, d'un banc pour disposer les livres. Chauffée par une cheminée qui procure à la fois la chaleur indispensable à qui doit rester immobile et la lumière minimale pour bien lire, elle dispose quelquefois d'un tableau d'école. Un inventaire du château d'Angers, en 1471, mentionne ainsi un « grand tableau où il y a les alphabets... » en plusieurs langues. Le maître, debout, arpente la salle tandis que l'élève mémorise les leçons, ou bien s'assied en chaire, en signe d'autorité. Une grande obéissance est due au pédagogue : l'enfant l'appelle *dominus* – mon maître, ou mon seigneur... – et, comme le petit Lancelot dans les enluminures de manuscrits, récite quelquefois sa leçon un genou en terre devant lui, apprenant en même temps les gestes de la vassalité. Les cours se donnent sans doute à heures fixes, mais les occasions d'y échapper doivent être nombreuses, tant pour le pédagogue que pour les jeunes élèves : Christine de Pizan recommande en effet à la mère de haute noblesse de bien prendre garde à ce « que le maistre soit soigneux de les faire apprendre aux heures compétans [30]... »

Un programme éducatif personnalisé

Depuis les temps carolingiens, l'éducation noble est devenue un chapitre de la plus haute importance. Un roi illettré est comme un âne couronné, affirme, au XIIe siècle, Jean de Salisbury. Il ne suffit plus, pour manifester sa noblesse, de prouver sa force et son courage ou ses bonnes manières. Il faut aussi être savant, connaître – si possible – le latin, la grammaire, la politique, l'histoire, voire les langues étrangères. Le programme éducatif des nobles comprend toutes ces disciplines : « Science et chevalerie, qui moult bien conviennent ensemble », dit-on au XIIIe siècle. On dispense aussi à la jeunesse noble des conseils de comportement seigneurial, appris dans des traités intitulés « gouvernement des princes », ou « miroirs des princes », dont les modèles les plus célèbres proviennent du programme établi à la demande de Saint Louis, pour ses enfants, par Vincent de Beauvais, ou par Gilles de Rome [31]. Ces livres ne conviennent pas aux fils et filles de simples bourgeois. A la fin du Moyen Age, le but des éducateurs est de faire des jeunes nobles des « hommes complets », tant sportifs que lettrés, ancêtres de l'honnête homme des Temps modernes. Mais seule une frange aisée de la population nobiliaire a pu, sans doute, correspondre à ce profil idéal du chevalier instruit. Au demeurant, même les fils de rois ne peuvent tout savoir et Gilles de Rome, qui compose pour Philippe le Bel un « régime de prince », explique :

> Les fils de princes doivent savoir de la théologie ce qui est nécessaire pour les affermir dans la foi, et connaître surtout les sciences morales qui leur apprennent à se gouverner eux-mêmes et les autres. De certaines sciences, ils doivent savoir ce qui peut servir à leur développement moral ; de la grammaire, assez pour

> comprendre l'idiome dans lequel sont enseignées les vérités de la morale et de la religion ; de la rhétorique et de la dialectique, ce qui peut rendre leur intelligence plus prompte, leur manière de s'exprimer plus facile et d'une action plus puissante ; de la musique, ce qui peut les porter aux bonnes mœurs. Quant aux autres sciences, il suffit qu'ils en aient une teinture légère...

A ces enfants privilégiés, on enseigne le comportement modèle des héros de romans : comme au jeune Tristan, au XIIe siècle, on leur recommande d'éviter les mensonges, qui les feraient mépriser, d'être loyal et, « sans jamais faillir en excellence, de toujours observer les bonnes manières et d'agir vite avec discernement [...], de s'empresser à servir les dames de son bras et de ses biens, avec bonne humeur ». Performances, capacité décisionnelle, culture, bonne éducation et même heureux caractère : tel est donc le « profil » exigé des jeunes nobles aux XIIe-XVe siècles.

L'enfant à l'école

A partir du XIIe siècle, les nobles ne sont plus seuls à être instruits. On dit souvent que les hommes du Moyen Age étaient illettrés. Mais le terme qualifie alors seulement les gens qui ne connaissent pas le latin : l'illettré médiéval peut savoir lire, écrire et compter ! Ainsi, dès la seconde moitié du XIIe siècle, si quelques enfants paysans seulement suivent avec régularité l'enseignement du prêtre de paroisse, bon nombre d'enfants des villes vont déjà à l'école : la pratique de la lecture et de l'écrit est considérée comme indispensable par de nombreux marchands ou artisans. Cette école médiévale n'est pas celle de Guizot ; encore au XVe siècle, il ne faut pas imaginer une scolarisation longue et régulière, mais de brefs séjours dans de très petits établissements, payants ou, plus rarement, gratuits – « pauvres pour Dieu », dit une affiche du XVe siècle – et encore moins une école laïque : si en 1179, à Gand, l'école monastique ayant brûlé, les laïcs la reconstruisent et prennent à leur charge l'éducation de leurs enfants, s'il est permis à n'importe qui d'ouvrir une petite école, comme à Ypres, en 1253 [1], si au XIVe siècle quelques maîtres sont des laïcs, mariés et pères de famille [2], de tels cas sont exceptionnels.

La scolarisation

Au bas Moyen Age, l'Eglise a encore la haute main sur l'enseignement : la majorité des éducateurs sont des clercs, sous-diacres ou curés ; l'enseignement primaire et l'éducation religieuse sont liés ; même les communautés religieuses tiennent des écoles ouvertes aux enfants des bourgeois [3]. En outre, bien que les évêques affirment périodiquement la nécessité d'envoyer les enfants aux petites écoles, la fréquentation des établissements scolaires ne constitue pas une obligation légale ; pourtant les encouragements ne manquent pas : en 1179, le concile de Latran III ordonne que dans chaque cathédrale soit institué un maître qui enseigne gratuitement non seulement les jeunes clercs mais aussi les élèves issus de milieux pauvres ; en 1215, à Latran IV, on s'assure de la formation des maîtres, les clercs des églises paroissiales. Au début du XIVe siècle, le liturgiste et évêque Guillaume Durand, de Mende, préconise l'ouverture d'une école par village. En 1403, des statuts synodaux ordonnent aux curés d'obliger les familles à scolariser leurs enfants de six et sept ans, filles et garçons, dans les petites écoles urbaines ou bien, dans les paroisses qui en sont dépourvues, à les confier au curé qui leur enseignera le minimum vital : le *Pater*, l'*Ave Maria*, le *Credo* et le *Benedicite* [4]. Ce type d'injonction est régulièrement répété, preuve certaine d'un manque d'établissements primaires, ou d'une incapacité des parents, mais aussi témoignage du souci constant des hommes d'Eglise d'éduquer les populations. Mais il est impossible d'en vérifier l'efficacité. Enfin, jusqu'au XIIIe siècle au moins, l'école rurale n'est qu'un phénomène ponctuel [5].

On ignore également combien d'enfants vont à l'école : aucun recensement n'est possible. Cependant, les historiens médiévistes, se fondant sur les sources fiscales et judiciaires, s'accordent aujourd'hui à penser qu'au bas Moyen Age beaucoup plus de gens savent lire qu'on ne croit. En effet, il ne fait pas de doute que le nombre des écoles et des maîtres est largement sous-estimé. Dans le cas des campagnes rémoises, ne figurent dans les registres que les maîtres qui ont eu affaire avec la justice ! « Les recteurs d'école sans histoire n'ont pas fait entrer leur lieu d'exercice dans la documentation historique [6]. » Quant aux écoles de filles, elles sont plus difficiles encore à percevoir. Seul le hasard des sources d'archives fait ou non apparaître les maîtresses, selon leur statut familial : c'est seulement lorsqu'une femme est veuve qu'on la signale comme chef de famille et que sa profession est indiquée ; autrement, le silence des sources est de règle : l'éducation des filles est notoirement sous-évaluée. Au fil des documents fiscaux apparaissent des maîtres d'école ; on sait qu'à Lyon, outre l'école cathédrale, trois collégiales au moins de même qu'un hôpital [7] tiennent une « petite école », sans compter quelques établissements paroissiaux sur lesquels on ne sait presque rien. De tels établissements n'accueillent que peu d'élèves à la fois ; dans une petite école, telle que les enlumineurs en représentent dès le XIIIe siècle, six à sept enfants profitent des leçons du maître. Rares sont les classes qu'on figure surchargées, comme dans une enluminure des *Heures* de Louis de Savoie [8], vers 1460 : elle abrite une vingtaine de petits écoliers serrés les uns contre les autres. Des textes mentionnent jusqu'à trente-cinq noms d'écoliers, comme on le voit dans une pétition émise par des parents d'élèves du bourg de Decize, en 1336. Même si l'on connaissait le nombre total des écoles, il serait impossible d'en calculer les effectifs, car ils sont très variables, encore moins d'en déduire le nombre total des enfants alphabétisés car il existe d'autres moyens d'apprendre à lire que l'encadrement scolaire : les écrivains itinérants, qui se louent comme maîtres privés ou précepteurs, et même les notaires, qui trouvent dans cette activité un complément de salaire [9]. La situation est mieux connue pour les collèges, souvent entretenus par la charité publique et dont certains n'admettent que les écoliers pauvres ou, à défaut, ceux qui n'étant pas dénués de tous biens acceptent de les verser au pot commun, comme aux Bons-Enfants, à Reims, au XIIIe siècle [10], car l'effectif est fixé dans les statuts. Le collège de Hubant, fondé à Paris, au XIIIe siècle, accueille six boursiers entre dix et douze ans. Le collège des Bons-Enfants, à Reims, reçoit douze pensionnaires âgés de neuf à seize ans. En 1352, à Lyon, l'école ecclésiastique cathédrale prend également en charge douze enfants [11] à la fois. De même, à Soissons en 1370, une école est ouverte, rue de Bauton, à douze écoliers boursiers [12]. Ce chiffre, symbolique, est souvent dépassé. Dans la même ville, le collège de Soissons, fondé en 1345, est prévu pour recevoir dix-huit écoliers [13], tout comme, à Paris, le collège des Dix-Huit, qui doit son nom à son effectif scolaire. Saint-Nicolas de Soissons accueille une soixantaine d'enfants et Trets, en Provence, ne compte pas moins, au XIVe siècle, de cent quatre-vingt écoliers de douze à dix-huit ans. Au collège, les élèves sont presque exclusivement de sexe masculin; il n'en va pas toujours de même des petites écoles; peu de textes pourtant mentionnent des maîtresses chargées d'enseigner les fillettes. La mixité n'est pas de mise; seul Froissart, au XIVe siècle, évoque dans son autobiographie versifiée celle de la petite école que ses parents l'obligent à fréquenter. Mais cette situation se vérifie, en négatif, dans les statuts d'établissements scolaires qui exigent des maîtresses d'école qu'elles n'enseignent que des filles : c'est là sous-entendre la possibilité de la mixité ; au demeurant, c'est vérité d'évidence, on n'interdit guère que ce qui existe et s'avère contraire aux mœurs.

L'alphabétisation peut quelquefois être mesurée au taux relativement élevé d'écoles, comme en Champagne ou à Paris. Ainsi, dans les campagnes champenoises, trente villages possèdent une école, dans un diocèse de trois cents paroisses, entre 1460 et 1515, et « l'école n'est pas l'attribut exclusif des gros villages » : même un hameau de douze feux seulement peut disposer d'une école ; on a donc pu parler d' « un semis d'écoles rurales », voire d' « une dense implantation scolaire rurale [14] ». A Paris, en 1357, les premiers *Statuts* des maîtres des petites écoles de grammaire démontrent que le développement de l'enseignement primaire y est tout à fait important : ils ne mentionnent pas moins de quarante et un maîtres et vingt et une maîtresses d'école ; à raison d'un maître par école – car classe et école se confondent vu le faible nombre d'élèves – cela représente soixante-deux établissements au moins, car la liste des maîtres n'est peut-être pas exhaustive [15]... On comprend mieux pourquoi il était dans cette ville défendu d'ouvrir une école à moins de vingt maisons l'une de l'autre dans les quartiers peu peuplés, nouvel indice d'une implantation scolaire importante. La ville de Reims connaît semble-t-il une situation favorable aux études dès les XIIIe et XIVe siècles : des petites écoles sont établies jusque dans les plus petites et les plus pauvres paroisses de l'agglomération, et « beaucoup [de bourgeois] savent lire, écrire et compter, du moins au XIVe siècle » [16] ; elle bénéficie des services de deux maîtresses d'école au moins, recensées l'une en 1318, l'autre en 1328. A Rouen, au XVe siècle, écoles enfantines paroissiales et écoles de grammaire sont implantées dans chaque quartier [17]. La publication la plus récente sur l'Allemagne du XIIIe siècle affirme que « dans toutes les villes allemandes, même les plus petites, il y a des écoles populaires [18]... » En Italie du Nord, dès le XIIIe siècle, des écoles de filles sont ouvertes [19], mais elles semblent exceptionnelles : à Florence, « la quasi totalité des filles ne reçoit d'autre éducation que celle distribuée par la mère, à la maison [20] ».

Le niveau d'instruction

Surtout en ville, de nombreux enfants ont donc accès aux « rudiments » et, à la fin du Moyen Age, même les paysans apprennent la lecture; dans certaines familles villageoises, on peut voir, comme en 1474 en Champagne, que « les quatre enfans Jehan Rogier scevent lire [21] ». On observe au hasard des sources écrites tel « bon homme laboureur qui scavoit lire », comme en rencontre à Saint-Genis-Laval le Lyonnais Bellièvre, procureur de l'archevêque : au XVe siècle, ainsi que le soulignait récemment René Fédou, « un riche paysan peut être plus instruit que beaucoup de citadins [22] ». Cette situation s'explique par l'attitude tout à fait militante du clergé; depuis le haut Moyen Age, l'Eglise souhaite que la Bible soit connue du plus grand nombre – c'est là ce qui distingue l'éducation médiévale de l'éducation antique. Pour l'Eglise du XIIIe siècle encore, l'exercice de la foi passe par la lecture. Conscients de l'absence totale de livres en milieu paysan, les évêques et les prêtres rivalisent d'imagination : en Cambrésis, l'un d'eux, au XIIIe siècle, plante dans le cimetière de sa paroisse un grand panneau porteur des prières majeures écrites en grosses lettres [23] ! Les petites écoles, tenues par des clercs, se multiplient dès le XIIIe siècle et les collèges urbains, ouverts aux enfants pauvres que l'on dote de bourses, attirent les paysans : aux Bons-Enfants de Reims, au XIIIe siècle, la moitié de l'effectif scolaire est constitué d'enfants provenant de villages des alentours de la ville.

La population rurale elle-même se sent concernée par l'instruction primaire des enfants. En Thiérache, des écoles de village sont ouvertes dès le XIIIe siècle : la communauté paroissiale salarie un clerc chargé de tenir la « petite école [24] »; plus généralement, c'est le curé qui doit entretenir le clerc, à qui est délégué le devoir d'enseigner. En Hainaut, on voit les habitants d'un village engager et payer eux-mêmes un clerc maître d'école. Mais, comme peu de simples gens ont alors l'occasion de pratiquer régulièrement lecture et écriture, moins encore de posséder un livre, condition essentielle à la préservation de cet « art », l'alphabétisation ne peut progresser. On doit envisager le fait qu'une scolarisation relativement diffusée et une alphabétisation faible aient pu coexister; ces deux données apparemment paradoxales ne constituent pas des faits incompatibles. Dans l'idéal cependant, à partir du XIIIe siècle, le paysan qui veut apprendre à lire le peut. A la fin du XIVe siècle, une paysanne des Ardennes, comme la mère de Jean Gerson, sait lire et écrire : elle éduque elle-même son fils, avec le succès que l'on sait, et lui adresse des lettres éducatives, succédané des livres des nobles. Et ce dernier, devenu théologien et pédagogue, compose par la suite un *ABC des simples gens*, petit ouvrage catéchétique dont on voit que le titre est amplement justifié par la formation de sa mère et la sienne propre. Au XVe siècle, les prédicateurs, qui officient volontiers en milieu paysan, rassemblent leurs sermons en des opuscules « à lire dans les écoles, les boutiques, les paroisses, aux petits et aux grands[25] ». Cependant, au sein du monde paysan, ce sont surtout les femmes qui font preuve de telles connaissances. En ville, les registres fiscaux permettent parfois de déterminer le niveau social des enfants scolarisés ; à Tours, outre les fils d'officiers et de marchands, il s'agit d'enfants de mariniers, d'un barbier, ou d'une tenancière d'étuves, soit une clientèle très modeste qui a d'ailleurs souvent du mal à payer le maître d'école[26] ; à Reims, en revanche, ce sont surtout les fils de marchands, d'un boucher, propriétaires de leur étal, qui bénéficient d'une instruction primaire, alors que les « menus », c'est-à-dire ceux qui n'ont pas même les moyens d'assurer un apprentissage à leurs fils, demeurent analphabètes[27]...

Si les enfants scolarisés laissent rapidement leur place à d'autres, au terme de brèves études dans les petites écoles où ne leur sont enseignés que les « rudiments », il n'en va pas de même dans les collèges où ils apprennent la grammaire. La durée des études est connue. Certains enfants passent à l'école, si ce n'est leur enfance, du moins quelques années. Chaucer, au XIVe siècle, décrit dans ses *Contes de Canterbury* une « petite école de chrétiens » où « enfants en masse [...] apprenaient [...] plusieurs années durant [...] le chant et la lecture comme font les petits dans leur tout jeune âge[28] ». Le chevalier de la Tour Landry, pour les convaincre des bienfaits d'une éducation à l'âge tendre, raconte à ses filles l'histoire « d'un enffant de l'aage de IX ans qui avoit esté IIII ans à l'école[29] ». On entre au collège Sainte-Catherine de Soissons vers treize ans et pour cinq à six ans d'étude. Mais il s'agit là d'écoles urbaines. Bien que le cas existe[30], rares sont les enfants qui, en milieu rural, fréquentent l'école plusieurs années durant. L'enfant médiéval ordinaire ne bénéficie en général, et surtout à partir du XIIIe siècle, que des quelques mois d'étude suffisant à apprendre à lire et à écrire : ainsi, en 1479, deux mois pour apprendre l'écriture sont prévus, par contrat, pour un garçonnet de huit ans [31] ; la même durée est indiquée par une affiche de maître d'école. C'est peu et beaucoup à la fois. Mais le niveau général d'instruction élémentaire semble cependant aujourd'hui impossible à déterminer avec précision : les recherches sont tout à la fois peu nombreuses et dispersées et aucune synthèse n'est possible. Seules quelques régions ont été examinées, ainsi la Champagne, la Savoie ou, francophone mais non française, la ville de Lausanne : il faut déplorer cette lacune, tout en reconnaissant la difficulté d'aborder l'étude de l'alphabétisation, « si tant est que ce phénomène soit saisissable au Moyen Age, ce qui est loin d'être certain [32] ». Pour bien des villes, en effet, la documentation manque absolument.

Quelques chiffres

De manière générale, il faut attendre l'aube du XVIe siècle pour que des chiffres sûrs soient fournis par les sources écrites, notamment pour les milieux ruraux. Pourtant, Philippe Contamine écrivait récemment pour la France qu'« on estime que quantité de modestes écoles élémentaires ou de grammaire fonctionnaient alors à la ville comme à la campagne, où des maîtres, voire des maîtresses, relevant en principe du monde des clercs et surveillés par l'autorité ecclésiastique, fournissaient à bon compte des rudiments d'instruction et d'éducation à quantité de jeunes garçons (plus quelques filles) à partir de huit ans [33] ». Mieux encore, en Italie, à Florence, on estime entre 45 % et

50 % le nombre des petits Florentins âgés de six à treize ans scolarisés vers 1340 [34]. Malgré tout, ces indications ne peuvent s'appuyer sur des données générales chiffrées : aucune enquête d'ensemble n'a été menée pour le territoire français. En revanche, la situation a été statistiquement étudiée pour l'Angleterre : on estime à au moins 10 % la population alphabétisée. Cela semble peu, mais il ne s'agit que d'une moyenne : en ville, le pourcentage est beaucoup plus élevé ; ainsi, en 1497, 70 % des habitants de Valenciennes sont « peut-être » alphabétisés et vers 1500, à Londres, il semble que « la majorité des adultes savait lire et écrire [35] », ce qui signifie que l'alphabétisation est considérablement plus réduite à la campagne. Cette situation vaut sans doute aussi pour la France. Dans le cas des régions d'Hesdin ou d'Aires sur la Lys, c'est, au milieu du XVIe siècle, quasiment une école par paroisse que l'on peut observer et, vers 1500, 15 % des tenanciers d'un bourg rural de la vallée de la Sambre sont capables de signer de leur nom [36]. Notons que cela ne signifie pas pour autant que 15 % de la population seulement soit alphabétisée : ni les femmes mariées ni surtout les enfants n'ont l'occasion ou le droit de signer. Mais autant le nombre des écoles est élevé dans les régions du nord ou de l'est de la France, autant dans certains lieux, comme à Tours, la situation apparaît déplorable, du moins immédiatement après la guerre de Cent ans. Ainsi, en 1432, en 1439, des maîtres d'école sont appointés ; mais l'école, unique de surcroît, ne réussit pas à rassembler la centaine d'enfants qui aurait permis d'assurer au régent et à ses aides un salaire décent. Il est vrai qu'elle n'est point gratuite, même si en vérité une semaine de gages d'un maître maçon suffit à payer la scolarité d'un enfant [37], limitée à quelques mois. Il n'est pas impossible que les guerres

anglaises aient momentanément désorganisé l'éducation élémentaire, même si Philippe Contamine ne croit pas à un recul général de l'instruction à cette période. Il n'est pas exclu enfin que la situation ait connu de forts déséquilibres entre les régions septentrionales et méridionales de la France, les premières paraissant mieux équipées en établissements scolaires primaires.

Les locaux

A quoi ressemble l'école? Textes ou images nous permettent de pénétrer dans la salle de classe. Tout d'abord, le local : les maîtres et maîtresses font cours dans des maisons ordinaires, des demeures privées. Peut-être une enseigne désigne-t-elle la fonction de la maison du maître. Au XVe siècle, les maîtres clouent volontiers sur le battant extérieur de la porte une affiche publicitaire vantant leurs qualifications et la rapidité exceptionnelle avec laquelle, assurent-ils aux parents, ils allaient enseigner les enfants. Leurs affiches, dont quelques-unes sont encore conservées, bien qu'étant en papier, pratiquent volontiers une stratégie de la séduction : la concurrence est rude, au XVe siècle, le nombre des établissements allant croissant. Les maîtres promettent surtout de la douceur dans leur enseignement, ce qui tendrait à démontrer que les parents, qui paient pour l'éducation des enfants, ne souhaitent pas voir battue inconsidérément leur progéniture. Le texte des affiches interpelle aussi de manière accrocheuse tant les parents les plus démunis, en leur promettant la gratuité, que les enfants : « Gentils mignons en l'âge tendre, à bien écrire mettez grande diligence, Employez-y votre jeunesse... » Celle d'un maître d'école toulousain du XVe siècle leur dit :

> Il y a un maître en cette bonne ville qui [...] apprend à bien lire, écrire et compter et les chiffres... Je vous apprendrai bien, vraiment et sans tromperie, pauvres pour Dieu, riches pour argent vous serez reçus. Pour cela, venez-y tous bien vite car je m'ennuie de plus attendre et suis tout las de vous le dire [38]...

Ces locaux sont de dimensions très diverses. A Lyon, au XIVe siècle, on voit un maître d'école louer une « grande » maison. Mais c'est une simple « maison » que tient, dans la même ville, « la boiteuse qui apprend les filles [39] ». Cette appellation est un bien grand mot pour ce qui n'est la plupart du temps qu'une pièce dans laquelle les élèves s'entassent plus ou moins confortablement. Cette salle, à en croire les images, est quelquefois en contrebas de la rue, et voûtée. La lumière ne parvient que par le soupirail et ne suffit vraisemblablement pas, d'autant que la journée d'école débute tôt – cinq heures du matin au collège d'Eton, en Angleterre, au XVe siècle. Aussi conseille-t-on aux élèves de disposer de lanternes : « une seule lanterne suffit pour deux enfants... », peut-on lire dans le règlement d'un établissement scolaire. Si tel était le cas partout, cela procurerait des indications sur le nombre d'élèves : ainsi, à Séguret, en 1471, le maître d'école commande à un verrier « trois grandes lampes [...] et vingt-quatre petites lampes [40]... La salle de classe, petite, est vite pleine, bien que dépourvue de presque tout mobilier scolaire : pour tout siège, le sol pavé, sur lequel, encore au XVe siècle, on dépose seulement une jonchée de paille pour éviter le contact direct et salissant avec le sol, chose appréciable en hiver. Par la suite, soucieux de l'inconfort des enfants, sans doute préjudiciable à l'efficacité de l'enseignement comme à la santé des élèves, on voit que ces sols de pierre sont planchéiés : les archives signalent, comme à Lyon, en 1545-1546, qu'on s'est enfin résolu à « poster » – c'est à dire installer un plancher – « les classes du colliège qui sont pavées de pierre et rendent grand froydeur aux petits enfants [41] ». De fait, l'unique siège, qui constitue le seul mobilier scolaire, est réservé au maître : c'est la chaire. De ce fauteuil, il domine de toute sa hauteur les enfants qui se sont installés par terre, en tailleur et lisent ou écrivent sur leurs genoux. Cette chaire est l'insigne de sa fonction, et sans doute en existe-t-il une dans chaque école car l'on voit à l'occasion le maître d'école protester auprès des autorités municipales parce que sa salle de classe en est dépourvue et refuser tout net d'assumer son enseignement si on ne lui fournit pas cet accessoire symbolique et qui doit l'aider à se faire respecter. Le maître dispose enfin d'une gamme complète d'instruments de coercition, dont les images nous montrent qu'ils ne servent pas systématiquement : souvent rangés contre l'accoudoir de la chaire, plus souvent encore tenus en main pour manifester son autorité davantage que pour s'apprêter à frapper, il s'agit de la férule de bois en forme de large cuiller à pot à cuilleron plat, ou du fagot de saule rappelant préventivement aux élèves qu'ils doivent savoir par cœur leurs leçons, sans se tromper « au rendre ». Les élèves s'installent donc par terre sans ordre bien évident : les plus grands aidant les plus petits, les classes d'âge se mélangent sans doute. La classe n'est semble-t-il pas interdite – pas plus que l'église au demeurant – à la présence d'animaux domestiques, qui devaient pourtant distraire les enfants de leurs études : des petits chiens, sans doute ceux du maître d'école, viennent faire le beau devant tel ou tel des enfants, espérant sans doute un quignon de pain ou quelque friandise.

Les accessoires des élèves sont peu nombreux, car le parchemin, et même le papier, sont coûteux : ils sont plutôt réservés aux collégiens, qui réclament souvent par courrier à leurs parents « du parchemin, de l'encre, une écritoire et les autres objets dont nous avons besoin... » Dans les petites écoles, en revanche, on peut apprendre sa leçon les mains vides. Nombre d'entre elles n'ont dû disposer que du livre du maître, psautier ou heures, sur lequel, chacun son tour, les élèves viennent s'exercer. On a aussi trouvé, dans les fouilles de Saint-Denis, près de Paris, un disque de plâtre abécédaire que sa fabrication, sans doute de faible coût, devait rendre accessible à tout un chacun. L'élève possède une tablette de cire, sur laquelle il écrit et efface autant qu'il le souhaite, l'ardoise ne faisant son apparition dans la sacoche de cuir de l'écolier qu'au XVIe siècle, si l'on en croit les sources écrites. Enfin, au mur de la classe, quelquefois, est accroché un grand tableau sur lequel le maître inscrit l'alphabet, ou la leçon de musique : la majorité des enfants ne disposant pas de livres scolaires, ce tableau les remplace avantageusement. A défaut, une affiche de papier, identique à celle qui sert d'enseigne, joue le même rôle.

La journée d'école

S'il n'est pas pensionnaire, l'enfant part à l'école tout seul. Le petit écolier porte une sorte de cartable, une « poche » de tissu de couleur accroché à la ceinture ou muni d'une bandoulière d'épaule. Cette sacoche emplie des accessoires indispensables aux exercices de l'écriture, les écoliers partent rejoindre la maison du maître d'école, ou la cure ; des textes judiciaires évoquent les accidents qui ne manquent pas de survenir en chemin. L'ambiance de la journée d'école ne correspond pas toujours à l'image de sévérité que nous nous faisons aujourd'hui de l'école des anciens temps. Pour un bon maître, sérieux et ayant fait des études, bien d'autres ne méritent pas qu'on leur confie des enfants. Le maître d'école, volontiers itinérant, est parfois le reflet de ces écoliers désargentés et vagabonds qui parcourent alors l'Europe. Certains réussissent à tromper la confiance des parents, pour se faire engager alors qu'ils n'ont à l'évidence pas les qualités requises pour s'occuper d'enfants. Les parents s'en plaignent amèrement à l'occasion, tels ces habitants de Decize, dans le diocèse de Nevers, qui émettent une pétition pour que le maître soit remplacé. Ce dernier, vraisemblablement recruté, comme d'habitude, par les autorités ecclésiastiques, est en effet pour partie payé par les parents d'élèves qui se sentent donc en droit de s'insurger contre la manière dont leurs enfants sont éduqués. On les comprend à la lecture de cette pétition :

> ... Nous sommes certains que ledit gouvernement [d'Hugues de Bray, le maître d'école] n'est ni bon ni suffisant ni profitable aux enfants desdites écoles, parce que lesdits écoliers ne respectent pas leur maître, et avec cela ledit maître, à la fête de saint Nicolas dernièrement passée [la fête des enfants des écoles], donna et octroya à ses dits écoliers licence de jouer aux dés jusqu'à la somme de 12 deniers [...] [et] ils s'y sont si accoutumés que chacun jour ils jouent à l'école aux dés au vu et su dudit maître [...] et quand quelquefois le dit maître par honte les en veut corriger et battre, ils se défendent et le frappent de pierres ou autres choses ou le piquent avec leurs stylets, des enfants de quatorze ans ou environ [42] !...

A l'évidence, toutes les écoles médiévales ne sont pas transformées en tripot : la documentation écrite ne nous informe que des cas les plus graves, d'autant plus graves que les maîtres d'école sont le plus souvent des clercs. Les règlements des établissements scolaires définissent au contraire les qualités exigées des maîtres et maîtresses d'école : moralité et compétence sont inscrits dans les statuts, comme à Paris. Les maîtres n'ont pas le droit d'enseigner la grammaire, s'ils ne sont suffisamment bons grammairiens – ce qui signifie alors être aussi latinistes. Ils doivent enseigner « soigneusement » les enfants dans les lettres ; il leur est interdit de détourner les élèves d'un collègue, et de médire de ce dernier ; ils ne sont pas autorisés à vivre avec une femme de mauvaise réputation (!) et ne doivent pas gonfler abusivement les effectifs : « si quelqu'un dépasse le nombre d'élèves fixé... », l'excédent de revenus est tout bonnement confisqué [43].

Dans les collèges, les écoliers sont internes, d'autant plus qu'ils sont pauvres et viennent parfois de loin ; ils n'ont pas d'autre choix, contrairement aux enfants des petites écoles qui rentrent chez eux en fin de journée. Pour ces derniers, l'internat est également possible : l'affiche d'un maître d'école du XVe siècle proclame que

> L'écrivain prend enfants en pension
> En leur montrant proprement à écrire
> A bien tailler la plume et à bien lire
> Et toutes mœurs de bonne instruction [44]

La vie quotidienne de l'écolier respecte sans doute l'horaire habituel au monde médiéval : levé tôt, couché tôt, deux repas quotidiens ponctuant la journée. Le collégien dort dans des lits garnis de paille, dressés dans des dortoirs dépourvus de lumière, de chauffage, mais non de couvertures. A Bauton de Soissons, les dortoirs abritent chacun six lits [45]. Au collège de l'Ave-Maria, à Paris, on couche à deux dans le même lit. Un texte amusant, bien qu'un peu tardif, raconte comment débute le jour d'école d'un interne ; c'est un écolier de 1565, Mathurin Cordier, qui parle :

> Après mon réveil, je me suis levé du lit, j'ai revêtu mon pourpoint et la saye [tunique]. Je me suis assis sur un tabouret, j'ai

> pris mon haut de chausse et mon bas que j'ai tous deux chaussés, j'ai pris mes souliers, j'ai attaché mon haut de chausse à mon pourpoint avec des aiguillettes, j'ai lié mon bas avec des jarretières au-dessus du genou, j'ai pris ma ceinture. J'ai peigné ma tête, j'ai pris mon bonnet que j'ai bien agencé, j'ai vêtu ma robe et puis, étant sorti de la chambre, j'ai descendu en bas, j'ai fait de l'eau (sic!) en la cour contre une muraille, j'ai pris de l'eau d'une seille [un seau], j'ai lavé mes mains et mon visage à une serviette.

Un autre document exceptionnel, concernant en 1364-1365 le collège de Trets [46], fondé par Urbain V, évoque avec une précision inaccoutumée le régime alimentaire du petit collégien et définit même l'ambiance olfactive de son lieu d'étude, parfumé à la bonne odeur du pain chaud, cuit au four du collège, et au fumet du chou servi en potage 302 jours sur 365. Le menu quotidien comprend un peu de vin – un peu plus d'un demi-litre, ce qui est fort peu pour l'époque et s'explique par le jeune âge des destinataires – et un peu plus d'une livre de pain par élève. Ce dernier a droit à un potage quotidien – deux en temps de Carême – de choux, d'épinards, de fèves, de poireaux ou de courges, relevés d'un peu de fromage sans doute râpé; il est abondamment nourri de viande fraîche, essentiellement du mouton, et de poisson ou d'œufs en Carême. Quelques fruits, figues, noix, prunes complètent des repas plutôt équilibrés mais peu variés, sauf en temps de fête majeure : l'agneau pascal et la piperade de Noël relèvent un ordinaire sans doute volontairement dénué de tout luxe. La précision documentaire permet de réaliser une véritable analyse diététique du régime de l'écolier : 2 600 calories quotidiennes environ, ce qui suffit amplement pour un jeune adolescent sédentaire, un apport d'éléments minéraux riche en fer, mais peu de glucides et de vitamines B, C et D. A Trets, le cuisinier prend soin d'équilibrer les repas, alternant avec régularité légumes secs et légumes frais, préférant la viande fraîche à la viande salée, cuisinée un jour sur six seulement. Pour répondre à l'appétit légendaire des jeunes gens, il compense l'absence de viandes du Carême par un double potage de légumes. Cependant, les laitages, qu'on juge aujourd'hui essentiels à l'adolescence, sont curieusement absents. Quelques informations ponctuelles complètent ce panorama alimentaire. A Bauton, un collège de Soissons, les écoliers mangent des pois, des œufs, et sont régalés d'un cochon à Noël. Leur pain est fait du « meilleur blé » et des achats de condiments leur permettent de relever les potages.

Les statuts illustrés des petits écoliers du collège de l'Ave-Maria, à Paris, donnent quelques informations supplémentaires sur la vie de ses pensionnaires, âgés de dix à douze ans. Aux grandes fêtes, un des enfants tient le cierge et se voit gratifié d'une pinte de vin, un pain, une écuelle de potage et une demi-pièce de viande. Les enfants doivent participer aux œuvres de miséricorde, veiller les morts, visiter les prisonniers, participer aux donnes d'habits, de chaussures et de nourriture aux pauvres. Ils accompagnent les enterrements. Au collège, ils doivent balayer devant l'autel de la Vierge et remplir d'huile les lampes de la chapelle, nettoyer les cages des oiseaux. Ils disent leur prière déjà couchés sous les couvertures, à cause du froid et un des enfants a la charge nocturne de sonner la cloche depuis son lit pour dire l'*Ave Maria* en l'honneur de la sainte patronne de l'établissement.

La vie en internat ne paraît guère facile : loin des yeux, loin du cœur ; les parents semblent avoir quelque peu tendance à les y oublier. Les internes sont souvent obligés de faire appel à leur famille pour quémander les vêtements et accessoires nécessaires à la poursuite de leurs études, et nous possédons encore quelques-unes de ces lettres d'écoliers :

> A son très cher père David, Matthieu, son fils dans le corps et l'esprit, salut et bénédiction filiale. Ne vous étonnez pas, ne vous irritez pas, si vous recevez de moi des fréquentes lettres exprimant mes plaintes [...]. Votre bienveillance sait bien que lorsque vous m'avez envoyé aux écoles, vous m'avez laissé partir avec seulement quatre sous à remettre au maître, vous ne m'avez pas donné le nécessaire et le suffisant en fait de vêtements et vous ne m'avez depuis rien envoyé d'autre [...].

Les écoliers ne se contentent pas de réclamer des vêtements de rechange, « des souliers et des chausses » ou de supplier leur père de bien vouloir payer le maître. Ils tiennent aussi leurs parents au courant de leurs progrès et de leur santé. Ces derniers, méfiants, comme dans la famille anglaise Paston, au XVe siècle, les font quelquefois surveiller, apprennent que leur rejeton se livre avec excès aux plaisirs du jeu d'échecs et écrivent à leur tour pour s'en plaindre.

On ignore si des intervalles de temps libre ponctuent ordinairement la journée d'école, en sus du moment du repas. C'est probable, lorsqu'un personnage important, une dame noble par exemple, vient visiter l'établissement scolaire, elle fait ordinairement accorder une récréation aux élèves. Le jour de la fête des écoliers, à la Saint-Nicolas, les enfants ont le droit de jouer – et les mauvais maîtres, comme à Decize, leur permettent alors les dés interdits. A la fin de la journée, ou pendant les « vacances », le pédagogue met sans doute ces temps de répit à profit pour ranger l'école ou s'approvisionner en accessoires scolaires, comme ce maître d'école anglais qui « s'en est allé après le repas pour trouver des verges pour battre ses élèves... » Justice immanente : il tombe du saule où il était grimpé et se noie dans l'étang du moulin...

Punitions et amusements

A quel genre de maîtres les enfants sont-ils donc confiés ? Les sources écrites nous laissent parfois perplexes sur leur degré d'humanité, tant dans leur comportement quotidien que dans leurs connaissances, souvent bien maigres. Il est vrai que ce sont surtout les sources judiciaires qui nous informent des faits et gestes de ces maîtres d'école et qu'ils sont en général mentionnés pour leur exécrable conduite : les bons maîtres ne faisant pas parler d'eux, on ne voit que leurs mauvais côtés ; les maîtres frappent les enfants par excès de sévérité ou leur donnent de mauvais exemples par excès de laxisme ; c'est ainsi que tel maître d'école de village, à Charny, est arrêté pour avoir joué aux dés, chose illicite et jugée indécente bien que très largement partagée [47]. Malgré le laxisme ambiant, les punitions corporelles ne manquent pas, que nul n'en doute. Trop d'exemples nous sont conservés, dans les archives judiciaires comme dans les images, de jeunes cancres punis, pour qu'on imagine la vie scolaire aussi protégée qu'aujourd'hui. Cependant, il semble qu'on ne frappe que les mauvais élèves, jamais les plus jeunes d'entre eux, et que les coups excessifs sont interdits ; il est même recommandé de frapper « doucement » : battre un élève est permis, non le blesser. Pourtant, certains maîtres des XIIIe-XVe siècles sont encore influencés par de vieilles traditions de sévérité monastique, qui poussent volontiers à battre les enfants, comme Etienne de Aubazine, au XIIe siècle, « d'un coup de baguette sur la tête, ou de la main sur le visage d'une manière telle que le bruit en résonnait à toutes les oreilles, surtout s'il s'agissait d'un petit enfant, ceci afin de le corriger et de terrifier les autres [48] » ! Cependant, comme on le voit aux écrits de saint

Anselme, consulté sur ce point par l'instructeur de petits moines, tous les maîtres ne jugent pas bon de frapper les élèves, ce qui ne sert, pour reprendre ses termes, qu'à les rendre « tout à fait hébétés »... Ils s'appliquent d'abord à canaliser l'énergie des enfants. Avant de commencer à travailler, le bon maître « assagit » les enfants, dit Froissart dans *L'Espinette amoureuse*, texte dans lequel il livre ses souvenirs d'enfance. Pour les amadouer, et les intéresser au travail scolaire, au XIVe siècle, certains privilégient une approche ludique de l'enseignement. Maître Yon, moniteur à Soissons, fait usage de dictons mnémoniques, de plaisanteries et de jeux de mots pour délasser ses élèves. Déjà au XIIe siècle, maître Egbert de Liège enseigne la grammaire aux enfants à l'aide de petits contes amusants, parmi lesquels on compte l'ancêtre du « petit chaperon rouge [49] ». Le rire ou le sourire ne sont donc pas absents de ces établissements qui ne constituent pas tous, comme l'évoque Montaigne au XVIe siècle, des « geôles de jeunesse captive » animées par un maître fouetteur au nom évocateur de Tempeste. Les textes nous montrent que les enfants se livrent, souvent aux dépens du maître, à des plaisanteries d'un goût douteux, jouant à lui couper la moustache pendant sa sieste, ou lui tirant la langue. L'âge venant, ce comportement ne cesse guère, semble-t-il, et l'on voit même, au XIIe siècle, un prêtre du Bourg-Saint-Remi frapper et excommunier des écoliers rémois qui s'étaient moqués de lui [50]. Cette sentence, inutile de le dire, fut cassée.

L'apprentissage de l'alphabet lui-même donne lieu à des digressions amusantes, voire scatologiques, qui devaient faire rire les enfants dissipés. Un petit poème du XVe siècle, *La Ballade de l'ABC* [51], nous montre comment on plaisante de la prononciation des lettres, notamment le Q, car « par Q vente, tonne et espart ». Cette lettre est considérée comme une « mauvaise lettre » et si on y affirme qu'« il est vilain de nommer le Q » – c'est sans doute que les enfants ne se privaient pas de le faire... Une petite devinette médiévale « vous demande si le abc tout au long est mâle ou femelle » ? La réponse est sans ambiguïté : « Je vous dis bien qu'il doit être femelle, car on y trouve cul et quon et point de vit [52]. » Ce « quon » mystérieux renvoie vraisemblablement au *cum* (avec), dont la prononciation française évoque les organes sexuels féminins ; en effet, les petits élèves apprennent également par cœur les abréviations principales utilisées dans l'écriture, toujours rédigées à la suite de l'alphabet. D'autres plaisanteries, plus anodines, font du O la lettre de l'étonnement : « O s'esmerveille tost ou tard », bouche bée, de même que du A : « Quand mon maître dit A A A, je croyais qu'il était ébahi » ! dit la ballade ; la récitation de l'alphabet consiste en effet à le débuter par l'énonciation trois fois répétée de la lettre A. Le poète, qui se souvient à l'évidence de son enfance, fait du L [aile] une gourmandise recherchée : « L de chapon gras est bonne ». On met en garde l'élève dissipé contre la lettre D [dés] : « D est une maulvaise lestre et a maint clerc a fait injure », qui a perdu à ce jeu ses habits. On a vu que les mauvais maîtres ne s'en privent pourtant pas. La ballade de l'alphabet se conclut par une formule qui désigne sans doute son public potentiel, les fils de marchands : « Car en trestout mon abc / n'a bonne lectre sinon G » [« j'ai », je possède...]. Comme dans cet alphabet amusant, c'est bien en français que s'expriment les enfants des petites écoles du bas Moyen Age car on ne leur apprend pas le latin : pour devenir marchand, artisan, point n'est alors besoin en effet d'apprendre la grammaire, programme réservé aux collèges et aux enfants destinés plutôt au clergé.

Au divertissement s'ajoutent des vacances, qui ponctuent le temps de l'étude : on les appelle des « vaccations ». A Soissons, la rentrée s'effectue après les vendanges, en octobre, sans doute pour permettre aux écoliers d'origine paysanne de retourner aider leur famille – nous avons presque conservé ce calendrier agricole. Comme toute autre activité, la scolarité se plie aux exigences du calendrier chrétien. Les vacances de Noël durent quinze jours, et celles de Pâques dix jours. A Soissons, les bourses des écoliers valaient pour quarante-quatre semaines, ce qui correspond donc à la durée de l'année scolaire. Sans doute aussi l'école suspend-elle ses cours les jours de fêtes chômées, qui représentent près du tiers de l'année. Quant à ceux qui n'aiment pas l'école, ils la font volontiers buissonnière et il faut, dans les règlements des collèges, instaurer des surveillants qui vérifient que les élèves ne s'enfuient pas vers les rivières, à la belle saison, pour s'y livrer aux plaisirs de la baignade. Le poète anglais Lydgate, dans une œuvre autobiographique écrite vers 1450, se souvient qu'il aimait arriver en retard à l'école, par pure mauvaise volonté, et que plutôt que d'étudier il se livrait pour son plaisir à des plaisanteries ou aux querelles enfantines qui excédaient les maîtres, ou bien allait voler des pommes dans les jardins ou dérober des raisins dans les vignes [53].

L'opinion des enfants

Ainsi, les principaux intéressés ont laissé quelques traces autobiographiques du plaisir – ou plus souvent du déplaisir – qu'ils ont éprouvé à fréquenter l'école. Plaisir rare, pour Froissart, de plaire aux petites filles d'une école pour une fois agréablement mixte, de leur offrir « des boucles, ou bien une pomme, ou une poire, ou même seulement un annelet en verre [54] », plus souvent déplaisir de se voir obligé d'étudier au lieu d'aller jouer par les rues et les champs. Plaisir avoué de sécher l'école pour Lydgate qui dans un texte autobiographique, rappelle sa devise d'enfant : « Whereof rebuked, this was my device » (« Toujours réprimandé, telle était ma devise [55]... »). L'auteur de la version allemande du *Roman de Tristan*, Gottfried, fait au XIIIe siècle dans un texte sans nuance le procès de l'école de son temps : « un carcan imposé dès l'âge de sept ans, qui leur ravit leur liberté, les accable de soucis et flétrit toute leur joie [56] ». Ce sont les mêmes termes que trouve le marchand italien Giovanni Morelli, lorsqu'il évoque son enfance : l'éducation lui a été « pénible à la liberté de l'enfance ». Gottfried n'hésite pas à dire que « la meilleure part de leur vie » est ôtée aux enfants. A la lecture des statuts des collèges du XIIIe siècle, on s'explique mieux les raisons de ces mauvais souvenirs. La règle est dure, quasi monacale. Le petit écolier est parfois tonsuré. Les écoliers des Bons-Enfants de Reims sont contraints de porter cape grise, d'aller mendier en ville le pain quotidien de l'école, de faire silence lors des repas et de ne parler entre eux que latin, de subir la discipline chaque nuit [57]... Tous n'ont pas des conditions matérielles de vie convenables : ceux de Toulouse sont logés dans des hôpitaux et manquent de la literie suffisante. A ceux d'Agen, on donne pour abri une ancienne prison [58].

Pourtant, tous les enfants ne sont pas soumis à un tel régime et, dans les conseils éducatifs que donne Aldebrandin de Sienne, à la fin du XIIIe siècle, aux mères de la noblesse française, on peut lire qu'à l'âge de sept ans, il faut envoyer l'enfant à l'école « et le confier à un maître qui sache l'enseigner sans le battre et qu'on ne le force pas trop à y demeurer contre son gré [59].... » C'était sans doute là un vœu pieux, qui valait davantage pour les petites écoles que pour les collèges empreints d'austérité.

***

Enfants aux champs, enfants des villes, enfants des châteaux médiévaux ou jeunes ruraux envoyés en ville en apprentissage ou au collège... Si les premiers demeurent jusqu'à un âge avancé à la ferme avec leurs parents, souvent jusqu'à un mariage qui, pour les garçons, n'intervient que vers l'âge de trente ans, en revanche une caractéristique réunit les autres catégories de jeunes, *a priori* très différentes : tous ont l'occasion ou l'obligation de quitter leur famille alors qu'ils sont encore en enfance. Ainsi, les petits nobles partent pour aller, dans une autre demeure, apprendre leur futur « métier » de chevalier. A l'adolescence, ceux qui en ont les moyens quittent le château familial pour voyager afin de compléter leur éducation [60]. Comme Tristan, au XIIe siècle, ils souhaitent aller visiter des pays étrangers ; le pédagogue de ce jeune héros lui conseille : « Demande à ton père de t'accorder la permission d'aller voir des pays étrangers. Il ne serait pas bon que tu te prives de connaître les pays étrangers », et le jeune homme demande tout de go à son père l'autorisation de s'en aller :

> Cher père, consens à me laisser partir. Attendre plus longtemps me fait tort [...]. Je voudrais partir pour me faire voir du plus grand nombre possible de gens inconnus, soit pour affaire sérieuse, soit pour me divertir. Je ne serais pas fâché si je trouvais quelque rude épreuve. Dès mon jeune âge je dois chercher à voir comment on vit dans les pays étrangers.

De tels voyages sont effectivement accomplis par nombre de jeunes nobles, mais aussi par les fils des marchands, poussés par d'autres motivations. Les petits artisans quittent aussi leur famille ; ils sont placés en apprentissage, parfois loin du foyer. Les orphelins n'ont d'autre choix que d'aller apprendre un métier auprès d'un tiers. Les fils et filles de paysans partent quelquefois eux aussi en apprentissage, mais ils ne sont pas placés très loin de leur foyer, à l'exemple d'une petite Jeannette qui, à onze ans, part travailler comme chambrière à trois lieues de sa maison natale. Les futurs scribes ou artistes voyagent à longue distance, tel l'apprenti d'Ancône, qui exprime en allemand ses facéties dans les marges du livre qu'on lui donne à copier. Des enfants accompagnent les pèlerins, surtout à la fin du Moyen Age, voire partent seuls, comme ce fut le cas lors de la « croisade des enfants » qui rassembla quelques adultes à la mode médiévale, c'est-à-dire de grands adolescents, mais surtout beaucoup d'enfants, ou encore lors du pèlerinage spontané des enfants au Mont-Saint-Michel qui, à la fin du XIVe siècle, a jeté sur les routes des enfants « tous ou pour la plupart vierges [...] sans avoir pris congé de père ni de mère, sans argent, sans pain ni vin... ». Il y a là dans ces errances le plus souvent programmées un caractère propre au monde médiéval, le désir d'une initiation à l'indépendance et à l'autonomie. La fugue de l'adolescent, au Moyen Age, sans doute alors relativement courante, est un autre aspect de cette indépendance. Ce n'est pas nécessairement le refus d'une situation familiale ou professionnelle désastreuse. Elle est aussi un moyen de se mettre à l'épreuve. Mathaeus Schwarz, jeune homme de bonne famille, rappelle dans son autobiographie illustrée comment il fugua à neuf ans, vers 1505, et subvint à ses moyens en chantant au pied des fenêtres des dames. En réalité, changer de famille, voyager, s'enfuir sont autant de manières de découvrir de nouveaux savoir-faire, d'ouvrir ses horizons. Les voyages forment la jeunesse, dit-on encore. C'est là le lointain écho d'une situation typiquement médiévale.

En vérité, la seule mobilité qui leur est pour ainsi dire interdite, c'est la mobilité sociale. Dans une chanson de geste écrite à la fin du XIIe siècle, on peut lire le conseil suivant : « Ne faites pas un évêque du fils de votre berger. Prenez un fils de roi, de duc, de comte ou encore le fils d'un vavasseur [...] Laissez le vilain à son sillon, car le vilain n'a que faire d'un fief et sa nature finit toujours par reprendre le dessus ». C'est là une opinion qui va durer : « Doit-on à l'enfant apprendre tel métier qui convient à sa position sociale... », dit, à la fin du XIIIe siècle, Philippe de Novare. Bien que le même auteur insiste également sur le fait que « par clergie est devenu souvent et peut advenir que le fils d'un pauvre homme devient un grand prélat; et par ce est riche et honoré, et père et sire de lui et des siens, et dirige tous ceux du pays et peut devenir pape, et être père et sire de toute la chrétienté », en réalité un fils de paysan ne devient que rarement pontife, ou théologien comme Jean Gerson et le contre-exemple de Gerbert, fils de paysans du Cantal remis très jeune au monastère d'Aurillac, et qui finit pape en l'an Mil, ne peut être considéré comme une règle générale, surtout dans les trois derniers siècles médiévaux. Changer de vie n'est cependant pas impossible, loin s'en faut. Donné par ses parents à un monastère, le petit paysan a vocation à devenir moine, et cette forme d'ascension sociale, qui le mettait de surcroît à l'abri des dangers et disettes, a dû constituer pour nombre de parents une forte incitation à l'offrir comme oblat. A cette exception près, le petit n'a guère de possibilités de changer d'état; seuls les paysans de quelques régions du centre-ouest de la France peuvent accéder à la noblesse : au siècle de saint Louis, il existe, en Forez, en Vivarais, des « paysans fieffés », aisés, parmi lesquels sont parfois recrutés les chevaliers et, en Italie, certains ruraux peuvent encore prétendre à posséder un jour une maison forte, une terre, un nom et, en l'espace de quelques générations, passer de l'état rural à la petite noblesse. *A contrario*, quelques nobles travaillent de leurs mains : ils sont métallurgistes ou verriers, métier théoriquement réservé à la noblesse [61] ; en Languedoc, c'est sur ordre royal que cette activité est réservée aux « gentilshommes », « noble et procréé de noble génération » et à condition de surcroît qu'ils soient eux-mêmes fils de verriers ; même les bâtards nobles sont exclus du droit à exercer cette profession qui peut cependant se transmettre par l'intermédiaire de la mère et qui est ouverte aux filles légitimes.

Mais ce sont là des exceptions qui confirment la règle, une règle qu'au XIIIe siècle serinent à l'envi des textes où sont mis en scène de jeunes ruraux qui, refusant leur état, partent chercher fortune et jouent au chevalier ; mais, sans doute pour complaire aux nobles lecteurs, l'histoire finit toujours mal et le fils de paysan, honteux et confus, admet enfin son état de rustique : c'est l'argument, en Allemagne, du roman d'*Helmbrecht le Fermier*, en France, au début du XIIIe siècle, de celui de *Courtois d'Arras*. Courtois, fils d'éleveur, bien mal nommé pour un simple paysan, refuse sa situation, exige sa part d'héritage, part à la ville, se ruine en boisson et aux jeux et se retrouve... porcher, c'est-à-dire pis encore qu'avant ; il finit par rentrer piteusement au foyer paternel [62]. La leçon de morale est qu'il ne faut pas chercher à changer son état. Ou du moins pas d'un coup. Ce qui n'empêche pas au XVe siècle un fils de laboureur de pouvoir entrer au collège surtout si, comme le petit Pierre, il est jugé « impotent de bras tellement qu'il ne saurait aprendre mestier [63] »... : une chance, pour l'enfant chétif, de grimper dans l'échelle sociale. Dans les milieux artisanaux, la mise en apprentissage auprès d'un professionnel relevant d'un métier plus huppé que celui du père permet aussi aux jeunes de se hausser socialement quelque peu : le fils du maréchal-ferrant devient orfèvre, le fils d'un orfèvre n'en adopte pas à tout coup le métier. Il peut devenir un grand peintre, comme Domenico Ghirlandaio, au XVe siècle. Entre les diverses branches des arts et métiers, des passerelles peuvent être empruntées, du moins par le jeune en cours de formation. Il suffit pour s'en convaincre d'observer la destinée des célèbres frères Limbourg, peintres favoris de Jean de Berry, qui ont été mis en apprentissage, « jeunes enfants », auprès d'un orfèvre parisien [64] mais ont dès leur adolescence changé d'orientation pour devenir enlumineurs de cour.

De plus en plus, au XVe siècle, les boutiquiers rêvent de noblesse pour leurs fils, devenus riches marchands et acheteurs de lettres d'anoblissement voire de domaines féodaux. L'argent du commerce permet aussi cette ascension sociale si longtemps refusée aux enfants des ignobles, du moins dans une certaine mesure : pour Jacques Le Goff, « la mobilité sociale n'a pas été, dans le monde des affaires médiéval, aussi grande qu'on l'a dit parfois », même pour les fils de marchands-banquiers [65]. Mais si noblesse et riche bourgeoisie tendent à se confondre, plus que jamais les paysans sont écartés de ce phénomène, voire méprisés. A la fin du Moyen Age, seule la culture de l'esprit cumulée à celle de leurs champs permet encore aux jeunes ruraux quelque espoir de s'élever au-dessus de leur condition, par exemple en devenant prêtre. En effet, c'est surtout l'éducation, que reçoivent de plus en plus d'enfants « ignobles », qui leur confère une (très) relative égalité avec les jeunes nobles. *Scolae, scalae*, disait-on : l'école est une échelle qui permet de se hausser au-dessus de son état. Les puissants en sont conscients : quelques enfants trouvés ou orphelins, au XIVe siècle, sont recueillis à la Cour et dotés par les dauphins et les princes qui les mettent à « apprendre aux écoles » – mais que deviennent ces enfants, à l'âge adulte ? Quoi qu'il en soit, la naissance est en passe de perdre de son importance : elle ne suffit plus à justifier l'admiration due à un homme. Les adages se multiplient, qui disent aux enfants de la haute noblesse que nul ne peut être admiré pour sa seule naissance s'il n'est également lettré. On peut même lire sous la plume de l'auteur du *Jehan de Saintré*, un roman initiatique écrit par Antoine de la Sale en 1456 [66], destiné à la jeunesse et dont le héros est un jeune garçon de treize ans qui fait l'apprentissage de la courtoisie, que « le fils de la chambrière, bien morigéné, vaut assez plus que le fils d'un roi qui est mal conditionné » !

C'est là une vision nouvelle, presque impensable auparavant. Un grammairien italien, Milo da Colla, estime quant à lui que la science fait sortir le pauvre de sa poussière, qu'elle rend noble le non noble en lui conférant une réputation illustre... L'humanisme accomplit un – très relatif – bouleversement de l'*ordo*. Et de fait l'instruction, si elle ne transforme pas l'ignoble en noble, place tout un chacun sur un même pied d'égalité ; le marchand cultivé le comprend bien, qui ne se sent plus amoindri devant le noble ; ainsi, au fil du XVe siècle, s'accentue l'idée que le marchand bénéficie d'une certaine dignité [67]. Cette dignité nouvelle passe essentiellement par l'école, ou par le talent, et un Benvenuto Cellini, né « dans une humble condition », comme il le dit lui-même, fut bel et bien admis cinquante-quatre ans plus tard au sein de la noblesse florentine.

Conclusion

Au terme de cet ouvrage, le lecteur aura parfois eu l'impression qu'il est bien difficile d'élaborer une histoire de l'enfance au Moyen Age : jusqu'au XIIIe siècle, les sources émanent principalement des clercs, avares de renseignements sur la vie quotidienne et notre perception de l'enfance médiévale se modifie sensiblement en fonction du type de document utilisé, du milieu social observé, de l'aire géographique étudiée, de l'âge ou du sexe de l'enfant ou encore de la période envisagée. Aussi, plutôt que d'histoire de l'enfance, on parlera volontiers d'histoires d'*enfances*, car c'est bien d'une histoire plurielle qu'il s'agit. Cependant quelques traits fondamentaux se dégagent de cette étude qu'il convient de résumer brièvement pour conclure.

Tout d'abord, abandonnons définitivement l'idée d'une absence de sentiment pour les enfants au Moyen Age. Malgré des conditions de vie souvent difficiles, la très grande majorité des enfants, dans leur famille, à l'école, au monastère, auprès d'un patron, d'un seigneur, dans la rue ou aux champs, est entourée d'affection et reçoit une éducation soignée. Par ailleurs, l'enfant et la famille au Moyen Age représentent bien un ensemble de spécificités qui tiennent surtout au poids de la religion chrétienne dans la société. L'enfance médiévale est enfin caractérisée par des conditions de vie particulières, qui ne sont pas seulement familiales. L'enfant a de nombreuses occasions de quitter sa famille naturelle pour être pris en charge par d'autres adultes que ses père et mère, mais qui acceptent pourtant d'en assumer les rôles. Aussi, faut-il admettre qu'étudier les enfants seulement au sein de la cellule conjugale formée par ses deux géniteurs n'est pas du tout suffisant. Il faut que l'historien tourne également son regard vers les autres structures « portantes » de la société, telle que la famille recomposée, l'entreprise ou le monastère. Toutes ces familles d'accueil se succèdent pour aimer, éduquer et instruire les enfants. Elles jouent un rôle fondamental dans l'apprentissage de la vie et ce phénomène d'ensemble démontre, chemin faisant, que la société médiévale toute entière se sent concernée par la vie des enfants.

Notes

Introduction

1. Ph. Ariès, *L'Enfant et la vie familiale sous l'Ancien Régime*, Paris, Plon, 1960, rééd. 1973.
2. Id., *ibid.*, p. 29.
3. Id., *ibid.*, introduction, p. XI.
4. P. Riché, *Education et culture dans l'Occident barbare (VIe-VIIIe siècles)*, Paris, Seuil, 1962.
5. J.-L. Flandrin, « Enfant et société », *Annales ESC*, 19e année, n° 2, mars-avril 1964, p. 322-329.
6. E. Le Roy Ladurie, *Montaillou, village occitan de 1294 à 1324*, Paris, Gallimard, 1975, chapitre XIII, p. 300-323.
7. « L'enfant à travers les siècles », entretien avec Ph. Ariès, propos recueillis par M. Winock, *L'Histoire* n° 19, janvier 1980, p. 86.
8. E. Shorter, *Naissance de la famille moderne, XVIIIe-XXe siècles*, Paris, Seuil, 1977 (version originale, 1975), p. 210-218.
9. E. Badinter, *L'Amour en plus. Histoire de l'amour maternel, XVIIIe-XXe siècle*, Paris, Flammarion, 1980, p. 34 et 67.
10. Pour les critiques de la thèse de Ph. Ariès, on peut se reporter en particulier à D. Alexandre-Bidon, « Grandeur et renaissance du sentiment de l'enfance au Moyen Age », *Educations médiévales, l'enfance, l'école, l'Eglise en Occident (VIe-XVe siècles)*, numéro spécial de la revue *Histoire de l'Education*, INRP, 1991, p. 39-63.
11. Voir les ouvrages cités en bibliographie.
12. Pour une étude de l'enfance à partir de l'iconographie, voir D. Alexandre-Bidon et M. Closson, *L'Enfant à l'ombre des cathédrales*, PUL-CNRS, Lyon, 1985.

L'ENFANT DANS LA CHRÉTIENTÉ (Ve-XIIIe SIÈCLES)

Famille et parenté chrétiennes

1. Voir, en particulier, N. Belmont, « Levana ou comment " élever " les enfants », *Annales ESC*, n° 1, janvier-février 1973, p. 77-89.

2. Saint Augustin, *De sancta virginitate*, livre I, chapitre III, *Patrologie Latine (PL)*, 40, col. 398.

3. Id., *Confessions*, éd. P. Labriolle, Paris, 1947, rééd. 1966, I, IX, t. I, p. 16.

4. Jacques de Voragine, *La Légende dorée*, Paris, GF-Flammarion, 1967, t. I, p. 47.

5. *Gesta abbatum Orti sancte Marie*, éd. A. W. Wybrands, Leeuwarden, 1879, p. 5.

6. P. Veyne, « La famille et l'amour sous le Haut Empire romain », *Annales ESC*, 1978, p. 35-63.

7. Grégoire de Tours, *Histoire des Francs*, éd. R. Latouche, Paris, Les Belles Lettres, 1963, t. I, V. 21.

8. Bède le Vénérable, *Histoire ecclésiastique du peuple anglais*, présenté et traduit par P. Delaveau, Paris, Gallimard, 1995, p. 110.

9. Id. *ibid.*, p. 147.

10. J. Gélis, *L'arbre et le fruit, la naissance dans l'Occident moderne, XVIe-XIXe siècle*, Paris, Fayard, 1984, p. 57.

11. J.-Cl. Schmitt, *Le saint Lévrier. Guinefort, guérisseur d'enfants depuis le XIIIe siècle*, Paris, Flammarion, 1979, p. 112.

12. Cité dans J. Berlioz, « Pouvoir et contrôle de la croyance : la question de la procréation démoniaque chez Guillaume d'Auvergne », *Razo*, 9, Nice, 1989, p. 16.

13. Burchard de Worms, *Decretum*, livre XIX, *Corrector sive medicus*, éd. *PL* 140, col. 537-1058, canon 179. Traduit dans C. Vogel, *Le pécheur et la pénitence au Moyen Age*, Paris, Cerf, 1969, p. 87-93.

14. Grégoire de Tours, *Liber II de virtutibus S. Martini*, publié dans *Monumenta Germaniae Historica* (*MGH*), *Scriptores Rerum Merovingicarum* (*SRM*), I, p. 617.

15. Paul Diacre, *Histoire des Lombards*, Paris, Les Belles Lettres, 1995, livre I, 15, p. 20.

16. *Le Frêne. Lais de Marie de France*, trad. L. Harf-Lancner, éd. Karl Warnke, Lettres gothiques, Paris, Le Livre de Poche, 1990, p. 89-91. Le regard porté sur les jumeaux n'est pas toujours négatif. Quelques textes littéraires en font aussi des êtres particulièrement valorisés.

17. Bède le Vénérable, *op. cit.*, p. 107.

18. *La vie et les miracles de saint Amator*, éd. E. Albe, 1909, livre II, 29.

19. Bède le Vénérable, *op. cit.*, p. 106-107.

20. *Corpus christianorum*, éd. G. Morin, t. CIII, 1953, p. 9, 196, 229 et 231.

21. Burchard de Worms, *op. cit.*, article 159 ; C. Vogel, *op. cit.*, p. 106.

22. Hermannus, *Liber de restauratione Sancti Martini Tornacensis*, c. 18, *MGH*, *Scriptores in-fol.* (*SS*), t. XIV, p. 282.

23. J.-L. Flandrin, *Un temps pour embrasser, aux origines de la morale sexuelle occidentale (VIe-XIe siècle)*, Paris, Seuil, 1983, p. 48-49.

24. *Pénitentiel du Pseudo Bède*, II, 4, *PL* 94, col. 571.

25. Mansi, *Sacrorum conciliorum nova et amplissima collectio, in fol.*, Florence et Venise, 1759-1798, t. IX, p. 997.

26. *Vita Leobae abbatissae biscofesheimensis, auctore Rudolfo, MGH, SS*, t. XV, p. 127.

27. On retrouve les mêmes causes à la fin du Moyen Age : voir J.-B. Brissaud, « L'infanticide à la fin du Moyen Age : ses motivations psychologiques et sa répression », *Revue historique du droit français et étranger*, 50e année, n° 2, avril-juin 1972, p. 229-256.

28. J. Boswell, *Au bon cœur des inconnus. Les enfants abandonnés de l'Antiquité à la Renaissance*, Paris, Gallimard, 1993 (trad. ; éd. anglaise, 1988).

29. Réginon de Prum, *Libri duo de synodalibus causes et disciplinis ecclesiasticis*, éd. F. Wasserschleben, Leipzig, 1840, p 68.

30. J. Boswell, *op. cit.*, p. 117-120.

31. Grégoire de Tours, *Histoire des Francs...*, *op. cit.*, t. I, V, 17.

32. Id. *ibid.*, t. II, IX, 20.

33. *Leges Visigothorum*, éd. K. Zeumer, Hanovre, 1902, 4. 4. 3.

34. Canon 60 du concile de Tolède IV en 633, publié par J. Vives, *Concilios visigoticos e hispano-romanos*, Barcelone-Madrid, 1963, p. 212.

35. Ch. Fell, *Women in Anglo-saxon England*, Basil Blackwell Ltd, Oxford, 1987, p. 82.

L'enfant chrétien

1. *S. Hieronymi Presbyteri Opera, Pars I, Opera exegetica 7, Commentarium in Matheum, Libri IV, III*, Typographi Brepols, 1969, p. 157. Ce commentaire se retrouve aussi chez Colomban, Bède le Vénérable ou Isidore de Séville ; voir P. Riché, *Education et culture...*, *op. cit.*, note 50, p. 505.

2. *Sermon* VII, 3-4.

3. Isidore de Séville, *Etymologiae*, XI, 2-10, éd. W. M. Lindsay, Oxford, 1911.

4. I. H. Forsyth, « Children in Early Medieval Art : Ninth Through Twelth Centuries », *Journal of Psychohistory*, été 1976, vol. 4, n° 1, p. 32.

5. Bède le Vénérable, *op. cit.*, p. 168.

6. Amalaire, *Liber Officialis*, v, 29, 11, éd. Hanssens, *Amalarii episcopi opera liturgica omnia*, t. I (*Studi et testi* 138), Rome, 1948, p. 499.

7. Grégoire de Tours, *Histoire des Francs...*, *op. cit.*, t. II, VIII, 16.
8. *De vita et miraculis sancti Goaris*, 20, *PL* 121, col. 649.
9. Benedict de Peterborough, *Miracles de Thomas Becket*, éd. J. G. Robertson, *Materials for History of Archibischop Thomas Becket*, rolls series n° 67, vols. 1 et 2, 1875, livre II, 25.
10. *Vita Sancti Aniani III*, chap. 2, éd. A. Theiner, *Saint Aignan et le siège d'Orléans par Attila*, Paris, 1832, p. 34.
11. Jean de Salisbury, *Polycraticus*, II, cap. XXVIII, *PL* 199, col. 474.
12. *Vita Benedicti, Acta Sanctorum* (*AS*), avril II, 225.
13. Julien de Vézelay, *Sermons*, éd. D. Vorreux, « Sources chrétiennes », 1972, t. I, n° 192, p. 309.
14. Guibert de Nogent, *Autobiographie*, éd. E. R. Labande, Paris, Les Belles Lettres, 1981, I, VI, p. 122.
15. Sur l'ambiguïté de ce regard, voir D. Lett, « Le corps de la jeune fille. Regards de clercs sur l'adolescente aux XIIe et XIVe siècles », *Le temps des jeunes filles*, *Clio* n° 4, automne 1996, p. 51-73.
16. Gervais de Tilbury, *Le Livre des Merveilles*, traduit et édité par A. Duchesne, Paris, Les Belles Lettres, n° 103, p. 112-128.
17. Saint Augustin, *Les Confessions...*, *op. cit.*, I, 7, 11, t. I, p. 9.
18. Abélard, *Historia Calamitatum*, éd. J. Monfrin, Paris, J. Vrin, rééd. 1978, p. 76.
19. Saint Augustin, *Les Confessions...*, *op. cit.*, p. 9.
20. Bède le Vénérable, *op. cit.*, p. 166.
21. Grégoire de Tours, *Histoire des Francs...*, *op. cit.*, t. II, VI, 27.
22. Paul Diacre, *op. cit.*, IV, 27, p. 86.
23. Id. *ibid.*, V, 27, p. 116.
24. *Vita Odilae, MGH, Vitae*, VI, p. 39-40 et *Vita Vincentiani Avolcensis, MGH, Vitae*, V, p. 116.
25. Chrétien Druthmar, *Expositio in Mattheum*, *PL* 106, col. 1501.
26. Dhuoda, *Manuel pour mon fils*, texte publié par P. Riché, Sources chrétiennes, n° 225, Cerf, 1975, I, 7, p. 116.
27. Inspiré d'un questionnaire d'origine saxonne datant du VIIIe siècle, en langue germanique, *MGH, Capitularia*, I, p. 222.
28. Jonas d'Orléans, *De institutione laïcali*, I, 8, *PL* 106, col. 135.
29. Loup de Ferrières, *Correspondances*, éd. et trad. L. Levillain, Paris, Les Belles Lettres, 1964, t. II, p. 42-43.
30. Grégoire de Tours, *Liber vitae patrum*, II.
31. Saint Augustin, *Sermon* 334, *PL* 38, col. 1447.
32. Etienne, *Vie de saint Wilfrid d'York*, *MGH, SRM*, VI, p. 213.
33. *Cartulaire de Saint-Vaast d'Arras au XIIe siècle par Guiman*, éd. Van Drival, Arras, 1875, p. 155-156.
34. D. Lett, « De l'errance au deuil. Les enfants morts sans baptême et la naissance du *limbus puerorum* aux XIIe-XIIIe siècles, *Actes du XVIe congrès de Flaran (1994), Le premier âge et la petite enfance*, 1997.
35. Ruotger de Trêves, *Capitulaire*, c. 23, *MGH, cap. Ep.* I, p. 69.
36. R. Foreville, *Latran I, II, III et Latran IV, Histoire des conciles œcuméniques*, sous la direction de G. Dumeige, vol. VI, Paris, Ed. de l'Orante, 1965, p. 357-358.

37. A. Alduc-le-Bagousse, « Comportements à l'égard des nouveau-nés et des petits enfants dans les sociétés de la fin de l'Antiquité et du haut Moyen Age », *L'enfant, son corps et son histoire, Actes des 7e Journées anthropologiques de Valbonne*, 1er-3 juin 1994, Paris, CNRS, 1997 (à paraître).
38. C. Treffort, *Genèse du cimetière chrétien. Etude sur l'accompagnement du mourant, les funérailles, la commémoration des défunts et les lieux d'inhumation à l'époque carolingienne (Entre Loire et Rhin, milieu VIIIe-début XIe siècle)*, thèse de doctorat d'histoire médiévale, soutenue à Lyon, sous la direction de P. Guichard, le 27 septembre 1994, dactyl.
39. Cl. Lorren, « Le village de Saint-Martin de Trainecourt à Mondeville (Calvados) de l'Antiquité au haut Moyen Age », *La Neustrie. Les pays de la Loire de 650 à 850*, colloque historique international, publié par H. Atsma, t. II, p. 457.
40. *Archéologie médiévale*, X, 1980, p. 388-389.
41. C. Niel, « Les inhumations d'enfants au sein de la cour d'Albane, groupe épiscopal de Rouen (Xe-XIe siècles) », *L'enfant, son corps et son histoire..., op. cit.*
42. V. Fabre et A. Garnotel, « La place de l'enfant dans l'espace des morts. Apports des fouilles du Lunellois », *L'enfant, son corps et son histoire..., op. cit.*
43. Cl. Lorren, *op. cit.*, p. 459.
44. V. Fabre et A. Garnotel, *op. cit.*
45. *Un village au temps de Charlemagne. Moines et paysans de l'abbaye de Saint-Denis du VIIe siècle à l'An Mil*, catalogue de l'exposition réalisée au musée national des Arts et Traditions populaires du 29 novembre 1988 au 30 avril 1989, Paris, 1988, p. 176.

Des conditions de vie difficiles

1. Grégoire de Tours, *Histoire des Francs..., op. cit.*, t. I, IV, 3 et t. I, V, 14.
2. Paul Diacre, *op. cit.*, IV, 37.
3. R. Le Jan, *Famille et pouvoir dans le monde franc (VIIe-Xe siècle)*, Paris, PU de la Sorbonne, 1995, p. 345.
4. P. Bonnassie, *La Catalogne du milieu du Xe siècle à la fin du XIe siècle. Croissance et mutation d'une société*, Toulouse, 1975-1976, t. I, p. 270.
5. L. Génicot, « On the evidence of Growth of Population in the West from the eleventh to the thirteenth century », S. Thrupp (dir.), *Change in the Medieval Society*, Londres, 1965, p. 14-29.
6. Grégoire de Tours, *Histoire des Francs..., op. cit.*, t. II, IX, 38 ; t. I, II, 29.
7. Bède le Vénérable, *op. cit.*, p. 159.
8. Grégoire de Tours, *Histoire des Francs..., op. cit.*, t. II, VI, 23.
9. Philippe de Novare, *Les quatre âges de l'homme*, édité par M. de Fréville, Paris, F. Didot, 1888, Johnson Reprint Corporation, New York, 1968, Titre 189, p. 103.

10. Grégoire de Tours, *Histoire des Francs...*, *op. cit.*, t. I, V, 22.
11. Id. *ibid.*, t. I, V, 35.
12. Clovis fait référence à leur premier fils, Ingomer, mort immédiatement après son baptême.
13. Grégoire de Tours, *Histoire des Francs...*, *op. cit.*, t. I, II, 29.
14. Id. *ibid.*, t. I, V, 34.
15. Id. *ibid.*, t. II, X, 1.
16. R. Glaber, *Histoires*, publiées par M. Prou, Paris, 1866, cité par G. Duby, *L'an mil*, coll. Archives, Julliard, 1967, p. 112-113.
17. Grégoire de Tours, *Histoire des Francs...*, *op. cit.*, t. I, III, 7.
18. Bède le Vénérable, *op. cit.*, p. 167.
19. Grégoire de Tours, *Histoire des Francs...*, *op. cit.*, t. I, III, 6.
20. Id. *ibid.*, t. I, III, 18.
21. Abbon de Saint-Germain, *Le siège de Paris par les Normands, poème du IXe siècle*, éd. et trad. H. Waquet, Paris, Les Belles Lettres, 1964, p. 30-31.
22. Bède le Vénérable, p. 130-131.
23. Paul Diacre, *op. cit.*, IV, 37. Les mots en italiques sont une citation de Virgile, *Géorgiques*, IV, 83.
24. Cassiodore, *Variorum liber*, 8. 33, éd. Theodor Mommsen, Berlin, 1894 (*PL* 69, cols. 763-765).
25. Jordanes, *Histoire des Goths*, introduction, traduction et notes de O. Devillers, Paris, Les Belles Lettres, coll. La Roue à livres, 1995, p. 54-55.
26. Cité par P. Bonnassie, *op. cit*, p. 271.

L'éducation des enfants

1. Ph. Ariès, *op. cit.*
2. D. Desclais-Berkvam établit une liste de 48 termes se rapportant à l'éducation au Moyen Age : D. Desclais-Berkvam, *Enfance et maternité dans la littérature française des XIIe et XIIIe siècles*, Paris, Champion, 1981, p. 95, note 2.
3. *Règle de saint Benoît*, chapitre LIII, éditée par J.-P. Lapierre, *Règles des moines*, Paris, Seuil, 1982.
4. *Commentaire de la Règle de saint Benoît*, éd. Bibliotheca Cassinensis, t. IV, chap. LXIII, 1880, p. 12 *sq.* traduit par P. Riché, *Ecoles et enseignements dans le haut Moyen Age*, 2e éd., 1989, p. 363.
5. Egbert de Liège, *Fecunda Ratis*, éd. Voigt, Halle, 1889, p. 179 ; traduit par P. Riché, *ibid.*, p. 364.
6. Eadmer, *Vita Anselmi*, 22, éd. R. W. Southern, Oxford, 1962, p. 37.
7. Thomas de Cantimpré, *Bonum universale de apibus*, I, 23, éd. Douai, 1627, p. 93-94, cité et traduit dans A. Lecoy de la Marche, *Le Rire du prédicateur*, présenté par J. Berlioz, Brepols, 1992, p. 152-153.
8. Cité par M. Rouche, *Histoire générale de l'enseignement et de l'éduca-*

tion en France, t. I, *Des origines à la Renaissance*, Paris, Nouvelle Librairie de France, 1981, p. 226.

9. *Vita Desiderii, MGH, SRM* 4, p. 569-570; voir P. Riché, *Ecole et enseignement..., op. cit.*, p. 20 et p. 389.

10. Dhuoda, *op. cit.*.

11. Id. *ibid.*, Prologue, p. 21-22 et I. 7. 18.

12. Id. *ibid.*, p. 73.

13. Id. *ibid.*, p. 141.

14. J. Delumeau (dir.), *La religion de ma mère. Le rôle des femmes dans la transmission de la foi*, Paris, Cerf, 1992.

15. Odon de Cluny, *Vita Geraldi Auriliacensis comitis*, *PL* 133, col. 645.

16. O. Doppelfeld, « Das fränkische Knabengrab unter dem Chor des Kölner Domes », *Germania* 12, 1964, p. 156-188.

17. *Anonymi vita Hludowici imperatoris*, c. 4, éd. Rau, t. III, p. 264.

18. Ermold le Noir, *Poème sur Louis le Pieux*, éd. et trad. E. Faral, Paris, Champion, 1932, p. 183-185.

19. *Lamberti Ardensis historia comitum Ghisnensium*, éd. J. Heller, *MGH*, t. XXIV, 1879, chapitre 90.

20. *Ibid.*, chapitre 90.

21. Bède le Vénérable, *op. cit.*, p. 168.

22. Paul Diacre, *op. cit.*, livre 6, 26, p. 138.

23. R. Le Jan, « Apprentissage militaire, rites de passage et remises d'armes au haut Moyen Age », *Education, apprentissages, initiation au Moyen Age, Actes du Ier colloque international de Montpellier (Université Paul Valéry) de novembre 1991, Cahiers du CRISIMA* n° 1, Montpellier, 1993, p. 222.

24. Grégoire de Tours, *Histoire des Francs..., op. cit.*, t. II, VI, 24.

25. Venance Fortunat, *Carmina*, t. IV, 17, v. 8-9, p. 100.

26. Id., *Poèmes*, livre IV, 26, Paris, Les Belles Lettres, 1994, p. 157.

27. *Admonitio Generalis, MGH, Capit.* I, p. 60.

28. Alcuin, *Operum*, Pars. VIII, *PL* 101, col. 1155.

29. Odon de Tournai, *De restauratione abbatiae s. Martini Tornacensis*, *PL* 180, 43.

30. Théodulf d'Orléans, *Capitula*, I, chap. XX, éd. P. Brommer, *Capitula episcoporum, MGH*, Hanovre, 1984, p. 116.

31. *Gesta sanctorum Villariensium, MGH*, SS, XXV, p. 232.

32. Voir M. De Jong, « Growing up in a Carolingian Monastery. Magister Hildemar and his oblates », *Journal of Medieval History*, 1983, p. 99-128. Voir aussi la synthèse sur l'oblation : M. De Jong, *In Samuel's Image. Child oblation in the early medieval West*, Bull, 1996.

33. Bède le Vénérable, *op. cit.*, V, 24.

34. *MGH. Epistolae III*, 2e éd., 1957, p. 276.

35. Raban Maur, *De oblatione puerorum*, *PL* 107, col. 419-440.

36. Udalrich, *Consuetudines cluniacenses*, livre III, cap. IX, *PL* 149, col. 747.

37. Etienne de Bourbon, Paris, BNF, ms. latin 15970, f° 285, éd. et trad. dans A. Lecoy de la Marche, *op. cit.*, n° 27, p. 38-39.

38. Chap. 24, *PL* 88, col. 1054; texte édité et traduit par P. Riché, *Ecole et enseignement...*, *op. cit.*, p. 351.

L'enfant en famille

1. R. Ring, « Early Medieval Peasent Households in Central Italy », *Journal of Family History*, 2, 1979, p. 2-25.
2. P. Bonnassie, *op. cit*, t. I, p. 267.
3. R. Fossier, *La Terre et les hommes en Picardie*, Paris, Louvain, 1969, p. 262-273.
4. Voir en particulier l'article pionnier de M. Baulant, « La 'famille en miettes' : sur un aspect de la démographie du XVIIe siècle », *Famille et société*, numéro spécial des *Annales ESC*, 27e année, n° 4-5, juillet-octobre 1972, p. 959-968.
5. Voir D. Lett, *Enfances, Eglise et familles dans l'Occident chrétien entre le milieu du XIIe siècle et le début du XIVe siècle (Perceptions, pratiques et rôles narratifs)*, Thèse de doctorat d'Histoire présentée à l'EHESS, sous la direction de Ch. Klapisch-Zuber, 1995, dactyl., p. 581-611.
6. Ph. Ariès, *op. cit.*
7. Cité par E. Le Roy Ladurie, *op. cit.*, p. 311.
8. Jean Renart, *L'Escoufle*, éd. Franklin Sweester, Genève, Droz, 1974, vers 1858-1865.
9. Guibert de Nogent, *op. cit.*, p. 39-41.
10. William de Cantorbery, *Miracles de Thomas Becket*, livre IV, 32; édités par J. G. Robertson, *Materials for history of Archibischop Thomas Becket*, rolls series n° 67, vol. 1 et 2.
11. M. B. Salu, *The Ancrene Riwle, The Corpus Ms : Ancrene Wisse*, Londres, 1955, p. 102-103.
12. Guillaume Durand, *Rational ou Manuel des divins offices*, édité et traduit par Ch. Barthélemy, 5 vol, 1848-1854, livre I, IV, p. 42.
13. Philippe de Novare, *op. cit.*, art. 8, p. 6.
14. *De b. Margarita Poenitente tertii ord. s. Francisci vita ex mss. auctore f. Juncta Bevagnate, AS*, février III, p. 298-357.
15. *De b. Angela de Fulginio vita auctore Arnaldo, AS*, janvier I, p. 186-234.
16. Guillaume de Saint-Thierry, *Physica corporis et animae, PL* 180, col. 715.
17. Grégoire de Tours, *Histoire des Francs...*, *op. cit*, livre III, chap. V.
18. *Miracles de saint Wulfstan*, édités par R. R. Darlington, *The vita Wulfstani of William of Malmesbury*, Londres, 1928, livre I, 17.
19. G. Raynaud et A. de Montaiglon, *Recueil général et complet des fabliaux des XIIIe et XIVe siècles*, Paris, Librairies des Bibliophiles, 1872-1890, t. IV, CII, p 149-150.
20. *Libro e ricordi di Filippo di Bernardo Manetti*, 1429-1456, Biblioteca Nazionale Centrale, Florence. La traduction française est de Ch. Klapisch-Zuber, « L'enfant, la mémoire et la mort » (à paraître).

21. Giovanni Di Pagolo Morelli, *Ricordi*, éd. Vittore Branca, Florence, Felice Le Monnier, 1956, p 455-516.
22. Guibert de Nogent, *op. cit.*, p. 15.
23. *Gesta abbatum Orti sancte Marie*, éd. A. W. Wybrands, Leeuwarden, 1879, p. 26-27; cité et traduit par H. Platelle, « L'enfant et la vie familiale au Moyen Age », *Mélanges de Science Religieuse*, XXXIX, 2, Lille, 1982, p. 84.
24. Gilles de Rome, *Le Livre du gouvernement des princes*, (trad. de *De Regimine principium*), éd. S.P. Molenaer, 1989, p. 192.
25. A. de Montaiglon et G. Raynaud, *op. cit.*, t. I, V.
26. Pour tout ce qui concerne la puériculture, on peut se référer à D. Alexandre-Bidon et M. Closson, *op. cit.*
27. Voir sur ce point, l'ensemble des contributions contenues dans J. Delumeau (dir.), *La religion de ma mère..., op. cit.*
28. D. Lett, *Enfances, Eglise et familles..., op. cit.*, p. 341-343.
29. Benedict de Peterborough, *op. cit.*, livre II, 41.
30. Guillaume de Saint-Pathus, *Miracles de Saint Louis*, édité par P. B. Fay, Paris, Champion, 1932, 1, 36 et 26-27.
31. Id. *ibid.*, 51.
32. Texte édité dans A. Longnon, *Paris pendant la domination anglaise (1420-1436)*, Paris, 1878, p. 130-133.
33. Jean Gerson, *Œuvres complètes*, introduction, texte et notes par Mgr Glorieux, vol. VIII, *L'Œuvre spirituelle et pastorale*, Desclée et Cie, 1971, p. 369.
34. Ms. 468 de la bibliothèque municipale de Tours, f° 71 ; éd. et trad. dans A. Lecoy de la Marche, (présentation de J. Berlioz), *op. cit.*, n° 4, p. 21-22.
35. D. Lett, *Enfances, Eglise et familles..., op. cit.*, p. 385-392.
36. Benedict de Peterborough, *op. cit.*, livre IV, 63.
37. *Miracles de saint Wulfstan..., op. cit.*, livre II, 11.
38. Guillaume de Saint-Pathus, *op. cit.*, 51.
39. D. Lett, « La sorella maggiore « madre sostitutiva » nei miracoli di san Luigi », in « *Fratello e sorella* », a cura di Angiolina Arru e Sofia Boesch Gajano, *Quaderni Storici*, 83, a. XXVIII, n° 2, agosto 1993, p. 341-353.
40. Benedict de Peterborough, *op. cit.*, livre III, 51.
41. William de Cantorbéry, *op. cit.*, livre VI, 29.
42. Guillaume de Saint-Pathus, *Miracles de Saint Louis..., op. cit.*, 52.
43. Voir J. Le Goff, *Saint Louis*, Paris, Fayard, 1996, p. 37-40 et p. 706-708.
44. *Salimbene de Adam : un chroniqueur franciscain*, éd. O. Guyotjeannin, Brepols, 1995, p. 122-123.
45. *Vie de Benvenuto Cellini écrite par lui-même*, traduction et notes de M. Beaufreton, Paris, Julliard, 1965, t. 1, p. 50-51.
46. Nous avons vu que cette valorisation de l'allaitement maternel a aussi une fonction idéologique très forte, voir *supra*, chapitre I.
47. Aldebrandin de Sienne, *Le régime du corps*, édité par L. Landouzy et R. Pépin, Paris, Champion, 1911.

48. Gilles de Rome, *op. cit.*, p. 217.
49. Jacques de Voragine, *op. cit.*, t. II, p. 112.
50. *Daurel et Beton*, vers 724-730.

L'ENFANT DANS LA VIE SOCIALE (XIIe-DÉBUT DU XVIe SIÈCLE)

1. Voir D. Alexandre-Bidon, « Les livres d'éducation au XIIIe siècle », *Comprendre le XIIIe siècle*, sous la direction de P. Guichard et D. Alexandre-Bidon, Lyon, PUL, 1995, p. 147-159.
2. Voir D. Alexandre-Bidon et M. Closson, *op. cit.* ; nourri de dix années de recherches historiques et de découvertes archéologiques nouvelles : voir aussi P. Riché et D. Alexandre-Bidon, *L'Enfance au Moyen Age*, Paris, Bibliothèque nationale de France/Seuil, 1994. On trouvera dans ce dernier ouvrage une bibliographie de 220 titres français et étrangers sur l'enfance médiévale et une documentation iconographique et textuelle – les « preuves » de l'historien – abondante.
3. Aucun recensement n'est possible avant l'époque moderne : les premiers registres de baptême ne datent que des années 1450 et ils sont rares.
4. D. Alexandre-Bidon et M. Closson, *op. cit.*
5. P. Riché et D. Alexandre-Bidon, *op. cit.*

Le travail en famille

1. Sur l'importance d'apprendre un métier à l'enfant : P.-A. Sigal, « Raymond Lull et l'éducation des enfants d'après la *Doctrina Pueril* », *Raymond Lull et le pays d'Oc*, Cahiers de Fanjeaux, 22, Toulouse, Privat, 1987, p. 117-139.
2. Auteur de chroniques, Jean Froissart (1337-vers 1404) a également composé des poèmes dont l'un est autobiographique, *L'Espinette amoureuse*, éd. A. Fourrier, Paris, Klincksieck, 1972.
3. D. M. Webb, « Some Miracles for Children », *The Church and Childhood*, éd. D. Wood, 1994, p. 191. B. Hanawalt, *The Ties that bound peasant families in Medieval England*, New-York-Oxford, 1996, p. 161 *sq.*
4. *Fabliaux et contes moraux du Moyen Age*, Paris, Le Livre de Poche, 1987, p. 35 *sq.*
5. J. Favier, *De l'or et des épices, Naissance de l'homme d'affaires au Moyen Age*, Paris, Fayard, 1987, p. 255.
6. P. Mane, *Calendriers et techniques agricoles (France-Italie/XIIe-XIIIe siècles)*, Paris, Le Sycomore, 1983, p. 136.
7. R. Virgoe, *Les Paston. Une famille anglaise au XVe siècle. Correspondance et vie quotidienne illustrées*, Paris, Hachette, 1990.

8. *L'Enfant au Moyen Age, Senefiance*, n° 9, Aix-en-Provence, 1980, p. 71, note 33.
9. G. Caster, *Le Commerce du pastel et de l'épicerie à Toulouse, 1450-1561*, Toulouse, Privat, 1962, p. 43.
10. *Aucassin et Nicolette et autres contes du Jongleur*, éd. A. Pauphilet, Paris, Piazza, 1932, p. 137.
11. *Florilège du Moyen Age*, Paris, Hachette, 1949, p. 61.
12. *Courtois d'Arras, l'enfant prodigue*, éd. J. Dufournet, Paris, GF-Flammarion, 1995, p. 37.
13. *Histoire des jeunes en Occident*, t. I, sous la dir. de J.-Cl. Schmitt et G. Lévi, Paris, Seuil, 1996.
14. Pierre de Crescens, *Livre des Profits champestres*, XIIIe siècle. Paris, BNF, Imprimés, Réserve des livres rares et précieux M 19, p. 30.
15. E. Le Roy Ladurie, *op. cit.*, éd. 1982, p. 318.
16. *Le Bon berger, ou le vray régime et gouvernement des bergers et bergères*, éd. par P. Lacroix d'après l'édition de Paris, 1541, Paris, Liseux, 1879.
17. Voir Ph. Braunstein, *Un Banquier mis à nu. Autobiographie de Matthäus Schwarz*, Paris, Gallimard, 1992.
18. E. Le Roy Ladurie, *op. cit.*, p. 198 *sq.*
19. Cl. Gauvard, *« De Grace especial ». Crime, Etat et société en France, à la fin du Moyen Age*, Paris, Publ. de la Sorbonne, 1991, p. 336.
20. Texte publié dans *L'Histoire*, n° 180, sept. 1994, p. 37.
21. E. Le Roy Ladurie, *op. cit.*, p. 382.
22. R. Pernoud, *Jeanne d'Arc, par elle-même et par ses témoins*, Paris, Seuil, 1962, p. 14-16.
23. *L'Artisan dans la péninsule ibérique, RAZO*, n° 14, Nice, Université de Nice, 1993, p. 110.
24. R. Pernoud, *op. cit.*, p. 14.
25. *Péchés et Vertus. Berthold de Ratisbonne*, éd. par C. Lecouteux, Paris, 1991, p. 115.
26. J. Dauphiné, « Bonvoisin Da La Riva : *De Quinquaginta curialitatibus ad mensam* », *Manger et boire au Moyen Age*, Paris, Les Belles Lettres, 1984, p. 7-20.
27. *Histoire de la France urbaine*, sous la dir. de G. Duby, Paris, Seuil, 1980, t. II, « La ville médiévale », p. 190-191.
28. P. Charbonnier, « L'entrée dans la vie au XVe siècle d'après les lettres de rémission », *Les Entrées dans la vie. Initiations et apprentissages*, XIIe congrès de la Société des historiens médiévistes de l'enseignement supérieur public (Nancy, 1981), Nancy, Presses Universitaires de Nancy, 1982, p. 85.
29. Cité dans I. Origo, *Le Marchand de Prato, La vie d'un banquier toscan au XIVe siècle*, Paris, Albin Michel, 1989, p. 184.
30. F. Franceschi, « Les enfants au travail dans l'industrie textile florentine des XIVe et XVe siècles », *Les Dépendances au travail, Médiévales*, n° 30, 1996, p. 69-82.
31. J. Favier, *op. cit.*, p. 76.
32. J. Heers, *Gênes au XVe siècle*, Paris, SEVPEN, 1961, p. 313.

En apprentissage

1. F. Michaud-Fréjaville, « Bons et loyaux services. Les contrats d'apprentissage en Orléannais (1380-1480) », *Les Entrées dans la vie...*, *op. cit.*, p. 202.
2. *L'Artisan...*, *op. cit.*, p. 106.
3. J. Verdon, *Les Françaises pendant la guerre de Cent ans*, Paris, Perrin, 1991, p. 179.
4. C. Béghin, « Entre ombre et lumière, quelques aspects du travail des femmes à Montpellier (1293-1308) », *Les Dépendances...*, *op. cit.*
5. F. Michaud-Fréjaville, *op. cit.*, p. 186.
6. C. Béghin, *op. cit.*, p. 50, note 28.
7. F. Michaud-Fréjaville, *op. cit.*, p. 205, note 59.
8. Le texte est publié dans *Chaucer's World...*, éd. E. Rickert, New York & London, Columbia University Press, 1962.
9. F. Franceschi, *op. cit.*
10. Image publiée dans *Le Printemps des génies. Les enfants prodiges*, sous la dir. de M. Sacquin, Paris, BNF/Laffont, 1993, p. 28.
11. R. Vaultier, *Le Folklore en France durant la guerre de Cent Ans d'après les lettres de rémission*, Paris, Guénégaud, 1965, p. 142.
12. C. Béghin, *op. cit.*, p. 47.
13. Cas d'une petite fille. *Histoire des femmes*, t. II, « Le Moyen Age », sous la dir. de Ch. Klapisch-Zuber, Paris, Plon, 1991, p. 417.
14. P. Wolff, *Regards sur le Midi médiéval*, Privat, Toulouse, 1978, p. 415.
15. F. Michaud-Fréjaville, *op. cit.*, p. 191.
16. Id., *ibid.*, p. 185.
17. *L'Artisan...*, *op. cit.*, p. 91.
18. P. Bernardi, « Relations familiales et rapports professionnels chez les artisans du bâtiment en Provence à la fin du Moyen Age », *Les Dépendances au travail*, *op. cit.*, p. 55-68.
19. A. Stella, *La Révolte des Ciompi. Les hommes, les lieux, le travail*, Paris, EHESS, 1993, p. 114-115.
20. F. Franceschi, *op. cit.*, p. 77.
21. A. Stella, *La révolte...*, *op. cit.*, p. 117.
22. F. Franceschi, *op. cit.*
23. Théophile, *Essai sur divers arts*, publié par C. de l'Escalopier, réimpr. Laget, Editions Librairie des Arts et Métiers, Nogent-le-Roi, 1977, p. 255.
24. *Livre des Simples Médecines*, Bruxelles, Bibl. Roy. Albert Ier, ms IV. 1024, f° 116. éd. en fac similé par C. Opsomer, Bruxelles.
25. *Vie de Benvenuto Cellini...*, *op. cit.*, p. 52, note 1.
26. F. Avril et N. Raynaud, *Les Manuscrits à peinture en France, 1440-1520*, Paris, BNF/Flammarion, 1993, p. 326-327, 80.

27. C. Béghin, *op. cit.*, p. 48, note 22.
28. Paris, BNF, Ms Hébreu 402. Voir M. Garel, *D'une Main forte. Manuscrits hébreux des collections françaises*, Paris, Seuil/BNF, 1991, p. 166.
29. A. Stella, *La révolte..., op. cit.*, p. 120.
30. Texte cité dans P. Riché, *Ecoles..., op. cit.*, p. 226.
31. F. Franceschi, *op. cit.*, p. 71-73.
32. *L'Artisan..., op. cit.*, p. 106.
33. *Vie de Benvenuto Cellini..., op. cit.*, p. 59.
34. F. Franceschi, *op. cit.*, p. 79.
35. P. Bernardi, *op. cit.*, p. 65.
36. F. Franceschi, *op. cit.*, p. 81.
37. L. Stouff, *Arles à la fin du Moyen Age*, Lille, Université de Provence-Lille, 1986, p. 298.
38. J. Rossiaud, *La Prostitution au Moyen Age*, Paris, Flammarion, 1988, p. 41.
39. Cas évoqués par J. Verdon, *op. cit.*, p. 180.
40. Cl. Gauvard, *op. cit.*, p. 418.
41. E. Le Roy Ladurie, *op. cit.*, p. 382.
42. F. Franceschi, *op. cit.*, p. 81.
43. Cité dans E. Garin, *L'Education de l'homme moderne. La pédagogie de la Renaissance*, Paris, 1968, p. 26.
44. *Vie de Benvenuto Cellini..., op. cit.*, p. 59.
45. Voir à ce sujet J. Heers, *Le Clan familial au Moyen Age*, Paris, PUF, 1974.
46. J. Heers, *Gênes..., op. cit.*, p. 555.
47. Id., *ibid.*, p. 370, 402, 554.
48. H. Bresc, « Documents siciliens », *Le Corps souffrant, maladies et médications, RAZO*, Cahiers du centre d'études médiévales de Nice, n° 4, Nice, 1984, p. 113-114.
49. I. Origo, *op. cit.*, p. 190.
50. Id., *ibid.*, p. 196.
51. Id., *ibid.*, p. 193.
52. J. Heers, *Gênes..., op. cit.*, p. 554.
53. Archives nationales, A 1160 (AE II 2984).

Les enfants de la rue

1. Pour l'Italie : *Salimbene de Adam...*, *op. cit.*, 1995, p. 262. Pour l'Angleterre : lettre de l'archevêque Robert Brayeroke, *Chaucer's World...*, *op. cit.*, p. 48.
2. E. Crouzet-Pavan, « Une fleur du mal? », *Histoire des jeunes...*, *op. cit.*, p. 242-243.
3. Ch. Klapisch-Zuber, « L'Enfant, la mémoire et la mort », à paraître.
4. H. Martin, *Le Métier de prédicateur à la fin du Moyen Age, 1350-1520*, Paris, Cerf, 1988, p. 57.
5. *Journal d'un bourgeois de Paris de 1405 à 1449*, éd. C. Beaune, Paris, Hachette, 1990, p. 70.
6. Jean Froissart, *L'Espinette amoureuse*, éd. A. Fourrier, Paris, Klincksieck, 1972, texte édité dans M. Gally et C. Marchello-Nizia, *Littératures de l'Europe médiévale*, Paris, Magnard, 1985, p. 439.
7. R. Pernoud, *op. cit.*, p. 17-19.
8. Cité par Ph. Contamine, *La vie quotidienne pendant la guerre de Cent Ans, France et Angleterre*, Paris, Hachette, 1976, p. 160.
9. *Chaucer's World...*, *op. cit.*
10. Texte édité dans *Chaucer's World...*, *op. cit.*, p. 100.
11. A. D. Côte d'Or, B 3807 p. 23.
12. Cl. Gauvard, *op. cit.*, p. 279.
13. *Péchés et vertus...*, *op. cit.*, p. 115-116.
14. Saint Augustin, *Confessions*, Livre 2, chapitre 4 à 9.
15. Cl. Gauvard, *op. cit.*, p. 355.
16. J. Dufournet éd., *Le Garçon et l'aveugle*, Paris, Champion, 1982.
17. Id., *ibid.*, p. 66.
18. *Journal d'un bourgeois...*, *op. cit.*, p. 399 et 442.
19. Cl. Klapisch-Zuber, « L'enfant, la mémoire... », *op. cit.*
20. Cl. Gauvard, *op. cit.*, p. 279.
21. Voir J. Rossiaud, *op. cit.*, p. 41.
22. *Péchés et Vertus...*, *op. cit.*, p. 116.
23. J. Rossiaud, *op. cit.*, p. 115-116.
24. Id., *ibid.*, p. 46.
25. F. Franceschi, « Les enfants... », *op. cit.*, p. 78.
26. Voir P.-A. Sigal, « Comment l'Eglise a sauvé les enfants abandonnés », *L'Histoire*, n° 161, décembre 1992, p. 18-24 et *Enfance abandonnée et société en Europe, XVe-XXe siècle*, Ecole française de Rome, Rome, 1991.
27. *Journal d'un bourgeois...*, *op. cit.*, p. 164.
28. B. Geremek, *Les Marginaux parisiens aux XIVe et XVe siècles*, Paris, 1976, p. 392 et 276.
29. K. Simon-Muscheid, « Indispensable et caché. Le travail quotidien des enfants au bas Moyen Age et à la Renaissance », *Les Dépendances au travail*, *op. cit.*, p. 100.

L'enfant au château

1. *Le Château médiéval, forteresse habitée*, sous la dir. de J.-M. Poisson, Paris, DAF, 1990, p. 19.
2. G. Arnaud d'Agnel, *Les Comptes du roi René*, Paris, Picard et fils, 1910, t. III, n° 3511.
3. *La Chronique*, éd. par C. Bruneau, t. IV, 1500-1525, Metz, Société d'histoire et d'archéologie de la Lorraine, 1933.
4. Gaston Phébus, *Le Livre de la chasse*, éd. R. et A. Bossuat, fac similé, Paris, Philippe Lebaud, 1986, p. 90.
5. Id., *ibid.*
6. Heldris de Cornouailles, éd. L. Thorpe, Cambridge, 1972, texte cité dans *Littératures de l'Europe médiévale...*, *op. cit.*, p. 272.
7. B. A. Hanawalt, *The Ties that bound...*, *op. cit.*, p. 185.
8. E. Crouzet-Pavan, *op. cit.*
9. Ed. L. Lecestre, 2 vol., Paris, SATF, 1887-1889.
10. Arch. nat, JJ 185/247.
11. G. Duby, *Guillaume le Maréchal ou le meilleur chevalier du monde*, Paris, Fayard, 1984, p. 80-81.
12. F. Lehoux, *Jean de France, duc de Berry. Sa vie, son action politique*, t. III, Paris, Picard, 1968.
13. Id., *ibid.*, p. 29-33.
14. Christine de Pizan, *Le Livre des trois vertus*, édition critique, introduction et notes par Charity Cannon Willard, Paris, Champion, 1989, p. 59, chapitre « Ci devise du tiers enseignement de Prudence, qui est comment la sage princesse sera soigneuse de se prendre garde sur l'estat et gouvernement de ses enfans ».
15. *The Book of babees*, texte cité dans *Chaucers's World...*, *op. cit.*, trad. G. Alexandre.
16. E. Roy, « Un régime de santé pour les petits enfants et l'hygiène de Gargantua », *Mélanges Picot*, Paris, 1913. Voir le commentaire dans D. Alexandre-Bidon et M. Closson, *op. cit.*, p. 140.
17. Aelred Squire, OP, *Aelred of Rievaulx, a Study*, Londres, SPCK, 1969, p. 13.
18. *Histoire des femmes*, *op. cit.*, t. 2, p. 110.
19. Jean Renart, *Guillaume de Dôle ou le roman de la rose*, éd. F. Lecoy, Paris, Champion, 1962, texte cité dans *Littératures de l'Europe médiévale*, *op. cit.*, p. 295.
20. *Le Livre des trois vertus*, *op. cit.*, p. 106.
21. Ed. A. de Montaiglon, Paris, 1854.
22. G. Duby, « Au XIIe siècle : les " jeunes " dans la société aristocratique », *Annales ESC*, 2, 1964, voir p. 839.
23. 7e Partida, 1260, mise en vigueur 1340. Voir A. Ruiz Moreno, *La Medicina en la legislacion medioeval espanola*, Buenos Aires, El Ateneo, 1946, p. 147. Mes remerciements vont au Pr. J. Shatzmiller qui m'a signalé ce texte étonnant.

24. *The Book of Babees*, dans *Chaucer's World...*, *op. cit.*, trad. G. Alexandre.
25. Eihlard von Oberg, *Tristrant*. Sur l'enfance de Tristran voir J. Bédier, *Le roman de Tristan et Iseult*, Paris, Piazza, 1946, p. 4.
26. A. D. Meuse, B 503.
27. *Vie de Benvenuto Cellini...*, *op. cit.*, p. 52.
28. *Péchés et Vertus...*, *op. cit.*, p. 114.
29. Guibert de Nogent, *Autobiographie*, *op. cit.*, I, 5.
30. *Le Livre des trois vertus*, *op. cit.*, p. 60.
31. D. Alexandre-Bidon, « Livres d'enfance et de jeunesse au Moyen Age », *Histoire du livre de jeunesse. De Charlemagne à Guizot*, t. I, à paraître, Paris, Picard.

L'enfant à l'école

1. J. Le Goff, *Marchands et banquiers du Moyen Age*, Paris, PUF, 1956, p. 100.
2. S. Guilbert, « Les écoles rurales en Champagne au XVe siècle. Enseignement et promotion sociale », *Les Entrées dans la vie...*, *op. cit.*, p. 127-147, voir p. 138.
3. Id., *ibid.*, p. 207.
4. L. Carolus-Barré, « Les écoles capitulaires et les collèges de Soissons au Moyen Age et au XVIe siècle », *Enseignement et vie intellectuelle (IXe-XVIe siècle)*, Actes du 95e congrès national des Sociétés Savantes, Reims, 1970, Paris, Bibliothèque nationale de France, 1975, voir p. 168.
5. P. Riché, *Ecoles...*, *op. cit.*, p. 193.
6. S. Guilbert, *op. cit.*, p. 130.
7. R. Fédou, « Le Moyen Age : de Leidrade à Gerson », *Education et pédagogie à Lyon de l'Antiquité à nos jours*, sous la dir. d'A. Vanzini, Lyon, Centre lyonnais d'études et de recherches en sciences de l'éducation, 1993, p. 19-37, voir p. 32.
8. Paris, BNF, ms latin 9473.
9. R. Fédou, *op. cit.*
10. P. Desportes, « L'Enseignement à Reims aux XIIIe et XIVe siècles », *Enseignement et vie intellectuelle...*, *op. cit.*, t. I, p. 197-122, voir p. 109.
11. R. Fédou, *op. cit.*, p. 30.
12. L. Carolus-Barré, *op. cit.*, p. 202 et 195.
13. Id, *ibid.*, p. 146.
14. S. Guilbert, *op. cit.*, p. 131-132, p. 128 et 142.
15. Texte des statuts publié dans *Sources d'histoire médiévale, IXe-milieu du XIVe siècle*, sous la direction de G. Brunel et E. Lalou, Paris, Larousse, 1992, p. 604-606.
16. P. Desportes, *Reims et les Rémois aux XIIIe et XIVe siècles*, Paris, Picard, 1979, p. 206.
17. M. Mollat, *Le Commerce maritime normand à la fin du Moyen Age. Etude d'histoire économique et sociale*, Paris, Plon, 1952, p. 533.

18. *L'Allemagne au XIIIe siècle*, sous la dir. de M. Parisse, Paris, Picard, 1994, p. 210-211.
19. *Histoire des femmes, op. cit.*, t. II, p. 311.
20. Ch. Klapisch-Zuber, « L'enfant... » *op. cit.*
21. S. Guilbert, *op. cit.*
22. R. Fédou, *op. cit.*, p. 32.
23. G. Sivéry, *Terroirs et communautés rurales dans l'Europe occidentale au Moyen Age*, Lille, Presses universitaires de Lille, 1990, p. 212.
24. S. Guilbert, *op. cit.*, p. 128 et 142.
25. H. Martin, « L'Eglise éducatrice. Messages apparents, contenus sous-jacents », *Educations médiévales..., op. cit.*, p. 98.
26. B. Chevalier, *Tours, ville royale (1356-1520). Origine et développement d'une capitale à la fin du Moyen Age*, Louvain, Vander/Nauwelaert – Chambray-les-Tours, CLD, 1983, p. 557.
27. P. Desportes, *Reims..., op. cit.*
28. « Conte de la prieure », éd. J.-P. Foucher, Paris, Le Livre de Poche, 1974, p. 207.
29. *Op. cit.*, p. 178.
30. S. Guilbert, *op. cit.*, p. 134.
31. F. Michaud-Fréjaville, *op. cit.*, p. 205, note 59.
32. J. Verger, *Educations médiévales..., op. cit.*, p. 7.
33. Ph. Contamine, « Livre et société dans la France de la fin du Moyen Age », préface à F. Avril et N. Raynaud, *Les Manuscrits à peinture en France, 1440-1520*, Paris, BNF/Flammarion, 1993, p. 8-10, voir p. 9.
34. H.-J. Martin, *Histoire et pouvoirs de l'écrit*, Paris, Perrin, éd. 1994, p. 310.
35. Ph. Contamine, « Livre et société... », *op. cit.*
36. G. Sivéry, *Terroirs..., op. cit.*, p. 210-212.
37. B. Chevalier, *op. cit.*, p. 207.
38. F. Gasparri, « Note sur l'enseignement de l'écriture aux XVe-XVIe siècles », *Scrittura e civiltà*, 2, 1978 et « Enseignement et technique de l'écriture du Moyen Age à la fin du XIIIe siècle », *Scrittura e civiltà*, 7, 1983, p. 201-222, voir p. 209.
39. *Le Livre du Vaillant des habitants de Lyon en 1388*, éd. E. Philippon, Lyon, Audin, 1927, p. 50-53.
40. H. Amouric et D. Foy, « Liberté ? Contraintes et privilèges. Les artisanats de la terre et du verre dans la Provence médiévale », *Les Libertés au Moyen Age*, Actes du colloque de Montbrison, Montbrison, 1987, p. 252-280, voir p. 262.
41. Arch. mun. de Lyon, BB 63. Cité dans F. Godefroy, *Dictionnaire de l'ancienne langue française et de tous ses dialectes du IXe au XVe siècle*, 10 vol., Paris, nouvelle édition, 1937 (réed. Genève-Paris, Slatkine, 1982), t. VI, p. 335.
42. *Sources d'Histoire médiévale..., op. cit.*, p. 603-604.
43. *Ibid.*, p. 602.
44. Paris, BNF, ms NAF 1456, cité dans les travaux de F. Gasparri, *op. cit.*

45. L. Carolus-Barré, « Les écoles... », *op. cit.*, p. 148.
46. L. Stouff, *La table provençale. Boire et manger en Provence à la fin du Moyen Age*, Ed. Barthélémy, 1996, p. 177-180.
47. R. Vaultier, *Le Folklore...*, *op. cit.*, p. 183.
48. Aubrun, *La Vie de saint Etienne de Aubazine*, 1970, p. 69.
49. Texte publié dans *Formes médiévales du conte merveilleux*, sous la dir. de J. Berlioz, C. Brémond, C. Velay-Valentin, Paris, Stock, 1989, p. 133-134.
50. P. Desportes, « L'Enseignement... », *op. cit.*, p. 108, note 6.
51. P. Champion, « Pièces joyeuses du XVe siècle », *Revue de philologie française*, XXI, 1907, p. 161-196.
52. *Devinettes françaises du Moyen Age*, éd. B. Roy, Paris, Vrin/ Montréal, Bellarmin, 1977, p. 138, n° 394.
53. Lydgate, « The Testament », *Minor Poems*, p. 352-353. Texte édité dans *Chaucer's World...*, *op. cit.*, p. 98.
54. Jean Froissart, *L'Espinette amoureuse*, éd. A. Fourrier, Paris, Klincksieck, 1972, texte publié dans *Littératures de l'Europe médiévale...*, *op. cit.*, p. 438.
55. Id., *ibid.*
56. Ch. Klapisch-Zuber, « L'enfant... », *op. cit.*
57. P. Desportes, « L'Enseignement... », *op. cit.*, p. 109.
58. Y. Dossat, « Université et Inquisition à Toulouse : la fondation du collège Saint-Raymond (1250) », *Enseignement et vie intellectuelle...*, *op. cit.*, t. I, p. 227-238.
59. Aldebrandin de Sienne, *Le Régime du corps*, éd. L. Landouzy et R. Pépin, Paris, 1911, texte publié dans *Littératures de l'Europe médiévale...*, *op. cit.*, p. 210.
60. G. Duby, « Au XIIe siècle : les jeunes... », *op. cit.*, voir p. 837.
61. D. Foy, *Le Verre médiéval et son artisanat*, Paris, CNRS, 1989, p. 60 et 87.
62. *Courtois d'Arras...*, *op. cit.*
63. Cas mentionné dans S. Roux, *La Rive gauche des escholiers*, Paris, Ed. Christian, 1992, p. 73.
64. F. Avril et N. Raynaud, *Les Manuscrits...*, *op. cit.*, p. 20.
65. J. Le Goff, *Marchands...*, *op. cit.*, p. 106.
66. Ed. J. Misrahi et C. A. Knudson, Droz, T. L. F., 1965.
67. J. Le Goff, *Marchands...*, *op. cit.*, p. 83.

Glossaire

Catéchumène : (du grec *katêkhoumenos*, instruit de vive voix) néophyte que l'on instruit pour lui permettre de recevoir le baptême.

Complies : dernier office liturgique de la journée, qui se récite juste après les vêpres ou après le dernier repas du soir, avant le coucher (vers 18 ou 19 heures).

Comput : (du latin *computare*, compter) mode de calcul des degrés de parenté. On distingue surtout la **computation romaine (ou civile)**, qui compte autant de degrés qu'il existe de positions de parenté sur le parcours généalogique reliant un individu à un autre par leur ancêtre commun, et la **computation germanique** (ou ecclésiastique) qui calcule les degrés au nombre de générations séparant deux individus de leur ancêtre commun.

Enluminures : images peintes dans les livres manuscrits sur parchemin ou sur papier. Vient d'*Illuminare*, éclairer.

Exemplum (pluriel : ***exempla***) : récit bref et édifiant que les prédicateurs médiévaux insèrent dans leur sermon pour convaincre un auditoire par une leçon salutaire.

Fosterage (du verbe anglais *to foster* : nourrir, élever) : pratique aristocratique qui consiste à confier le jeune noble à un autre seigneur pour son éducation.

Hagiographie : (du grec *agios*, saint, et *graphein*, écrire) science et ensemble des sources concernant les vies (*vitae*) et les miracles (*miracula*) de saints. Un **hagiographe** est un clerc qui écrit des récits de ce type.

Heures (livre d') : livre à l'usage des laïcs contenant les prières à dire aux différentes « heures » de la journée (matines, vêpres, complies, etc.) et organisées en « offices » ou « messes » (de Notre-Dame, des morts, etc.).

Homéliaires : (du grec *homilia*, réunion de gens) recueils de sermons d'homélies ou de commentaires de l'Ecriture regroupés suivant le cycle des fêtes de l'année et lus devant l'office liturgique.

Infans : terme qui, dans les textes latins du Moyen Age, désigne, la plupart du temps, un tout petit enfant (dont l'âge est inférieur à deux ou trois ans). Littéralement l'*infans* est « celui qui ne peut pas parler » : *qui fari non potest.*

Laudes : office liturgique du matin composé principalement de psaumes, qui se célèbre, en été, immédiatement après matines.

Manse : dans les domaines fonciers du haut Moyen Age, le manse est l'unité d'exploitation qui comporte l'habitation, ses dépendances et une superficie de terre qui doit normalement suffire pour nourrir une famille.

Matines : premier office liturgique du matin, entre une 1 et 3 heures (selon la saison et la région) où l'on chante et récite le bréviaire.

Mi-partie : se dit d'une livrée de deux couleurs opposées que portent les serviteurs ou les pages d'un seigneur.

Ouvroir : boutique de marchand ouverte sur la rue.

Pédobaptême : baptême des petits enfants.

Polyptyques : il s'agit, à l'époque carolingienne, de documents privés de gestion foncière. Le nom provient de la présentation externe du document qui est plié plusieurs fois. Ils exposent une série d'inventaires des revenus qu'un propriétaire terrien tire de ses terres et des paysans qui lui sont attachés.

Reconquista : reconquête par les chrétiens des territoires arabes en Espagne, entre le VIIIe et le XVe siècle.

Relevailles : bénédiction donnée à une femme relevant de couches pour lui permettre d'être réintégrée dans l'Eglise. Pendant les quarante jours qui suivent immédiatement l'accouchement, la jeune mère ne doit pas, en théorie, quitter sa chambre et limiter le plus possible ses contacts avec autrui, son accouchement, conséquence du péché de chair, l'ayant rendue, pour un temps, souillée.

Simples : herbes médicinales. Dès les temps carolingiens, des herbiers manuscrits rassemblent les connaissances sur ces plantes utilisées tant en médecine qu'en cuisine.

Wergeld: (terme germanique provenant de *wer* ou *vir,* qui signifie « homme » et *geld,* qui signifie « argent »; au sens littéral : « le prix de l'homme ») Au haut Moyen Age, il s'agit d'une amende de réparation à verser à la victime ou à sa famille en cas de blessure ou de meurtre.

Bibliographie sélective

ALEXANDRE-BIDON D. et CLOSSON M., *L'enfant à l'ombre des cathédrales*, Lyon, Presses Universitaires de Lyon, 1985.

ARIÈS Ph., *L'enfant et la vie familiale sous l'Ancien Régime*, Paris, Plon, 1960, rééd. Seuil, 1973.

ARNOLD K., *Kind und Gesellschaft in Mittelalter und Renaissance*, Paderborn, Verlag F. Schnöningh, 1980.

Bambini santi, rappresentazioni dell'infanzia e modelli agiografici, a cura di Anna Benvenuti Papi e Elena Giannarelli, sacro/santo, Rosenberg et Sellier, Torino, 1991.

BOLOGNE J.-Cl., *La naissance interdite. Stérilité, avortement, contraception au Moyen Age*, Paris, Olivier Orban, 1988.

BOSWELL J., *The Kindness of Strangers. The Abandonment of Children in Western Europe from late Antiquity to the Renaissance*, New York, Pantheon Books, 1988, édition française, *Au bon cœur des inconnus, Les enfants abandonnés de l'Antiquité à la Renaissance*, Paris, Gallimard, 1993.

Church and Childhood (The), éd. D. Wood, *Studies in Church History*, vol. 31, Oxford, 1994.

DESCLAIS-BERKVAM D., *Enfance et maternité dans la littérature française des XIIe et XIIIe siècles*, Paris, Champion, 1981.

Education, Apprentissages, Initiation au Moyen Age, Actes du 1er colloque international de Montpellier (Université Paul Valéry) de novembre 1991, *Cahiers du CRISIMA n° 1*, Montpellier, novembre 1993.

Enfance abandonnée et société en Europe, XIVe-XXe siècle, Actes du colloque de Rome, janvier 1987, Ecole française de Rome (30-31 janvier 1987), 1991.

Enfant et société, Annales de Démographie Historique, Paris, Mouton, 1973.

Enfant (L'), Recueil de la société Jean Bodin, t. 36, vols. 2 et 5, Bruxelles, 1976.

Enfant (L') au Moyen Age, Sénéfiance n° 9, publication du CUERMA, Aix-en-Provence, 1980.

Entrées (Les) dans la vie, initiations et apprentissages, Actes du XIIe congrès de la Société des historiens médiévistes de l'enseignement supérieur public (Nancy 1981), Nancy, 1982.

Famille et parenté dans l'Occident médiéval, sous la direction de J. Le Goff et G. Duby, Actes du colloque de Paris, juin 1974, Rome, Ecole française, 1977.

FLANDRIN J.-L., *L'Eglise et le contrôle des naissances*, Paris, 1970. *Familles, parentés, maison, sexualité dans l'ancienne société*, Paris, 1976.

GIALLONGO A., *Il bambino medievale. Educazione ed infanzia nel Mediovo*, Bari, edizioni Dedalo, 1990.

GOODICH M., *From Birth to old Age. The human Life Cycle in medieval Thought, 1250-1350*, New York-Londres, University of Haïfa, 1989.

GOODY J., *L'évolution de la famille et du mariage en Europe*, Paris, Armand Colin, 1985.

HANAWALT B. A., (dir.) « The Evolution of Adolescence in Europe », *Journal of Family History*, vol. 17, n° 4, 1992.

HANAWALT B. A., *Growing up in Medieval London, the Experience of Childhood in History*, New York, Oxford University Press, 1993.

HERLIHY D. et KLAPISCH-ZUBER C., *Les Toscans et leurs familles. Une étude du* catasto *florentin de 1427*, Paris, Presses de la Fondation nationale des sciences politiques, 1978.

Histoire de la famille, sous la direction de BURGUIERE A., KLAPISCH-ZUBER Ch., SEGALEN M. et ZONABEND F., t. I, Paris, Armand Colin, 1986.

KLAPISCH-ZUBER C., *La maison et le nom. Stratégies et rituels dans l'Italie de la Renaissance*, Paris, édition de l'EHESS, 1990.

LAURENT S., *Naître au Moyen Age. De la conception à la naissance. La grossesse et l'accouchement (XIIe-XVe siècles)*, Paris, Le Léopard d'Or, 1989.

Liens de famille, Vivre et choisir sa parenté, Médiévales n° 19, sous la direction de Ch. Klapisch-Zuber, Presses universitaires de Vincennes, Saint-Denis, automne 1990.

MAUSE (de) L. (dir.), *The History of Childhood*, New York, Harper and Row, 1974.

METZ R., *La femme et l'enfant dans le droit canonique médiéval*, (reprint), Londres (*Variorum*), 1985.

NICCOLI O. (a cura di), *Infanzie : funzioni di un gruppo liminale dal mondo classico all'Età moderna*, Florence, Ponte alle Grazie, 1993.

Relations de parenté dans le monde médiéval (Les), *Senefiance* n° 26, publication du CUERMA, Aix-en-Provence, 1986.

RICHÉ P., *Education et culture dans l'Occident barbare, VIe-VIIIe siècles*, Paris, L'Univers historique, Seuil, 1962, rééd. Points Seuil, 1995. *Ecoles et enseignements dans le haut Moyen Age*, Paris, Picard, 2e éd., 1989.

RICHÉ P. et ALEXANDRE-BIDON D., *L'enfance au Moyen Age*, Paris, Seuil/Bibliothèque nationale de France, 1994.

SCHMITT J.-Cl. et LEVI G., *Histoire des jeunes en Occident*, Paris, Seuil, 1996.

SCHULTZ J. A., *The Knowledge of Childhood in the German Middle Ages, 1100-1350*, Philadelphie, University of Pennsylvania Press, 1995.

SHAHAR S., *Childhood in the Middle Ages*, Londres-New York, Routledge, 1990.

Table des matières

LA VIE QUOTIDIENNE

Préhistoire

SOPHIE A. de BEAUNE
Les Hommes au temps de Lascaux

Antiquité

GUILLEMETTE ANDREU
L'Egypte au temps des pyramides
JÉRÔME CARCOPINO
Rome à l'apogée de l'Empire
ANDRÉ CHOURAQUI
Les Hommes de la Bible
MARCEL DETIENNE, GIULIA SISSA
V.Q. des dieux grecs
FLORENCE DUPONT
Le Citoyen romain sous la République
PAUL-MARIE DUVAL
V.Q. en Gaule pendant la paix romaine
ROBERT ETIENNE
V.Q. à Pompéi
PAUL FAURE
La Crète au temps de Minos
La Grèce au temps de la Guerre de Troie
V.Q. des armées d'Alexandre
V.Q. des colons grecs au siècle de Pythagore
ROBERT FLACELIÈRE
La Grèce au siècle de Périclès
A.-G. HAMMAN
V.Q. des premiers chrétiens
V.Q. en Afrique du Nord
au temps de saint Augustin
JACQUES HEURGON
V.Q. des Etrusques
BERTRAND LANÇON
Rome dans l'Antiquité tardive
CHRISTINE ET DIMITRI MEEKS
Les Dieux égyptiens
PIERRE MONTET
L'Egypte au temps des Ramsès
LUCIEN REGNAULT
V.Q. des pères du désert en Egypte au IVe siècle

Moyen Age

DANIÈLE ALEXANDRE-BIDON,
DIDIER LETT
L'Enfant au Moyen Age
PIERRE ANTONETTI
V.Q. à Florence au temps de Dante
FERRUCCIO BERTINI ET ALII
V.Q. des femmes au Moyen Age
GEORGES BORDONOVE
V.Q. des Templiers au XIIIe siècle
RÉGIS BOYER
V.Q. des Vikings

GUY CHAUSSINAND-NOGARET
V.Q. des femmes du Roi, d'Agnès Sorel à Marie-Antoinette
PHILIPPE CONTAMINE
La Guerre de Cent Ans. France et Angleterre
CLAUDIE DUHAMEL-AMADO, GENEVIÈVE BRUNEL-LOBRICHON
Au temps des troubadours
LOUIS FRÉDÉRIC
V.Q. dans la péninsule indochinoise à l'époque d'Angkor
JACQUES GERNET
V.Q. en Chine à la veille de l'invasion mongole
JACQUES HEERS
V.Q. à la cour pontificale au temps des Borgia et des Médicis
FRANCINE HÉRAIL
La Cour du Japon à l'époque de Heian
SERGE HUTIN
Les Alchimistes au Moyen Age
GUY LOBRICHON
La Religion des laïcs en Occident. XIe-XVe siècles
JEAN-MARIE MARTIN
Les Italies normandes
LÉO MOULIN
V.Q. des religieux au Moyen Age
RENÉ NELLI
Les Cathares du Languedoc au XIIIe siècle
AGOSTINO PARAVICINI-BAGLIANI
La Cour des papes au XIIIe siècle
MICHEL PASTOUREAU
V.Q. en France et en Angleterre au temps des chevaliers de la Table ronde
EDMOND POGNON
V.Q. en l'an mille
PIERRE RICHÉ
L'Empire carolingien
JACQUES SOUSTELLE
Les Aztèques à la veille de la conquête espagnole

XVIe et XVIIe siècles

GEORGES BALANDIER
V.Q. au Royaume de Kongo du XVIe au XVIIe siècle
GEORGES BAUDOT
V.Q. dans l'Amérique espagnole de Philippe II
FRANÇOIS BLUCHE
Au temps de Louis XIV
GUY CHAUSSINAND-NOGARET
V.Q. des femmes du Roi, d'Agnès Sorel à Marie-Antoinette
IVAN CLOULAS
Les Châteaux de la Loire au temps de la Renaissance
JEAN-MARIE CONSTANT
La Noblesse française. XVIe-XVIIe siècles
MARCELIN DEFOURNAUX
L'Espagne au Siècle d'or
CLAUDE DULONG
V.Q. des femmes au Grand Siècle
MADELEINE FOISIL
V.Q. au temps de Louis XIII
PIERRE GOUBERT
Les Paysans français au XVIIe siècle
MICHELINE GRENET
La Passion des astres au XVIIe siècle.
OLIVIER GRUSSI
V.Q. des joueurs sous l'Ancien Régime à Paris et à la cour
JACQUES HEERS
V.Q. à la cour pontificale au temps des Borgia et des Médicis
JACQUES LEVRON
La Cour de Versailles aux XVIIe et XVIIIe siècles
ROBERT MANTRAN
Istanbul au temps de Soliman le Magnifique
GEORGES MONGRÉDIEN
V.Q. des comédiens au temps de Molière
JEAN et RENÉ NICOLAS
V.Q. en Savoie aux XVIIe-XVIIIe siècles
JACQUES SOUSTELLE
Les Aztèques à la veille de la conquête espagnole
RENÉ TAVENEAUX
V.Q. des jansénistes
JACQUES WILHELM
V.Q. des parisiens au temps du Roi-Soleil
V.Q. au Marais au XVIIe siècle
PAUL ZUMTHOR
V.Q. en Hollande au temps de Rembrandt

XVIIIe siècle

XIXe siècle

XXe siècle

HENRI NOGUÈRES
V.Q. en France au temps du Front Populaire (1935-1938)
ANDRÉ NATAF
V.Q. des anarchistes en France (1880-1910)
HENRI PIERRE
V.Q. à la Maison Blanche au temps de Reagan et de Bush
EDMOND PETIT
V.Q. dans l'aviation en France au début du XXe siècle
THIERRY PFISTER
V.Q. à Matignon au temps de l'Union de la gauche
HUBERT PROLONGEAU
V.Q. en Colombie au temps du cartel de Medellin
JEAN-ROBERT RAGACHE, GILLES RAGACHE
V.Q. des écrivains et artistes sous l'Occupation
ANDRÉ RAUCH
Vacances en France de 1830 à nos jours
LIONEL RICHARD
V.Q. sous la République de Weimar
JACQUES SOUSTELLE
Mexique, terre indienne
HENRI TROYAT
V.Q. en Russie au temps du dernier tsar
ALFRED WAHL, PIERRE LANFRANCHI
Les Footballeurs professionnels des années 30 à nos jours
ALFRED WAHL, J.-C. RICHEZ
L'Alsace entre France et Allemagne. 1850-1950
ARMAND WALLON
V.Q. dans les villes d'eaux (1850-1914)
NICOLAS WERTH
V.Q. des paysans russes de la Révolution à la Collectivisation (1917-1939)
SLIMANE ZEGHIDOUR
V.Q. à la Mecque de Mahomet à nos jours

Hors série

THOMAS SERTILLANGES
V.Q. à Moulinsart

Cet ouvrage a été réalisé par la
SOCIÉTÉ NOUVELLE FIRMIN-DIDOT
Mesnil-sur-l'Estrée
pour le compte des Éditions Hachette
en mars 1997

Imprimé en France
Dépôt légal : 0938 mars 1997
N° d'édition : 35798 – N° d'impression : 37122
ISBN : 2-01-2352286
ISSN : 0768-0074

23-41-5228-4/01